江戸の好奇心 花ひらく「科学」

池内 了

Ikeuchi Satoru

a pilot of wisdom

はじめに

江戸時代には、政治的に安定して二〇〇年以上平和を保つことができたこと、そして時代とともに経済的に余裕のある人々が増えてきたこと、この二つの理由のために「江戸文化」とも言うべき独特の文化が誕生した。その担い手は最初は武士階級が中心であったのだが、そのうちに暇と金がある豪商・医師・僧侶などが仲間に入り、やがて消費社会となるに従い商人・職人・庄屋・地主などの町人と富農民が加わった。時間的余裕とそこそこの経済力を持つ人々が増加してきたのである。平和と暇と少々の余分の金こそが文化の源であることがよくわかる。

その多彩で魅力的な江戸文化に強く惹《ひ》かれた現代人は数知れずいて、実に多くの江戸文化を紹介する本が書かれてきた。だから、この上に何を付け足すことがあろうかと訝《いぶか》しく思われるかもしれない。事実そうなのだが、私があえて本書に挑戦するのは、「役に立たない『科学』」に焦点を当てて、「江戸の好奇心」を語った本はあまりないと思うためである。ここで「科学」とカッコ付きにしているのは、好奇心に根差していることは確かなのだが「役に立つ」ことは一切考えず、ただ探究し収集し趣味として楽しむことに熱中した「科学」を意味したいためである。「好奇心に満ちた科学的試み」と言えばいいかもしれない。

そんな無益で無用で悠長な「科学」は、今日において私たちが依拠し、それからさまざまな恩恵を得ている近代科学とは本質的に異なっていることは確かである。そのため、「そんなことを調べて何の意味があるの?」と聞かれそうだが、実際に江戸時代の「科学」の実態を調べて、「もう一つの科学」があったことを思い返したいのである。明治維新以来、「西洋に追いつけ追い越せ」の観念に取りつかれて一五〇年を経た私たち日本人は、何か重要なものを取り落としてきたのではないかと思っているからだ。

近代科学は私たちの生活を豊かにしてきた。その有用性は誰も否定できないのだが、その近代科学は一般の人々の親近感から遠ざかってしまったように思える。科学の話をすれば息が詰まるとか、難しいことは御免とばかりに理解しようとせずそっぽを向き、しかしその成果だけはちゃっかり満喫する。科学との付き合いは現在ではそんなふうになっているように感じる。そのような態度に、人々は何となく後ろめたさを持ち、寂しさを感じてもいるのではないか。

子どもの頃の私たちは何に対しても興味と不思議を感じ、「なぜ?」と大人たちに聞き回っていたはずだ。それは、誰もが持っていたナイーブな未知への挑戦心と、それを解いてくれる科学への憧憬《しょうけい》であった。ところが、「当たり前」とか、「考えても仕方がない」と大人たちにごまかされ続けるうちに、やがてそんな疑問を抱くのを時間のムダとしか考えなくなってしまった。あの時、大人たちがもっと真摯に答え、考える方法を教えてくれていたら、自分はもっと科学に親しんでいたのにと、ちょっぴり残念に思う次第である。

実は、「江戸文化」には、趣味・道楽・芸事・遊び・淡泊・軽妙・潤い・粋《いき》・垢《あか》ぬけ・茶化す・見立て・関係づけ・くだらなさ・いかがわしさ・珍奇怪奇好み・ゲテモノ好み・諦め・やせ我慢、というような余分な注釈の詞《ことば》がいくつもついて廻《まわ》る。さらに漢語を使って表現すれば、機知性・即興性・瞬間性・意外性・遊戯性・諧謔《かいぎやく》性・耽美《たんび》性・飛躍性・誇張化・擬人化・戯言《ざれごと》・即妙・揶揄《やゆ》などのいずれか、ということになるだろうか。ここで思い浮かべているのは、文芸や絵画や見世物や芝居や料理や染物や細工物など創り出された諸々《もろもろ》の作品なのだが、これらには、いわば「芸事」に関連するもの以外に「科学」にかかわるものもある。具体的には、数学（和算）、博物学（本草《ほんぞう》学・名物学・物産学）、窮理《きゆうり》学（地動説・宇宙論）、生物学（草花や野菜や果樹などの園芸、鼠《ねずみ》・金魚・虫・鳥・犬など動物の育種）、職人技術（鉄砲・花火・望遠鏡・時計・からくり人形など）である。これら江戸の人々が携わった「科学」にも先述の注釈が当てはまるのではないか。要するに、これらにとらわれた「科学者」は「役に立つ」ことは一切考えず、むろん出世とか名を残すことには全く興味がなく、ひたすら夢中になってどんどんその探索の深みにはまり込んでいったのだ。私は、そんな「科学」のあり様に一種の驚きと憧れを抱いているのである。

近代科学は、一切の人間臭さや好悪の念を断ち切り、正しさの追究と有用さを第一義にして、ひたすら細分化・専門化の道を歩んできた。一点一画もゆるがせにせず、論理的な厳密さを貫徹し、普遍的真理を積み重ねようとすれば、そうならざるを得ないのである。そして、それこそが近代科学が信用される根拠となっており、現代の科学技術文明の礎となっていることは明らかである。ところが、それは否定しようがない事実であるが故に、そのような科学に取り囲まれて私たちは息苦しさも感じている。もっと人間臭く、もっと自由度の高い、もっと夢がある「科学」はないものか、近代科学の重要性・有用性を認めながらも、もっとゆったりと遊べる「科学」があってもいいのではないか、というわけだ。そのように考えていたところ、そこで私が巡り合ったのが「江戸の好奇心」をくすぐってきたもう一つの「科学」である。

従来、江戸の「科学」は、特殊例（個別性）にとらわれて一般性・系統性・普遍性に欠ける、部分に拘泥《こうでい》して大きな視野で物事を捉えていない、袋小路に入っているのに気が付かない、趣味的で個人の枠に留《とど》まっている、珍品・奇品・名品にいれあげて本筋を見誤っているなどと言われ、本来の科学ではないと無視をされてきた。それらの指摘は近代科学の視点から言えば、確かにすべて当たっている。しかし私は、「むしろそれでいいのではないか、そのような『科学』に夢中になったその心情を、現代の我々も共有してはいかがだろうか」と言いたいのである。近代科学のみが唯一の科学ではなく、江戸時代に人々が熱中した「科学」も重要な科学であって、もっと大事にして楽しむべきではないのか、と思うのだ。

博物学史研究者である磯野直秀氏が「日本博物誌雑話」(「タクサ」第三～七巻、一九九七～九九年)という連載記事の中で、東と西の博物誌の違いを書かれた論稿がある。そこで彼は以下のようなことを書かれている。曰《いわ》く、西(西洋)においては、「諸現象の仕組み」と「自然の体系ないし秩序」を追究し続け、その方法として動植物の解剖や実験を重要視し、そこから近代自然科学を生み出すことに繋《つな》がった。それに対し、東(中国や日本など東洋)においては、現象の仕組みを明らかにして体系化しようとせず、いつも生活や文化を通して、つまり人間の視点から自然を眺めていた。西洋の博物誌が人にかかわる話題を意識的に切り捨てて博物学へと昇華させてきたのと対照的である。具体的には、江戸時代の動植物博物誌は、動植物そのものの形状や生態に対する知的関心とともに、名物学・衣食住・医薬(本草)・趣味・歴史・文学・美術など、話題が生活と文化の広い範囲に及んでいて「幅広く、難しくもなく、近寄りやすい」のが特徴である。その結果として、大名から庶民まで専門家以外の人々も参加できたのだ。西洋においては仕組み・系統性の追究のために細かい知識が欠かせず、専門家以外には手が出せなくなり、素人は排除されてきたのと、これも対照的である――というのが磯野氏の見立てである。

私は彼の意見に全面的に同意する。そして、そのような問題意識から見れば、東の博物誌は科学ではなかったし、今日のような科学には繋がらなかったが、異なった「科学」を胚胎《はいたい》していたのではないか、と思うのである。同じ線路の上を西の列車が先行して東の列車が遅れて後を追っていたのではなく、東と西の列車は別々の線路を走っていたと考えるべきというのが磯野氏の指摘である。私流に言えば、西の「文明の基礎となった科学」と東（江戸）の「多面的文化の一つとしての『科学』」、その二つがあったということだ。そのような視点で江戸の「科学」を見直してみるということを本書の目的としたい。

そうした運びで、江戸の「科学」のエッセンスと移り行きをまとめる、という無分別な試みに挑戦することになった。それぞれの分野にはそれこそ専門家がおられて、詳細な分析の上に立った労作が数々あるから付け加えることは何もない。ただ私は、「江戸の好奇心」という観点から、そして江戸の「科学」の復権を目指す立場で、それらの作品から読み取れる江戸の「科学者」の心意気というようなものを抽出して展開することにしたい。

以下、第一章では、江戸時代に大いに流行した「数学（和算）」を取り上げる。日本人の計算能力の高さは世界でも有数だが、当時は技量とは関係なく、町人や農民に至るまで多くの人々がひたすら難解な数学上の「真理」探究に勤《いそ》しんだのである。実際、著書の中で難問を投げかけて同好者に解決を迫ったり、算額（自分が作った数学の問題や解答を書いて神社仏閣に奉納した絵馬）を掲げて実力を誇ったり、地方を漂泊して数学（和算）の教授を行った人物がいたり、というふうに日本独特の数学である和算が社会に存在感を発揮していたのだ。しかし、明治になって西洋数学が日本に流入すると、和算は一気に廃れてしまった。これにより私たちは、何を得て、何を失ったのであろうか。

第二章では、江戸の本草学・名物学・物産学などに触れながら、いわゆる「博物誌」として集積された数々の成果についてまとめる。日本では数多くの「博物誌」が書かれたが、異質性と共通性の区分け、系統性や断続性の判断、実験や解剖という要素還元主義的手法などを欠いていたために、体系性を持った近代の「博物学」へと昇華せず、個別的な事物を扱う「博物誌」に終始した。そのために「博物誌」は近代科学を生み出す母胎になり得なかったのだが、江戸の人々は自然を慈《いつく》しみつつ、それが生きている状況を丸ごと捉えるという、異なった自然の見方を提示した。この観点は現代の生態学的自然観察に通じており、期せずしてもう一つの「科学」の提示になっているのではないだろうか。

第三章と第四章では、単に自然を観照して記述するのみではなく、積極的に生物に手を加えて改変しようという企てを扱う。それらは、一面では新品種を作り出す実験的要素があって科学の萌芽《ほうが》になるのだが、江戸の人々は多種多様な類似品を生み出すことに満足して、それ以上自然を大きく改変することへは踏み込まなかった。第三章では植物にかかわる「園芸」、第四章では動物にかかわる「育種」についてまとめる。系統的思考がなかったと言えばそれまでだが、いずれも通常と異なる「奇品」の作出で留め、それ以上踏み込むことをしなかった。やはり、自然の営みを根底的に変えるという志向はなく、物珍しさの興味に留めてきたのである。私は、遺伝子改変で金儲《かねもう》けしようという現代の生物学のあり様に対し、このような身の程を弁《わきま》えた江戸時代の生物改変の試みを再評価するべきなのではないかと思っている。

第五章では、江戸の「科学」のみならず、「技術」に関する好奇心についてまとめた。それは腕のある職人の技だから庶民の誰もが可能であった試みではないが、新たな技術に挑戦して新製品を生み出してきた江戸の好奇心はしたたかである。鉄砲伝来の時代に、西洋から歯車やガラス細工などの要素技術が流入するや、職人たちはたちまちそれらを自家薬籠中のものとして、時計や眼鏡や空気銃などに応用して成功した。定時法（一日の時間を等分して時刻を決める方法）の方が時計技術としては簡単なのだが、あえて人々が使っている不定時法（一日の時間において、日の出から日の入りまでと日の入りから日の出までを、異なった時間間隔で等分して時刻を定める方法）の和時計に挑戦する精神があり、また数々のからくり人形を仕上げて人々をギョッとさせた。このような技術開発があったからこそ、明治のご時世になって西洋の技術が流れ込んできた時も、有効に対処できたのだろう。

以下、江戸の人々の「科学」を具体的に紹介するにあたって、当時の文章を多く引用しているが、それらは原則として著者が現代語訳した。なお、わかりやすくするために、文意を変えない範囲で、複数に分かれた文章を一つにまとめたり、一部省略したり、解釈に基づいて表現を変更したりしている。また、年齢は当時の慣習に従って数え年で記述した。江戸時代に生まれ育った「科学」の内実を知る中で、現代の厳密で正しさのみを追究する、しかめっ面の近代科学とは違った、もう一つの「科学」を楽しんでいただければ幸いである。

目次

図版・章扉デザイン／MOTHER

第一章

和算

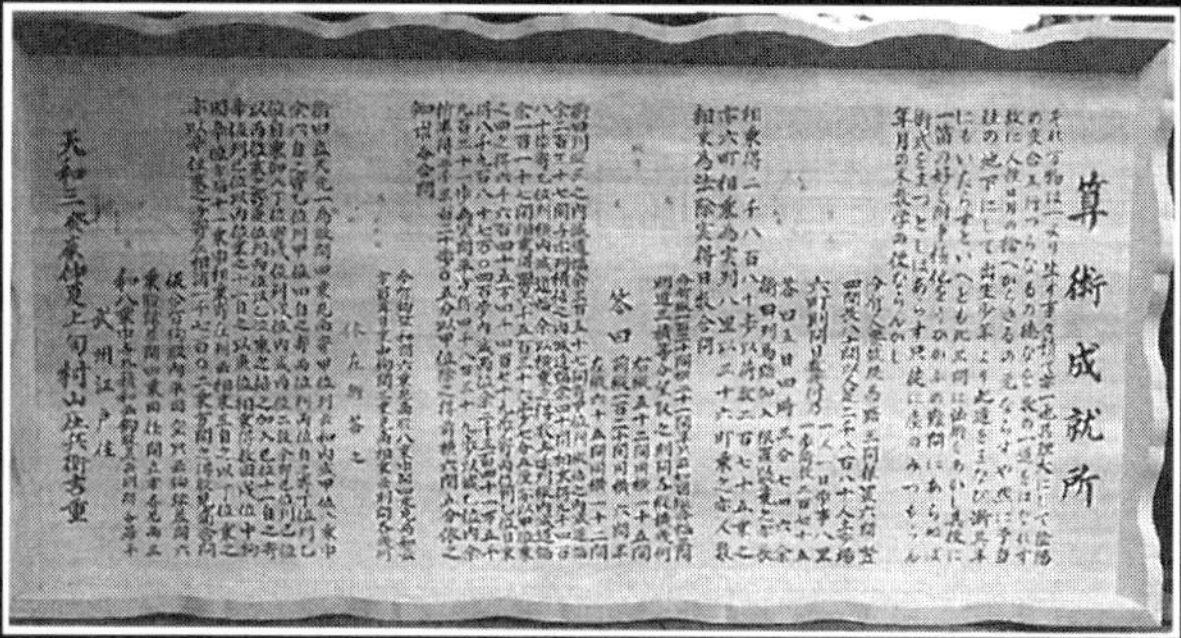

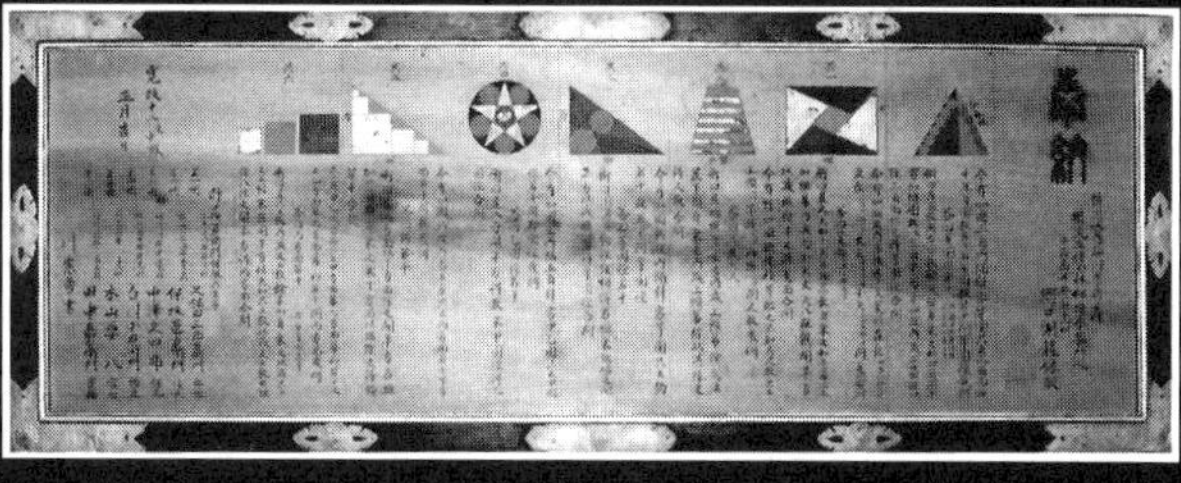

江戸時代の算額。人々は算術の問題を木の板に書いた「算額」を神社などに奉納し、誰か解ける者はいないかと世間に挑戦した。

（上）村山庄兵衛吉重が奉納した、栃木県佐野市・星宮神社の復元算額
（下）長野県木島平村・水穂神社に奉納された算額
（いずれも『だから楽しい江戸の算額』より）

日本人は計算高い国民だとは思う。もっとも、正確には「目先のことには計算高い」と言うべきで、本当に長期の観点で計算しているかについては疑問がある。例えば、経済のバブルが膨らんだ時代には世界の名画や不動産を買《か》い漁《あさ》ったのだが、バブルが弾《はじ》けるやせっかくの世界の逸品を安く手放して大損をした。先行きを見越した計算は実は不得意なのである。揶揄《やゆ》的に言えば、得意なのは暗算ができる範囲に留《とど》まるわけだ。それでも、支払いの時にきりのよい釣銭のことまで考えて紙幣に小銭を添える習性は、他の国民には見られない計算能力の表れであろう。

一般庶民が計算技術を身に付け始めたのは江戸時代初期である。そして時代が進むとともに、数にかかわるセンスを磨き、数を扱う算法・算術を学び、数の学である数学の奥深い世界に触れるようになった。それは、囲碁や将棋のような論理性と推理性を重視する高度な数学遊戯とも関係している。そのような遊びの中で見出《みいだ》された法則性や関係性を江戸の人々は緻密に考察して、抽象的な論理の世界を創りあげる学問としての「和算」へと発展させてきた。こうして振り返ってみると、庶民の実用的な計算技術から高等で難解な和算まで、数学の世界はピラミッド構造を形成していたことがわかる。数学のこのような特徴が、階層的な人間の集団として明確に表れたのが江戸時代中期以降と言えるだろう。

本章で江戸の好奇心として最初に「和算」を取り上げるのは、人々が受容した数学の幅が時代の進展とともに広がってきたことが如実に読み取れるためである。そして、その背景には即興性や意外性、機知性や諧謔《かいぎゃく》性、遊戯性や審美性というような言葉で修飾される、江戸時代の人々の欲得抜きの好奇心や遊び心があったことも大きな理由である。そして庶民の数学は、最初はそろばんを使った生活の技術であったのだが、深入りするうちに趣味とか道楽とか芸事と言われるものになり、さらに真理の追究と言えば大げさだが、先人の事績・業績を乗り越えて未知を既知とする「科学」の営みへと深まっていった、というふうにまとめられる。

「和算」は、「算術」という普遍的数学を対象としていながら、「和」という語がつくように、日本独特の発展形態をとることになった。そこに生じた数学の広がりは、「役に立たない」ことの自然な展開と言えるかもしれない。私は、それも学問の一つのあり様で、意味があると思っている。現在のような経済原理や競争原理に駆動されて、「役に立つ」ことばかりが求められる時代の科学（学問一般）の軽薄さと対照的な、文化としての「科学」がそこにあるからだ。

以下、まず簡単に江戸時代までの日本の数学事情をまとめ、それから江戸時代の数学の歴史を通覧しつつ、学問の原点というようなものを探ってみよう。

日本の数学の簡単な歴史

数学史家である大矢真一氏の『和算以前』によれば、日本に数学が移入された時期は三回あった。第一期は奈良時代の少し前で、政治システムを始め文化の基礎を中国から輸入した時、第二期は江戸時代の少し前の室町・戦国時代で、そろばんが中国から伝えられた時、第三期は明治維新の直前で、西洋からの科学・技術の輸入期である。ここで問題にするのは江戸時代までの数学だから、第三期は問題外としよう。

第一期に流入した数学は、「掛け算の九九」と計算用具としての「算木」で、中国から朝鮮半島を経て日本に伝来したことは確かなようである。というのも、韓国において六〜七世紀の百済《ペクチェ》時代のものとみられる木簡が発見され、そこに九九の表が書かれていることがわかったからだ。日本では平城宮址で発見された八世紀の木簡の表に、「□九廿七　二九十八　一九如九」と書かれ（欠けた文字「□」は三で、最後の「如」は一〇以下の数の＝〈イコール〉を意味する）、裏には「五八●　四八卅二　三八廿□」と書かれていた（「●」は四〇、「□」は四）。新潟の大沢《おおさわ》谷内《やち》遺跡では、九九＝八一から九の段が全部書かれた七世紀後半の木簡が見つかっている。九九を知ったことで、書いてみたくてたまらなくなったのだろうが、「七九四七（正しくは六三）」「三九二十四（正しくは二十七）」と間違っているのが混じっているのもご愛敬《あいきょう》である。

この木簡から、新しい知識の流入によって人々が興奮したことが窺《うかが》われるが、当時の数学はもっぱら特権階級が独占するものであり、下層官吏が機械的に暗記する計算技術を学んだ程度であったようだ。そもそも数学がまだ実用性を持たなかった時代だから、おそらく高級な数学も輸入されたのだろうが、それは生き延びることはできなかった。

とはいえ、『万葉集』で九九を用いた歌が多くあることが微笑《ほほえ》ましい。大伴家持《おおとものやかもち》の「情**八十一**＝こころ**ぐく**」（七八九：『万葉集』における『国歌大観』による通し番号、以下同）、「許乃間立**八十一**＝木の間立ち**くく**」（一四九五）、柿本人麻呂《かきのもとのひとまろ》の「**三五月**の＝**望月**の」（一九六）、「**十六**社者＝**しし**（鹿）こそば」（二三九）、山部赤人《やまべのあかひと》の「**十六**履起之＝**しし**（獣）踏み起こし」（九二六）、作者不詳の「二**八十一**不在国＝に**くく**あらなくに」（二五四二）、「**二五**寸許瀬＝**とを**きこせ」（二七一〇）、「**八十一**隣之宮＝**くく**りのみや」（三二四二）、「**十六**待如＝**しし**待つがごと」（三二七八）などがある。「八十一」を「くく（ぐく）」、「十六」を「しし（鹿、獣）」、「二五」を「とを（十）」というふうに、漢数字を九九に絡めた特殊な読み方にしているのである。「三五月」を十五夜で「望月」と読ませるのは実に秀逸だと思う。家持、人麻呂、赤人はいずれも名門の宮廷人であり、氏名不詳の作者も特権階級の人間であったのだろう。九九が言葉としての市民権を獲得し始めていたことがわかる。

これに対し、第二期には新たに「そろばん」と「割り算の九九」が伝来した。そろばんは、算木に比べて格段に使いやすく、機械的に足し算・引き算・掛け算・割り算ができることで、一気に全国に広がった。その背景には、計算をする技量が要求される種々の産業の勃興があった。土地や作物の計測・測定・測量などが求められるようになり、計算に対する必要性が高まったのである。そのため、多くの庶民の必須の技術として計算力が求められるようになったのだ。戦国時代においては弓矢や鉄砲などの軍事技術と居城・城塞建造などの築城術のため、豊臣時代になってからは大規模な検地・鉱山の開掘・貨幣の鋳造・開墾などの水利事業などのため、数学を使いこなすことが求められるようになった。江戸時代に入ると商業が勃興し、交通も発達して全国が繋《つな》がった結果、度量衡や金銭の相場の統一がなされた。人々は、日常を生きていくための基本的な数学を学ぶ必要に迫られ、教科書が出版されて広く普及し、それとともにより高度な数学を学ぼうとする人間が職業を問わず増えていったのである。

学習する人間が増えれば、その中でより高度な内容を知りたいと望み、優れた能力を持った人間が現れるのが常であり、学問が進んでいく。数学の場合も、実用的な技術（計算数学）が広がるにつれ、数学に関して特殊な才能を持つ者が専門家として現れるようになった。その人々は数学を庶民に教え、その裾野を拡大するのに一役買った。やがて、師匠（学主）を中心として師弟関係を結んだ流派（専門家集団）が数多く形成され、互いに切磋琢磨《せっさたくま》して数学の難問に挑んでいった。例えば、当初は算木とそろばんを使った「天元術」で連立多元一次方程式や一元高次方程式を解いていたが、天才・関孝和《せきたかかず》（一六四〇頃〜一七〇八）が出現して、筆算で代数式として多元高次方程式を解く、後に「点竄術《てんざんじゅつ》」と呼ばれるようになった手法を発見し、数学がいっそう発展することになった。一般に、関孝和以後の数学を「和算」と呼ぶ習わしのようである。中国の影響から独立した日本独自の抽象数学が創造されたのだ。このような日本独特の数学の流れが、西洋の数学が移入される明治維新前まで続いたのであった。

数学の三分類

数学の分類において面白い表現がある。一八世紀後半に関流（関孝和を祖とする数学者集団）の重鎮として活躍した藤田貞資《さだすけ》（一七三四〜一八〇七）が、その著書『精要算法』（一七八一年）の凡例において、

今の算数に用の用あり、無用の用あり、無用の無用あり。

と算数（数学）を三分類しているのだ。「用の用」とは「人事に益あるもの総《すべ》て是《これ》なり」と述べているように実用性のある数学のことで、計算技術がこれにあたる。品物の売買における支払いや金銀銭の両替や長さの換算など、日常生活における数値の扱いがここに入る。

「無用の用」とは、「人事の急にあらずと雖《いえ》ども、講習すれば有用の佐助（助け）となる」ものので、直ちに実用とは繋がらないが、研究し習熟すれば何らかの形で実用に役立つ数学のことである。不定形状（球や円柱や円錐《えんすい》形のような単純な形状ではない）の物体の表面積や体積を計算する方法——象の重さを量るような遊戯的な問題も入る——、天元術を使った一次方程式の解法とか、暦作成のための惑星運動の理論、というような数学的技量がこれにあたる。これらは日常の事柄には関係しない（つまり「無用の」）高等な問題なのだが、実際に使ってみると意外な結果が得られ、工夫次第で未知の世界を探るのに偉大な力を発揮する（つまり「用」）のだ。「今は役に立たないが、いずれ役に立つ」と、現代の科学者がよく口にするのをご存じだろう。

最後の「無用の無用」は、「題中に点線相混じ、平立相入る。これ、数に迷って理に暗く、実を棄《す》て虚に走り」というように、さらに多次元が入り混じって稜線《りょうせん》が交錯するような真に不定な形状の物体の表面積や体積を計算する方法の研究が一例で、貞資はこうした問題を「ただ自分の才能を示すことを目的として、さまざまな奇妙な問題を扱う」ものとして否定している。「己の奇功（稀《まれ》な優れた功績）を表し、人に誇らんと欲するための（道）具にして、実に世の長物（ムダなもの）なり」というわけだ。

しかし、「真理のための真理」を探究する数学、純粋学問としての数学、現実に役立つことはなくてあくまで理論的興味しかない数学もあって構わないはずである。実際、和算の可能性を拡大した関孝和のように、抽象的な数学世界を西洋の近代数学理論に匹敵するほどの深い研究へと広げた事例もある。むろん、「和算」は、結局現代の数学には何の寄与もしなかったと言われる。これこそまさに「無用の無用」なのだが、藤田貞資は、和算家がそのような方向に突き進んでいくことを心配するだけの先見性があったと言い得るかもしれない。逆に、私が「無用の無用」の数学に凝った江戸の好奇心に大いに惹《ひ》かれるのは、文化としての学問とはそういうものだと思っているためである。

見方を換えれば、以上の三種類の数学の存在が言われたことは、人々にとっての数学の許容性が広がってきたことを意味する。江戸時代はさまざまな人々によって、さまざまな立場から数学が持《も》て囃《はや》された時代なのである。以下、数学の三分類をもう少し詳しく見てみよう。

〈「用の用」の数学――『塵劫記《じんごうき》』〉

江戸時代の子どもの教育は、よく知られているように「読み・書き・そろばん」で、それらは人間が生きていく上で必須の生活技術である。「そろばん」と表現されているのが算数で、計算・勘定・測定など数を扱う学習を指す。具体的には中国から日本に渡ってきたそろばん（十露盤）を使って加減乗除（足し算・引き算・掛け算・割り算）を自在にできる技術を意味した。子どもたちが通った寺子屋（通常は「手習い所」と呼ばれた）は全国に概数で二万カ所あったとされるが、二〇一九年に日本全国の小学校の数が一万九〇〇〇校であったことを考えると、子どもたちの就学率は非常に高かったと言ってよいだろう。むろん、貧しい家庭では子どもは重要な労働力であったから寺子屋に通えなかったのだが、明治維新の際の各国との比較において、日本人の識字率が高かったことは確かである。文字の読み書きと計算力については、人間が生きていく上で誰もが当然習得しておくべき技量と見做《みな》されていたのだ。つまり、江戸時代の庶民が日常的に使用していた数学とは、基本的には珠算（そろばんを用いた計算）を中心にした、生活に即した数処理技術のことで、まさに数をかぞえる「算数」であった。

その計算技術の手引きとして、早くも一六二二年に摂津出身の毛利重能《もうりしげよし》（生没年不詳）が通称『割算書』を出版している。このため、毛利を「日本数学の祖」と呼ぶ人もあるくらいで、庶民がそろばんを用いて計算する力を養成するための入門書を書いたことは高く評価されるべきだろう。そろばんを用いての計算では、足し算と引き算はもちろん楽にこなし、暗算した九九を用いての掛け算はその手順を学び、掛け算の逆である割り算にはひと工夫する必要がある。その段取りをわかりやすく書いたのが毛利の著書で、そろばんがなかなか上達しない子どもに（大人にも）向けた参考書として使われた。また、これ以前にも『算用記』と題する本が出版されていたようで、教科書や参考書を片手に勉強するのは日本人お得意の学習法なのかもしれない。

そろばんを使って加減乗除の計算が自在にできること、それが武士階級はもとより庶民（農民や工商民）にとっても必須の技量となっていったことには理由がある。封建社会は武家が権力を持った時代なのだが、その支配が長続きするためには権力者である武家が公正であることが人々に認められなければならない。武力を独占している支配階級が、被支配階級に公正性を保証せずに命令を力で押し付けるだけであっては、人々はそっぽを向いてしまい支配が持続できないからだ。権力者となった幕府（武家）は、特にさまざまな数値・数量に関する取り決め――長さ・重さ・容積の単位、農地の面積の測量と年貢の決定、金銀銭の価値基準とその両替など――の公正性を、被支配者である農工商民たちに保証しなければならない。そのため、単位を統一し、測定結果を公表し、誰が計算しても同じ結果となることを見せる必要があるのだが、庶民も計算の技量を身に付けていなければ意味がない。つまり、庶民の「読み・書き・そろばん」能力の習得は、幕府の布告が庶民に伝わって理解され、幕府が公正であることを庶民が納得するためにも必要な技量で、幕府の存続にとっての必須の条件であったのだ。

技術というものは不思議なもので、基礎的なレベルをマスターすると、それに留まることに満足せず、より高度なレベルへと挑戦しようという人間が必ず出てくるものである。例えば、複雑な形状をした土地の面積をどのように測るか、限られた数の獲物を猟師たちはどのように分配するか、持ち上げられない巨石の重さを量る方法はあるか、見上げるような高木の高さをどのようにして測るか、など身辺の事柄についてなぞなぞを出すように問《と》い質《ただ》す庶民がおり、幕府や藩の役人はそれらの問いに答えなければならない。役人も大変なのである。そんなやり取りを重ねるうちに、現実性はともかく、計算技術をマスターしていくにつれて基礎的なレベルから「数を算する」ためのより高度な技量を身に付けるようになっていく。

こうして、計算技術の高まりは新たな計算技術の開拓に繋がっていく。毛利重能の弟子とされる吉田光由《みつよし》（一五九八〜一六七二）が『塵劫記』と題する、そろばんを使って計算するための教科書を一六二七年に出版した。ここでは、現実には起こり得ない場合も含め、お金の両替、米を俵に詰める量目の計算（量目不足を「かん立」と言う）、米の運賃の計算（運ぶ米の運賃はその米の一部で支払うが、その分はいれないという計算）、米の収穫高の計算、農民が負担する年貢の計算（「取箇《とりか》」には五公五民＝五割を年貢に納める方式と四公六民＝年貢が四割だけの方式があった）、利息の計算（複利計算もある）、平面図形の面積の計算（検地の検証）など、さまざまな問題が案出された。非常に大きな数を扱うのでそろばんを使わざるを得ないのだが、論理的な思考を駆使して解決の方法を発見し、公式（マニュアル）を使えるようにしていくという手順で、問題―答え―術文（解き方の筋道）をセットで提示していた。いわば、ゲーム感覚で遊戯的な問題に誘い込んで数学の方法の有力さを示すとともに、思いがけない答えが必然であることを教え、数学が切《き》り拓《ひら》く未知の世界への誘《いざな》いが多くの人々を魅了したのであった。

この『塵劫記』はベストセラーになり、著作権などがなかった時代だから、これを剽窃《ひょうせつ》した海賊版が数多く出版されたこともあって世間の耳目を惹き、その相乗作用によってさらに多く売れたそうである。単に生活技術としてのそろばんの技術に飽き足らず、数の世界に遊んでみたいと望む人間が多くいたのだ。事実、寺子屋で使われる初等教科書を通常「往来物」と言うそうで、『塵劫記』もまた往来物の一種として使われたのである。

その結果、『塵劫記』の類本が約四〇〇種、書名には「塵劫記」という名は付いていないけれど、それに類する本がやはり四〇〇種は出ていたと推測されている。その偽版対策の意味もあったのだろう、吉田光由自身が大形本・小形本を含め全部で七種の改訂版を出版している。そして、そのいずれでも金銀銭の両替率や利率や物価などを、各時代に合わせて改訂していて親切である。また読者にとっては馴染《なじ》み深い図が入っていてわかりやすい。さらに、人々がより高度な問題に挑戦するようにうまく仕掛けていて学習意欲を引き出している。実際、現代の私たちも、「友愛数」[*1]や「完全数」[*2]や「婚約数」[*3]や「社交数」[*4]や「タクシー数」[*5]などの数値に秘められている謎に不思議を感じ、「ピタゴラスの定理」や「三角形の内角の和は一八〇度」などの幾何学の神秘に触れると数学に魅了され、もっと知りたいと思う。江戸時代の人々にも、それと同じ心理が働いたのである。

同じ頃、やはり毛利重能の弟子である今村知商《ともあき》(生没年不詳)という学者がいた。彼は独学で高度な数学を身に付け、弟子に教えていた数学を『竪亥録《じゅがいろく》』と題する書物として刊行した（一六三九年）。これは純粋な数学の公式を漢文で著したもので、内容は『塵劫記』を遥《はる》かに上回る高度なものであり、当時の最先端を行っていた。「竪亥」とは古代中国の伝説的な測量技師の名前で、そろばんの解説の重要な課題が土地の測量（検地）であったことから、この書名が選ばれたらしい。これ以後、算術の本は吉田光由の『塵劫記』系統と今村知商の『竪亥録』系統に分かれた。前者が数学の愛好者向け（大衆路線）、後者がより深く数学を学ぼうとする者向け（本格派路線）というわけだ。

〈「無用の用」の数学――遺題継承〉

後の版も含めて『塵劫記』が広く普及するにつれて、そろばんの技法を教えるとともに、数学を教授する塾を開設して生活する人間が出現するようになった。実用的な生活技術をマスターして人々に教える新たな職業の登場で、現代で言えばさしずめパソコン教室のようなものであろうか。実際、吉田が「世間にある数学の塾では、『塵劫記』がわかる程度の実力しかないくせに数学を教えている人がいる。自分の師が数学者かどうか、わからないだろう」と書くほど、俄《にわ》か数学教師が出現したらしい。このいささか傲慢とも言える吉田の言葉には彼の焦りの気持ちが表れている。自分の本が売れるのは大歓迎なのだが、アマチュアに毛が生えた程度なのにいっぱしの数学者気取りで人に教えるとは何事だ、本当の数学はもっと深遠で高級なものであると言いたいのである。もっとも、そのようなレベルの高い数学の本を書いたのは同じ毛利重能の弟子である今村知商であって、自分（吉田）の本は大衆迎合路線でしかないと承知していたわけで、内心忸怩《じくじ》たるものがあったに相違ない。

そこで吉田が一念発起して書いたのが『（新編）塵劫記』（一六四一年）で、その巻末で上述の文章に続けて、「自分の師が数学者であるかどうかを判断する方法を教えよう。それはここに

＊1　友愛数：二つの自然数で、各々の自然数の約数の和が互いに他方と等しいペアを指す（例、二二〇と二八四）

＊2　完全数：その数を除いた約数の和が元の数と等しくなるもの（例、六、二八）

＊3　婚約数：二つの自然数で、一と自分自身を除いた約数の和が互いに他方と等しいペアを指す（例、四八と七五）

＊4　社交数：友愛数の発展形で、三つ以上の自然数A、B、C……の組で、Aの自分自身を除いた約数の和がBになり、Bの自分自身を除いた約数の和がCになり、これを続けて元の数Aに戻る数の組（例、一二四九六、一四二八八、一五四七二、一四五三六、一四二六四の五個の組）

＊5　タクシー数：二つの三乗の和として二通りに表すことができる自然数（例、一七二九。一〇の三乗と九の三乗の和、および一の三乗と一二の三乗の和として表される）

掲げた答えのない一二問の問題が解けるかどうかで判断できる」と書いて、世間の数学者に挑戦したのだ。一二問の「遺題（または「好み」と言う）」として難問を提出して、これを解ける人間こそが真の数学者である、というわけである。

この遺題は、直角三角形の各辺の長さを求める問題（多元二次方程式）、円錐の体積を三等分する問題、多元（三〜四元）一次方程式、円錐台または正四角錐台の高さや辺の長さ、積み上げた正四角柱の底辺の大きさ、三分割した円の弦の長さなどを求める問題である（一一、一二問は、問いがないので問題として成立していない）。現在では簡単に解けるが、当時としては相当な難題であったようで、この遺題が解かれたのは一二年後の一六五三年であった。榎並和澄《えなみわちょう》（生没年不詳）が『参両録』として解答を刊行したのである。それだけに止《とど》まらず、榎並は八問の新たな遺題をこの本に載せて、読者に挑戦した。これが発端となって、先に出された遺題を解くとともに、自らが考案した遺題を載せる、その遺題を解いた人間が新たな遺題を出す……という、リレー式の数学問答が始まることになった。

これが「遺題継承の風習」で、磯村吉徳《いそむらよしのり》（?〜一七一〇）の『算法闕疑抄《けつぎしょう》』（一六六一年）と磯村の弟子である村瀬義益《ぎえき》（生没年不詳）の『算法勿憚改《ふつだんかい》』（一六七三年）には各々一〇〇問、佐藤正興《まさおき》（生没年不詳）の『算法根源記』（一六六九年）ではなんと一五〇問もの遺題を載せている。『算法根源記』で出された多元一次方程式や一元高次方程式の遺題を、中国由来の天元術を紹介して解いたのが沢口一之《かずゆき》（生没年不詳）の『古今《ここん》算法記』（一六七一年）であった。天元術では多元高次方程式を解くことができないが、沢口は、『古今算法記』にわざわざ天元術では解けない遺題を一五問も載せている。

遺題継承が続いていくと、やさしい問題だと重みがなくなるからだろう、どんどん難問になり、出題数も前述のように一〇〇問を超えることもあった。そうなると、実質的には先の出題の解答と自己の出題の二つの部分だけから成る数学書になってしまう。それは同時に「無用」の数学にどんどん踏み込んでいくことを意味する。「無用」であるからこそ、高等性を示しているかのように錯覚するからだ。遺題継承のピークは寛文年間（一六六一〜七三）で、右に挙げた著作もこの時代に集中している。世相が安定し、経済的にも余裕が出始めた時代である。

〈「無用の用」から「無用の無用」へ——関孝和の数学〉

この頃に登場したのが関孝和で、算木を使わず、数式を紙に書いて筆算で解く点竄術を開発して多元高次方程式を解くことに成功し、先の沢口一之による一五問の遺題を見事に解決し『発微《はつび》算法』（一六七四年）として出版した。もっとも、多くの数学者は関のこの仕事の意味が理解できなかったため、関の弟子である建部賢弘《たけべかたひろ》（一六六四〜一七三九）が『発微算法演段諺解《げんかい》』（一六八五年）を発行して解説し、ようやく理解されるようになったそうである。これが日本独特の数学である「和算」の開始ということになる。この関の業績があって遺題継承の風習は下火になったのだが、この風習は先達の業績を引き継ぎ、後世の数学者が改良・発展・高度化させる「無用の無用」の数学に繋がる契機を提供したと言える。

　関孝和は、甲府の徳川綱重（一六四四〜七八。家光の三男で初代甲府藩主）と息子の綱豊（一六六二〜一七一二）の下で勘定吟味役（会計監査役）を務め、一七〇四年に綱豊が五代将軍綱吉の世子（跡継ぎ）となったため江戸勤めとなり、御《お》納《なん》戸《ど》組頭《くみがしら》（衣服・道具類の出納を取り扱う役人）となった後、一七〇六年に病のために職を辞している。彼の最初の出版は上述した『発微算法』で、沢口が挑戦的に出した天元術では解けない遺題に対して、見事な解決法を提示した。それは、①未知数をxで表して筆算に直し、②補助の未知数を取り入れて多元連立方程式を立て、③その後に補助の未知数を消去する、という手続きである。これによって一元方程式に帰着させることができるから天元術によって解けることになる。この方法を踏襲した筆算による代数を孝和は「演段術」と呼んでいるが、これが「点竄術」の原型である。

　筆算による「点竄術」の発明は、ほぼ同じ時期に上方でも江戸でも始まっており、関孝和だけの功に帰すわけにはいかないらしい。いずれにしろ、記号的な筆算代数が誕生したということが重要で、日本固有の数学である「和算」が生まれ、これが契機となって和算家が誕生することになった。このような経過で「和算」が専門的な学問として研究範囲を拡大し、ヨーロッパの微積分学と類似の結果を得るようになったのは事実である。しかし、これはあくまで「数学のための数学」としての一面であり、和算は町人階級に広がった俳諧・狂歌・川柳・浮世絵・音曲・園芸などと同じ「芸事」として、多くの人々が楽しむ対象になった。

関孝和が著書として刊行したものは、先の『発微算法』と、彼の死後に弟子の手で出版された『括要《かつよう》算法』（一七一二年）しかない。この二書に彼の重要な仕事が収録されているのだが、弟子の建部賢弘が書いた『発微算法演段諺解』が、その書名にあるように関の『発微算法』をわかりやすく解説するとともに、その業績についても詳しく述べている。関は、若い頃は遺題に挑戦して片端から解き、後に述べる算額問題にも関心を寄せて挑戦するだけでなく、中国の数学文献の知識を習得したそうである。このような方法で多くのアイデアを引き出したことが彼の独創性の源泉となったらしい。関の業績としては、点竄術の創始者の一人で、その計算法のために行列式を発明したこと、方程式論・補間法・整数論・正多角形の理論・円理（円周率・円弧の長さ・円の面積など）・近似分数（零約術）・ベルヌーイ数（級数の和）など数多くある。

数学史家の小倉《おぐら》金之助は彼のことを、「日本や中国の数学文献を広く渉猟しまして、その結果をよく整頓し、専門的に深め、系統的な分類を与えたのであって、この点では、一種の方法論者とも、見られましょう」と評している（『日本の数学』）。「独創家であると同時に、組織家をもかね合わせた天才であった」というわけである。「天才は時代に関係なく孤独に生まれるが、時代とマッチしていることが天才を活《い》かす条件」と言えるだろう。関は社会的・経済的に安定して和算を学び研究する人間が増えつつある時代にあり、彼の門人に優れた人が多く出たこともあって、「関流」という大きな学派が形成されて「和算」の興隆に寄与することになったのである。

〈「無用の無用」の花盛り——算額奉納〉

関がいた頃に盛んになり始めていたのが「算額奉納」である。「算額」とは算術の問題を木の板に書いて神社などに奉納して掲げた額のことで、文献的には礒村吉徳が著した『算法闕疑抄』に「御城下の町屋において算術の額をかけ」とあるのが最初とされている。また、村瀬義益の『算法勿憚改』にはっきりと目黒不動の算額についての記録があるから、寛文年間には算額奉納の習慣が広がっていたようである。現存する最古の算額は栃木県佐野市の星宮神社に奉納されたもので、天和三年（一六八三年）と年号が書かれている（本章扉参照）。江戸在住で佐野出身の村山庄兵衛が、数学者として大成するという少年期よりの大願が成就したことへの感謝の意を込めて掲げたものである。この算額には出題があって、次の数学者からの解答を待つという形となっている。

算額奉納は、遺題継承と本質では似た風習と言える。算額とは普通、問題・答え・術文を板に書き込み、それを（比較的人で賑《にぎ》わう）神社やお寺に奉納して目立つように掲げたものである。いわば誰にも公開された遺題継承で、誰もが奉納者名と出された問題を見ることができるだけに、世間への挑戦（宣伝）という側面もあった。数学の悦楽に耽《ふけ》って「病膏肓《こうこう》に入る」ということだろうか。京都の八坂神社で長谷川鄰完《りんかん》（一六三七？〜九二）が元禄《げんろく》四年（一六九一年）に掲げた算額は、現在流に言えば七〇次方程式になる問題である。

算額は、少々薄暗い境内で、少し離れたところから見上げて読まざるを得ないから、図形を見るだけで何を問うているかがわかる問題がよい。さらに正円や正方形を使った単純な図形問題ならもっと人々を惹きつける。とはいえ、年代が下がるにつれて単純な問題が底をついたため、いくつもの円の組み合わせや、円と方（四角）を合成した問題が増え、難度が高くなっている。一般には、「図、問題、答え、術文、奉納者名、奉納年月日」が書かれているが、答えの文がなかったり、術文がなかったりするものもある。愛媛県松山市の伊佐爾波《いさにわ》神社には、なんと算額が二二面も奉納されているから、数学者の登竜門であったのかもしれない。その中で最古のものは一八〇三年のものだそうだ。

上古には神仏に祈願する時、生きた馬を捧《ささ》げていたが、奈良時代になると本物の馬の代わりに土馬や木馬になり、やがて馬の絵を描いた額を納めるようになった。それが「絵馬」である。私の故郷である兵庫県姫路市新在家《しんざいけ》の大歳《おおとし》神社には黒馬の額が掲げられていて、それには「奉納者池内かめゑ」の名前が入っている。私の祖母である（白馬の額は祈願、黒馬の額は感謝、という俗説もあった）。これこそが本来の絵馬であり、やがて馬の絵だけでなくさまざまな絵が描かれるようになり、現在のように入学・健康・上達・禁酒などの願い事の言葉を書いた小さな絵馬で代用されるようになった。人目に立つよう有名な絵師に自分の姿を素晴らしい絵に描かせて、見事さを誇示するというような使われ方もあったそうだ。また、最初は祈願者の居住地名と名前程度しか記されていなかったのが、今や年月・住所・氏名・年齢など詳しく書くようになっている。絵馬に込められた思いも時代とともに変化するのである。

算額奉納の風習は、遺題継承が広く行われるようになった一七世紀半ば頃から始まっているため、遺題を提供するのと同様、「こんな難題を解いたぞ」との誇りを世間に示す目的があったことは確かである。実際、先の八坂神社の算額は、京都の御香宮《ごこうのみや》に問題だけの算額が一六八三年に掲げられ、長く解かれなかったのだが、長谷川鄰完がついに解いたというものだ。その感激があったのだろう、鄰完は「（同門の山本氏が）二箇の好《よ》い問題を作って伏見御香宮の神前に掛け奉じた。その後、これへの答術を試みる人もなく、空《むな》しく数年の時間が過ぎた」と経緯を書いておいてから、「私は、その答えを明示して、今当社の御神前に（算額を）掛け奉った。物好きなことと言われるかもしれないが、自分の数学の祈願のためになると願ってのことである」と書いている。自分の数学の能力を誇りつつ、さらに上達することを願ってのことだと言い訳しているのである。

算額奉納では、難題を解くにおいて閃《ひらめ》きや天啓があったことを神仏に感謝するという思いも強かったに違いない。神仏のご加護があればこその研究成果であることを祝福しようと、うやうやしく算額を掲げたのである。また、数学の師匠のお祝いの記念であったりすることもある。弟子一同からの晴れの算額上納というわけだ。さらに、多くの人々が目にするので和算の流派の宣伝に使う輩《やから》も現れた。事実、流派の人名と彼らが創ったと思われる多数の問題のみしか書かれていない算額もある。比較的手軽に出せるため、気楽に算額が利用されたのであろう。算額は「和算」の集団の靭帯《じんたい》役も果たしたのである。現代のようなインターネット時代のブログとかホームページの作成のようなものと言えようか。

算額奉納が増えると、全国にいる弟子たちに各地の算額に書かれた問題を報告させ、それを編集して「算額集」を刊行する知恵者が現れた。その最初は藤田貞資で、『神壁算法《しんぺきさんぽう》』（一七八九年）と名づけて公刊した（算額を「神壁」と呼んでいる）。素晴らしいアイデアだと評判になったらしく、藤田は増補版の『増刻神壁算法』（一七九六年）を出版し、さらに『続神壁算法』（一八〇七年）をも刊行している。確かに算額に書かれた問題は適度に難しく、演習問題として適当である。さしずめ、大学入試に出された問題を集めた現在の受験参考書と同様で、効率的に探索できたので重宝したのだろう。

算額に発した事件がある。剣術の傍ら和算を学んだ会田安明《あいだやすあき》（一七四七〜一八一七）が関流の藤田貞資に入門を願ったのだが、藤田は会田が奉納した算額の誤りを指摘して入門を許可しなかった。そこで発奮した会田は研鑽《けんさん》を積み、出身地の山形の最上《もがみ》に因《ちな》んで「最上流《さいじょうりゅう》」と呼ぶ和算の流派を打ち立てた。そして、逆に藤田の著書である『精要算法』（一七八一年）の誤りを指摘した『改精算法』（一七八五年）を刊行して対立したのであった。以後二〇年にわたって論争が続き、その間に稿本も含めて関流・最上流合わせて一〇冊以上の著作が出され、最後に会田が『掃清算法』（一八〇六年）を著して論争を終結させた。この論争では両者から出された著作が公開されていたらしく世間に注目され、一般の人々が数学に興味を持つきっかけとなって、多くの人々を数学に打ち込ませることになったらしい。実際、当代一流の学者の論争が本を通じて目の前で展開されているとなれば、和算家ならずとも引き込まれたのではないだろうか。

大阪の総持寺には算額が二面奉納されていて、その一面には奉納者名として「魚屋平七、油屋清兵衛、鮒《ふな》屋喜八郎、米屋忠右衛門、大工栄蔵、百姓平右衛門」と書かれており、もう一面には「鳥屋政松、樽《たる》屋平吉、杣師《そまし》（木こり）文蔵」の名が記載されている。和算に打ち込んだのが、魚屋・油屋・鮒屋・米屋・大工・百姓・鳥屋・樽屋・杣師であったというわけで、実にさまざまな庶民が参加しており、和算が広い階層の人々にも広がった学問であったことがわかる。さて、現代において、こんなことが想像できるだろうか。

〈「無用」から「用」へ――遊戯的問題〉

先に述べた教科書として使われた「往来物」の他に、和算家が手を染めたのが遊戯的問題を扱った本で、「子どもたちが遊びながら、この書によって初歩から高度な数学まで学ぶことができる」と書いて宣伝している。学問を楽しみながら芸に遊ぶ、という和算家たちの面目躍如である。『塵劫記』にもその種の問題が含まれているように、多くの数学書にゲーム感覚の、あるいはクイズのような問題が掲載され、人々に提供されたのである。もっとも、吉田兼好の『徒然草《つれづれぐさ》』の一三七段に「継子立《ままこだ》て」*6のことが述べられているように、遊びを伴った数学の問題は昔からあった。事実、「薬師算」「十不足《とおたらず》」「百五減」など、数の遊戯的な問題は室町時代からあり、庶民の数学教育に貢献してきたのであった。さしずめ、今日のクロスワードパズルのようなもので、時代を超えて人気があったのだ。その中で意外性がある、あるいは数学の方法と関連がある問題を拾い上げてみよう。

*6　継子立て：継子と実子（碁石を使う場合は黒石と白石）を一五ずつ（一〇ずつの場合もある）まぜて環状に並べ、始点から一〇番目を順に除いていき、最後に残ったものを勝ちとする遊び。

節分の豆の数

生まれた年の節分に三粒食べ、翌年に四粒食べ、翌々年には五粒食べ、というふうに毎年食べる数を一粒ずつ増やしていくと、数え年で八四歳の人は、前年の節分までに豆を何粒食べたか、という等差級数の和を求める問題である（答えは３６５２粒）。

日に日に二倍

右と同類の、一日目は一粒だった米粒を一日ごとに二倍にしていくと三〇日目には何粒になるかという等比級数の計算で、二の二九乗だから５億３６８７万９１２粒になる。最初は小さい数であるが、倍々で増えていくからやがて膨大な数になる。「塵《ちり》も積もれば山となる」ことの教訓に繋がる問題である。

倍増し賽銭《さいせん》

三三カ所の観音様を巡って賽銭をあげていく話で、一番の観音様には一文、二番の観音様には二文、三番の観音様には四文というふうに、賽銭を二倍ずつ増やしていくと、総額で何文納めることになるかという、やはり等比級数の問題である（答えは８５億８９９３万４５９１文）。

二のべき乗の和の計算なのだが、実は賽銭を使うことで、お金の計算として手が込んでいるのだ。というのは、一〇〇〇文を一貫とすると858万9934貫591文になるのだが、当時は九六文を一〇〇文として勘定する「九六の法」という習慣があったことも考慮しなければならない。従って、この総計を0・96で割った894万7848貫532文が正解になる。「九六の法」の使い方も教えたのである。

ネズミ算

少し難しくした問題で、正月にネズミ夫婦が一二匹の子どもを産み（雄と雌を毎回同じ数だけ産むとする）、二月には合計一四匹で七組の夫婦それぞれが一二匹の子どもを産むと合計九八匹になり、四九組の夫婦になって三月にそれぞれが一二匹ずつ子どもを産む、ということを毎月繰り返せば、年末には総計で何匹になるかという問題で、答えは合計276億8257万4402匹になる。等比級数を扱った和の計算なのだが、このように足し上げる数が急速に増えていくのが厄介である。ネズミ算と呼ばれた。

立ち木の高さを測る

直角二等辺三角形の形に折った紙の斜辺を、立ち木のてっぺんに向けて見ることができる位置におけば、立ち木までの距離が高さになる。幾何学の問題で、よつん這《ば》いになって、自分の股の間から木のてっぺんを覗《のぞ》いている図が『塵劫記』にある。体を直角に曲げると上半身と下半身はほぼ同じ長さになって直角二等辺三角形ができ、地面に付けた頭と木の根元までを一辺とし、木のてっぺんと木の根元を結んだ線とは二等辺三角形になるから、相似形になる。従って、木までの距離が木の高さとほぼ同じというわけである（左図参照）。子どもたちに実体験させたのだろうか。

「算勘碁智恵阿呆《さんかんごちえ》の内《うち》」

江戸時代では、庶民の生活技術であったそろばんの有力さと効率性が高く評価され、寺子屋で必須の技量として教授されるとともに、『塵劫記』のような優れた啓蒙書《けいもうしょ》が多数出版されて数学を愛好する人々も増えてきた。先に見た遊戯的な問題に親しんでいるうちに数学に深入りする人間が増え、さまざまな職業の庶民が算額を奉納するようになるくらい「和算」の愛好者も増えたのである。このように、数学が世の中の広い階層に支持されるようになったのだが、それでは当時身分が最上層にあった武家社会において、数学はどのように受け入れられていたのであろうか。

中国では古代から、人の上に立つ者は六芸（礼〈礼儀〉・楽〈音楽〉・射〈弓術〉・御〈馬術〉・

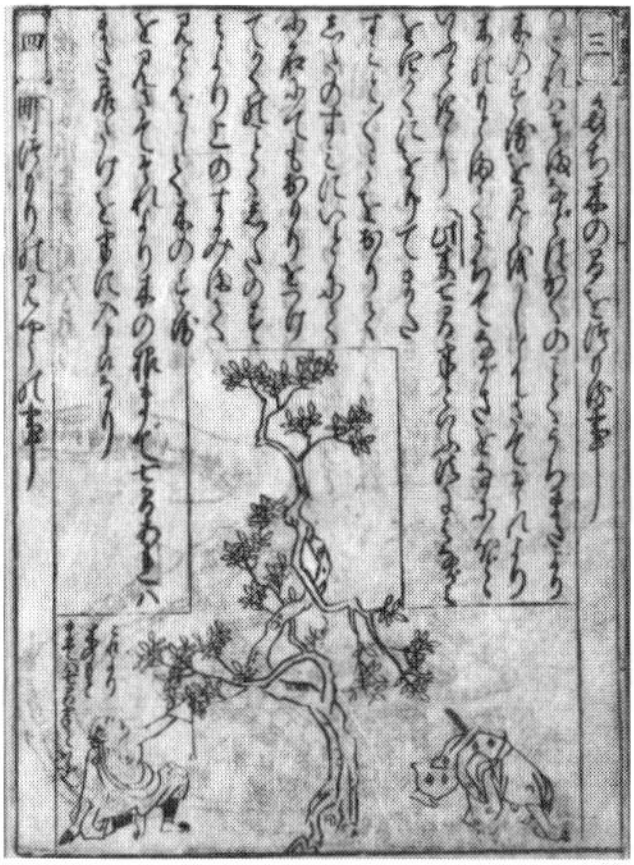

国立国会図書館
デジタルコレクション
『新編塵劫記』3巻より。

“た(立)ち木の高をつもる(=見積もる)事
これは、そま(杣=木こり)などはかくのごとくうちまた(内股)より木のすゑ(末=先端)を見とをし(見通し)して、さてそれより木のもと(=根元)までう(打)ちてなが(長)さをなにほど(何程)とい(言)ふときに……”とある。

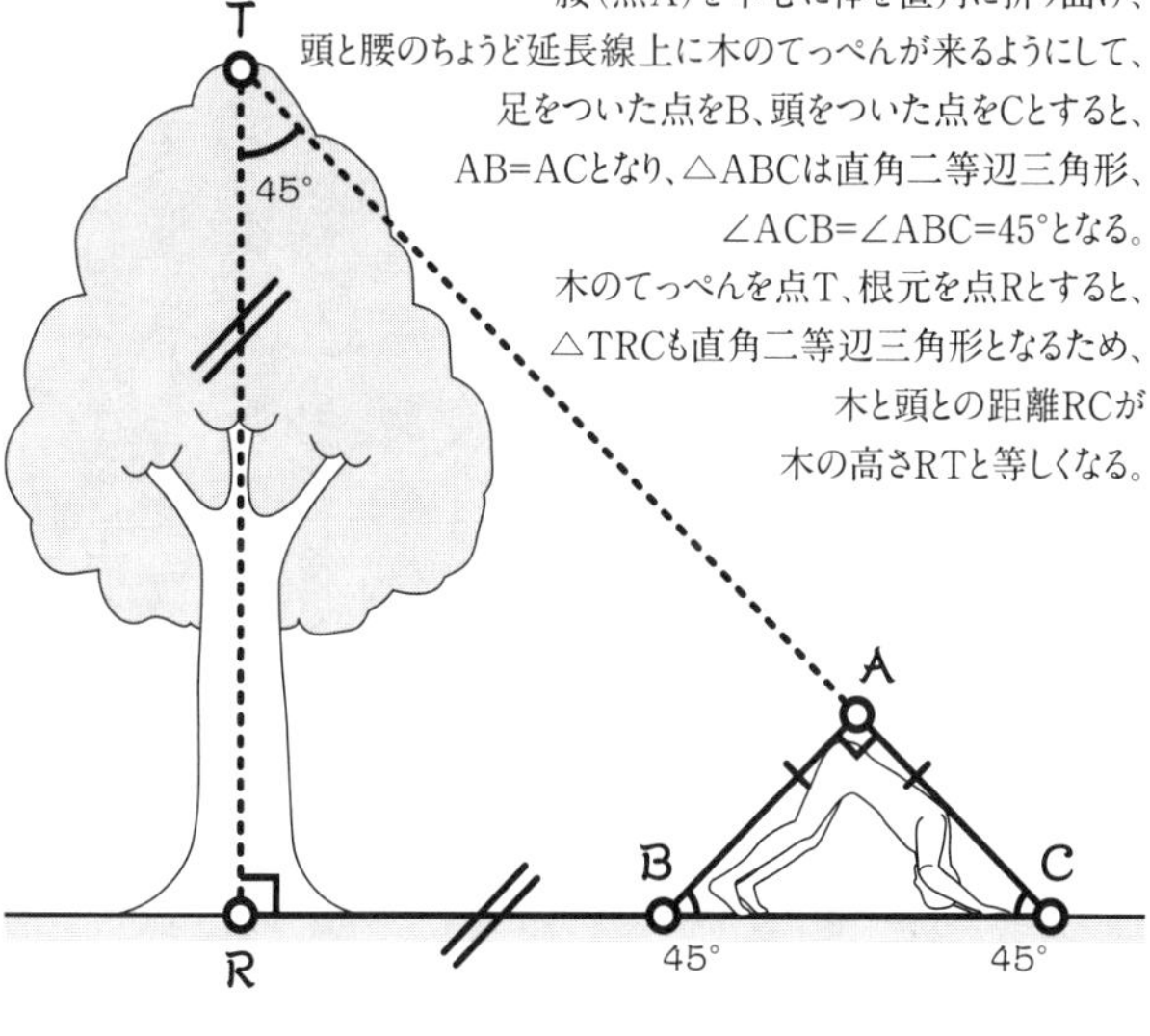

腰(点A)を中心に体を直角に折り曲げ、
頭と腰のちょうど延長線上に木のてっぺんが来るようにして、
足をついた点をB、頭をついた点をCとすると、
AB=ACとなり、△ABCは直角二等辺三角形、
∠ACB=∠ABC=45°となる。
木のてっぺんを点T、根元を点Rとすると、
△TRCも直角二等辺三角形となるため、
木と頭との距離RCが
木の高さRTと等しくなる。

書・数）を身に付けていなければならないとされたが、なかでも筆頭が「書」と「数」であった。その風習は日本にも受け継がれ、建て前として江戸時代の武士たちにとっても「書」と「数」は学習すべき科目であったのだが、書（読み書き）は必須としても、数を学習するのを嫌った武士も多かったらしい。そもそも金を扱う（金に絡む）商売は汚れた仕事であり、武士はそのようなことで手を汚してはならない、との偏見が浸み込んでいて数を扱う学問や技量を侮蔑し敬遠していたせいもある。

といっても、藩の経営には収支計算が欠かせず、年貢米の取り立て、土地や新田の測量、建築物の大きさや広さの測定など、数値を扱わねばならない職務は多くあった。実際、勘定奉行は藩の財政にかかわる仕事、郡奉行は年貢の計算と徴収やそれに関連した訴訟にかかわる仕事、作事奉行は建築物や橋や道路などのインフラの整備、寺社奉行はお布施や寄付、そして寺社が催す富籤《とみくじ》の管理と、奉行ともなれば否《いや》が応《おう》でも数字を相手にしなければならず、それぞれが分担して対応していたのである。当然、下部の役職を担う武士は算術計算が達者でそろばんができねばならなかった。数字を侮蔑しつつも、数字にとらわれざるを得なかった、それが武家社会の矛盾であった。

和算家の関孝和も、甲府藩の勘定吟味役、江戸にあっては御納戸組頭で計算能力を活かしていた一人である。そのような藩士を教育するために、各藩は算術に強い人間を師範として雇っていた。それらの人の中には単なる勘定役に留まらず、さらに高度な数学に興味を持って研究する者が出てきた。関孝和が典型である。さらに、そんな役職ではない下級藩士や浪人であっても、そろばんの知識・算術の能力を活かして寺子屋の師匠になったり、大人のために読み書きそろばんを教える私塾の講師になったりする者が多くいた。それらの人は暇な時には「和算」の研究に勤《いそ》しんだりしており、江戸時代は知的社会であったとも言えるのである。むろん、一面だけを見てそれを一般化するのは正しくないということを押さえた上で、違った角度から江戸の社会を見れば、違った光景が見えてくることも忘れないでおきたいと思う。

ここで注目したいのは、武士階級に「算勘者」と呼ばれる人たちが生まれ、初めは計算（暗算）が得意な者だけを意味していたのだが、やがて数学そのものに造詣が深く、「和算」に夢中な人間を意味するようになったということである。原義は「算（計算・算術）」について「勘（思考・力量）」を持つ人間のことなのだが、碁や将棋などと同類で、実用性はなく役には立たないのだけれど、高度の力量や能力を内に秘めていて、最先端の研究・研鑽に努めているというニュアンスがある。良《よ》かれ悪《あ》しかれ和算家というものが「算勘者」と呼ばれ、社会的に認知されるようになったのである。このような事情はそれだけ算術を楽しみ、もっぱら研究する人間が増えたことを意味する。

江戸時代中期の俳人で、庶民教育に熱心であった常盤潭北《ときわたんぼく》（一六七七〜一七四四）が、「碁分別公事を捌《さば》かず」と言ったそうだ。碁の分別（心得）があっても、公事（日常的な公のこと、裁判・訴訟など）を捌く（うまく扱う、解きほぐす）ことはできないという意味である。要するに、役に立たないものの代表として碁（および将棋）に熱中する人間が槍玉《やりだま》に上がっているのだ。実際、碁（や将棋）に夢中になると周囲のことが目にも耳にも入らなくなり、いつも次の打つべき手を考えていて、まともな判断ができなくなる。といっても、賭博《とばく》や酒や女遊びのような道楽ほど質《たち》が悪いわけではなく、ほどほどであれば実害も少ないことだし、「まあいいか」と大目に見て公の仕事には就かせない、というわけだ。実際、碁（や将棋）に入れ込む者の弊害は江戸時代以前から言われていたらしい。

そこに数学に夢中になる人間が加わった。江戸後期には「算勘碁智恵阿呆の内」という成句が通用した。碁（や将棋）の上に「算勘者」が加わったのだ。「阿呆の内」は実に強烈な非難・排除の気持ちを表してはいるが、「しようがない、そのような人間もいてもいい」という、苦笑いするようなニュアンスも多少は感じ取れる。しかし、近代主義者の福沢諭吉（一八三四〜一九〇二）となれば、それは排除の対象でしかない。『文明論之概略』（一八七五年）の「巻之三第六章　知徳の弁」に、「囲碁、将棋、十露盤《そろばん》は勿論《もちろん》、何事にても工夫は上手なれども、所詮碁智恵、算勘にて、とかく無分別なる人物なりということあり。蓋《けだ》し私智ありて公智なきを評するなり」と厳しく書いているからだ。「碁智恵、算勘」の言葉は、個人の趣味に走って公

（社会）のことには関心を示さない人物の代名詞として非難の的なのである。民権（個人の権利）や人権よりも国権（国家の行く末）を優先すべきであると主張し、文明社会に追いつけ追い越せの旗を振った福沢諭吉なればこその言い方である。彼には、役に立たない碁（や将棋）や数学（和算）に入れ込む人間が許せなかったのだ。そのような福沢の思想は、今の日本においては過剰と言えるくらい浸透していると言えよう。

一九世紀に入っても、そろばん算術は商売人が身に付ける技術であって、武士はそれに手を汚すべきではないという風潮はまだ強くあった。例えば、一八三〇年代の三河国挙母《ころも》藩の学校では、「算術を習う者は、最も稀であるだけでなく、士族は下っ端役人のすることと蔑視していた」という。藩の経営において数学の必要性は認めるものの、それは下っ端役人がやればいいと考えていたわけだ。また関流の免許皆伝の和算家で、明治時代には陸軍参謀本部陸地測量部に勤めた川北朝鄰《ともちか》（一八四〇〜一九一九）も、「士は珠算を手にすることを快しとせず、それらは商売の技で、武門にある者が算術に志せば、同僚に嫌われ絶交することになる」と回顧している。武士階級の数学好きは、排除され、悪口を言われたのだ。にもかかわらず、「和算」に入れ込むことを止められなかった武士がいたのである。

むろん、藩には「和算」ではなく算術に明るい士族は絶対必要で、そのような人間を育成するためには数学者を特別招聘《しようへい》する必要もあった。また、そろばんに関係しない算法を学び、やがてその面白さに熱中する大名も出現した。蘭学に夢中になった大名たちは何人もいて「蘭《らん》癖《ぺき》大名」と呼ばれた（秋田藩主・佐竹義敦《よしあつ》、福知山藩主・朽木昌綱《くつきまさつな》、平戸藩主・松浦静山《まつらせいざん》など）が、次章に紹介する本草《ほんぞう》学（薬になる草花の研究から転じて「博物誌」の意）に凝った「博物大名」と呼ぶべき大名もいた（熊本藩主・細川重賢《しげかた》、富山藩主・前田利保《としやす》、高松藩主・松平頼恭《よりたか》など）。それらと比して、「和算」に熱中した「算勘大名」と呼ぶのがふさわしい大名も現れたわけだ。その一人が、磐城平《いわきたいら》藩の六代目藩主・内藤政樹（一七〇三～六六）で（後に日向延岡《ひゅうがのべおか》藩に移封された）、在任中に高名な和算家の久留島義太《くるしまよしひろ》（一六九〇？～一七五七）や関流の和算を確立した松永良弼《よしすけ》（？～一七四四、関流第二伝）を召し抱えている。もう一人、久留米藩主の有馬頼徸《よりゆき》（一七一四～八三）も「算勘大名」で、関流の山路主住《やまじぬしずみ》（一七〇四～七二、関流第三伝）と関流の隆盛に貢献した藤田貞資（関流第四伝）を師範として招き、自分自身、当時としては最高水準の和算書『拾璣《しゅうき》算法』（一七六九年）を刊行している。大名もやはり人の子で、さまざまな趣味の持ち主が現れたのである。なんだか微笑ましい。

一七七五年に書かれた壺中《こちゅう》隠者と称する人物（正体は千葉桃三《とうぞう》）による『算法少女』という和算書がある。作者の千葉は摂津の医者で算法にのめり込んだ人物のようで、少女（娘、平章子）に口伝で和算を教授したものを、その少女がまとめて一冊の本としたという建て前で書いた本である。少女を主人公とする和算の本が出されたことは、和算が女性をも含む広い層に広がったことを物語っている。

遊歴和算家

先に、「算勘大名」に招かれてその藩に数年間だが滞在し、藩主や藩士たちに算法・算術を教授した和算家が存在したことを紹介した。それとは異なって、知り合いの土地の名士を歴訪しながら各地を遍歴した和算家がいた。訪れた土地の人々にそろばんの使い方のような初歩的な技術を教えるだけでなく、先に述べた遊戯的問題で人々を楽しませ、さらには円理法・天元術・点竄術など高級な数学手法を教授して有能な者を弟子にして育てる、そんな和算家が何人も登場した。独り数学を楽しむ「算勘者」であるに留まらず、全国各地に出かけて和算を広めたのだ。いわば、俳諧の師匠が各地を訪れて句会を催したこと（松尾芭蕉《ばしょう》や小林一茶や与謝蕪村《ぶそん》などの句会は有名）や、碁の棋士や師匠（碁打ち）が地方に出かけて手合い（対局）をしたのと同様である。彼らは、名主や庄屋といった町や村の有力者と知り合いになって招かれたり、伝手《つて》を頼って訪ねたりし、そこに碁や俳句と同様に「和算」が好きな人々を集めて教授し、謝礼を貰《もら》ってはまた遍歴した。このような遊歴和算家が出現するようになった背景には、当然多くの和算愛好者が各地に存在するようになったことがあり、役に立たない「和算」を面白がって研究する人間が珍しくなかったことがわかる。まさに「碁智恵、算勘」の輩が増えたのである。

記録に残っている最初の遊歴和算家は大島喜侍《きじ》（?～一七三三、号は芝蘭《しらん》）とされている。彼は元来大坂の呉服屋の主人であり、初めは著名な数学者を家庭教師として自宅に招いて教えを受ける程度であった。むろん高い謝礼を支払ったことだろう。しかし、そのうちに数学に夢中になって商売がそっちのけになり、店を潰し、妻子を失い、無一文になってしまった。「数学に身を滅ぼされた」のだ。しかし、有名な数学者から教えを受けたとの誇りを持ち、唯一残った数学を自分の財産として、数学を教えて歩く旅に出たのであった。呉服屋として行商で歩いた場所を中心に出かけ、数学好きの人たちを集めて教えて謝礼をもらい、実力がついたと判断すれば「大島流」の免許状を与えたという。高度な数学を教える臨時の塾を開設したようなもので、毎年繰り返し来てくれるので評判がよかったそうだ。

遍歴した土地について詳細な旅日記を残したのは山口和《かず》（?～一八五〇）である。越後の水《すい》原《ばら》の出身である山口は関流の長谷川寛《ひろし》（一七八一～一八三八）の内弟子になり、和算を学んで長谷川道場で頭角を現した後、ぶらりと遍歴することを繰り返すようになった。彼は、一八一七年から一八二二年までの間、東北地方をぐるりと一巡りする旅、越後から敦賀《つるが》までの日本海沿いの旅、近畿から中国・北部九州を回って日本海沿いに鳥取や宮津を通過する旅、東海道の宿場を移動する旅など、都合六回も遍歴を繰り返している。そして、各地の算額を見て写しており、それを話題にして数学の話をしたという。実用数学とともに、相当高度な数学の教授も行っていて、各地で大いに歓迎されたようである。

最上流を開始したのは会田安明だが、この流派に陸奥国《むつのくに》三春藩《みはる》（現在の福島県田村郡三春町周辺）出身の佐久間纘《つづき》（一八一九〜九六）という和算家がいた。彼は東海・近畿・四国・山陽・山陰・北陸・九州などを遍歴し、最後に三春の数学の教授となっている。佐久間は「数学修行者」だと名乗り、現地の和算家と問答をしているから、一種の道場破りをしていたことになる。剣道の修行と同じように、一対一の対決で難問の解を競い合ったのである。

他に名のある遊歴の和算家として、家業が鍛冶屋であったという法道寺和十郎（一八二〇〜六八）、仏門に入って僧侶であった小松鈍斎（一八〇〇〜六八）、農家出身で教科書の『算法新書』の編者で一関藩の算術指南役となった千葉胤秀《たねひで》（一七七五〜一八四九）、五〇歳を過ぎてから関流を学んで『算法開蘊《かいうん》』を書いた剣持章行《あきゆき》（一七九〇〜一八七一）、最上流の免許を受けて信州長野を中心に遊歴した寺島宗伴《そうはん》（一七九四〜一八八四）などがいた。他にも出張教授に出かけた旅好きの和算家が多数いたようである。江戸時代後半には、見知らぬ人でも客人として迎えてもてなし、知識欲が旺盛な人であれば客から新しい話を聞くことを楽しみにし、時には周囲の人を呼んで一緒に話を聞いて質問もする、という風習があったことを物語っている。生活に余裕ができ、仲間と趣味をともにしたのだ。遊歴和算家が多くいたということは、江戸時代の全国各地で、多くの人々が役に立たないことでも面白がる好奇心の強さを持っていたことを示している。それは、現代の私たちが失ってしまった素朴な知識欲ではないだろうか。

「和算」のその後

和算は中国から輸入された数学が基礎になり、それを超えて日本独特の展開を見せた。他方では蘭学が輸入され、西洋の数学（三角関数や対数など）も日本に入ってきたのだが、江戸の人々は道具として西洋数学の便利さを買ったものの、その背景を成す数学的概念を取り入れることはなかった。また和算は、数学を駆使しなければならない力学や物理など自然科学とは関係せず、数学内部に閉じこもったまま進むしかなかった。その結果として、実に複雑で技巧を競い合うのみの問題に集中していったのである。とはいえ、そのことを反省して、和算を複雑化から一般化する方向で改造する試みも行われてはいた。

安島直円《あじまなおのぶ》（一七三二?〜九八）は文章の多い和算の叙述を簡潔な数式によって表す形での近代化を試み、和算で得られていた円理の方法（円周率や円弧の長さ・円の面積などに関する解法）を一般化・単純化・統一化することに努めた。最上流の会田安明は「通術（科学的に共通の方法）」によって和算を改革することを主張しており、『算法古今通覧』（一七九七年）に、「（関孝和は）関流の元祖にして達人の聞こえあり、然《しか》れども今どきの数学者に比べれば、関氏も達人にあらざることは明らかなり」と書いている。和算は関の時代から進歩しているとの自信があったのである。また、和田寧《ねい》（一七八七〜一八四〇）は円理を近代化し、代数関数の特殊なものに限られてはいたが西洋式の微積分に近づき、一般の和算家でも円理に挑戦することを可能にした。さらに、内田恭《きょう》（一八〇五〜八二）は蘭学から西洋の暦学に関心を寄せ、彼が編纂《へんさん》した『豁機《かつき》算法』（一八三七年）の序文には「西洋のマテマティカを研鑽し、西洋人のティコ、コペルニクス、ニュートン、カッシーニなどについて詳細に研究した」と書かれている。しかし、それ以上発展することはなく、和算の固い殻を打ち破ることにはならなかった。

　このように和算の近代化の努力はあったが、和算が主に使われたのは租税・測量・水利工事・相場、そして金融・利息や無尽（一定の掛金を出した会員が籤で優先的に融資を受ける仕組み、頼母《たのも》子《し》講《こう》とも呼ばれる）の計算・建築など実生活に関係することが主で、生産技術や自然科学が未発達であったこともあり、それらとは関係しないままであった。力学や物理学の理論と結びつき、微分方程式や変分法へと進んだ西洋数学と大いなる相違が生じたのである。さらに、和算家は哲学や思想と縁が遠く、問題を解く技術的な手法ばかりに熱中した。まさに、和算は「真理を求める」のではなく、「芸に上達する」のが目的であり、和算家はより困難な問題に挑んでその技を鍛えることに喜びを見出した。和算は高級な趣味の一つであり、和算家は「無用の無用」に喜びを見出す、まさに「算勘者」であったのだ。

　彼らは、まず数学に携わることに無上の喜びを持った。そして、問題を提出し解くのを楽しんだのだが、それ以上に応用することを考えなかった。関孝和の優れた仕事も、ただ難問を完全に解くためにのみ理論を展開したのであって、その意味では一般大衆の数学に対する姿勢と本質的には変わらなかったとも言える。算額を掲げるのが流行するようになったのは、美しい数学の問題を発見し、才知を懸けて解決することを追い求めることに熱中したためだった。これもまた数学の楽しみの一つである。そして、より複雑な幾何図形の解法の発見に夢中になり、幾何学としての理論的厳密性にはこだわらなかった。いわば、直観を重んじて理論的一貫性を重視しなかったのだ。

　以上のように見ると、江戸時代の和算が明治以降に衰えた理由がわかる。数学の言葉に焼き直してみると、①関数概念に欠けていたこと、②座標を使わなかったこと、③記号の改良がなかったこと、④角度の概念が不足していたこと、が挙げられる。関数・座標・角度を用いずに難問の美しい解を直観（あるいは「術」）によって探し求めたのであった。当然、袋小路に行き着かざるを得なかったのだが、あくまで論理的証明の美しさと数学ゲームとしての楽しさに終始したのである。

　このように和算が、「科学」より「術」を主眼にして計算技術を発達させ、演繹《えんえき》的論理と合理性より帰納的推理と直観性に重きをおいたことは確かである。誰もが共通して獲得できる能力ではなく、秘儀的に伝授される特別な技量の要素が強いという側面もあった。実際、数多くの流派が創られた。和算史研究家である平山諦《あきら》氏の『和算の歴史』には三〇以上の流派名が挙げられているが、数代の代を重ねたものとして、関流（関孝和）・最上流（会田安明）・中西流（中西正好《まさよし》・正則）・宮城流（宮城清行《せいこう》）・宅間《たくま》流（宅間能清《よしきよ》）・三池流（三池市兵衛）・麻田《あさだ》流（麻田剛立《ごうりゅう》）がある。流派といっても数学の内容にはほとんど相違はなく、数式や記号の書き方に違いがあった程度のようだ。中でも、関孝和自身が糾合したのではないが彼を流祖とする関流は最も大きく、著名な和算家を多く生んだ。和算全体がほとんど関流と言えないでもない。そもそも、流派とは力量そのものよりも権威がものを言うようになってから形式を整えたもので、関流の免許を五段階に分ける制度は第三伝（山路主住）の時に確立したようだ。とりわけ秘伝として秘密にすべきものはなかったのに、「文も漏らすな」とか「他見他聞に逮《およ》ぶべからず」などの強い言葉で、流派の結束を強めようとしていたらしい。

流派が多く出現したということは、数学が広がって和算・算法が人気になったことを意味する。そのことは、和算書が数多く出版されたことでもわかる。傾向として、寛文から元禄の末年（一六六一～一七〇四）までに出版された本には、分厚く堂々たるものが多いが、以後になると貧弱になる傾向があるようで、これも数学の広がりと関係がありそうでもある。数から言えば、元和元年から正徳の末年（一六一五～一七一六）までの一〇〇年間に約七五種の算書（『塵劫記』の類いを一種として）、この間には暦書など科学に関する書物も約七〇種が出版されている。

元和八年から明治初年（一六二二〜一八六八）までの約二五〇年間には数百種の算書が出版されたが、問題と解答ばかりの問題集、あるいは著者の論文集に類するものが圧倒的で、今日でいう数学の一般的な優れた教科書は極めて少ないようだ。

鎖国時代ゆえの学問の閉鎖性があったわけだが、私は武士のみではなく町人や農民まで、身分を超えて多くの人々が「無用」の数学に打ち込んだことの素晴らしさを評価したいと思う。遊歴和算家の存在は、全国に彼らを支える多くの和算愛好者がいたことを物語る。その意味で和算は、現代の人々がクロスワードパズルやジグソーパズルに興じ、囲碁や将棋の教則本に夢中になっている姿と似てはいるが、遥かに高級なのではないかと思う。和算の難問に取り組み、そこから新たな問題を考え出すという形で、まだ誰もが到達していない新しい世界の発見を人々は目指し、創造力を鍛えたのだから。江戸の好奇心と、その豊饒《ほうじょう》さに感嘆の念を禁じ得ないと言う他ない。

第二章

博物誌

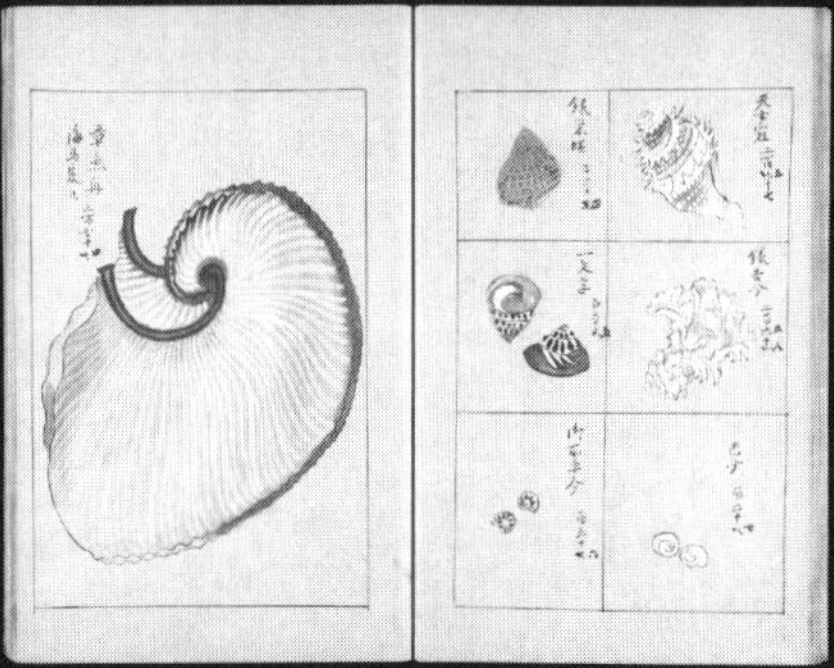

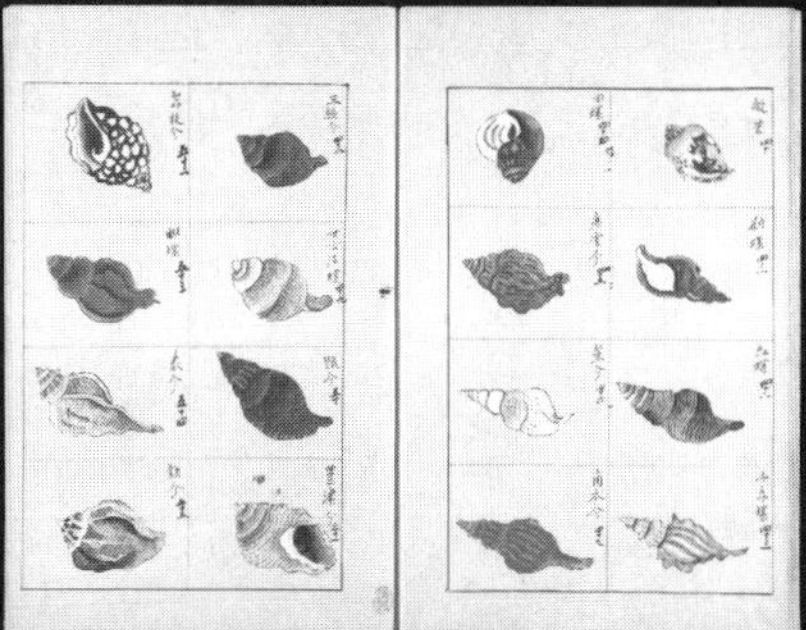

武蔵石寿『甲介群分品彙』より。
様々な種類の貝について、
詳細な観察図が描かれている。

（国立国会図書館デジタルコレクションより）

この章の表題を、あえて「博物誌」とした理由は、「はじめに」に書いたように、自然物の仕組み（構造）、体系性、秩序（法則性）を重視した西洋の博物学とは異なって、日本においては人間の視点から自然を眺めて忠実に記載することのみに終始したため、「学」ではなく「誌」という表現がふさわしいと感じたからである。西洋の博物学においては、収集した動植物や鉱物などについて、観察によって抽出された共通性と異質性に基づいて形態分類を行い、やがて解剖や実験を行って、基本構造とその働きの差異と同一性を知るとともに、それに基づいて種や属などの単位に区分する機能分類へと発展した。ところが、日本では収集物への分析的思考は脇において、より変わった種類のものを、より多数集めることに熱をいれ、自然の多様さとそれをひたすら収集することの楽しさを満喫するのに終始した。だからこそ「博物誌」と呼ぶのが適していると言えると思うのだ。

その結果として、江戸時代に花開いた「博物誌」が、世界に誇るべき素晴らしい作品を残してくれたのは事実である。園芸趣味で始まった江戸の花や草や樹木など植物の繊細な観察図のみならず、虫・貝・鳥・魚など動物の姿やそれらの生態系にまで踏み込んだ原色に近い博物絵は、「科学」の領域にまで踏み込んでいる。そのような活動が盛んであった時期は、西洋で博物学が広がった時期とピタリ一致し（西村三郎『文明のなかの博物学』）、奇《く》しくも東西の文化が揃《そろ》った歩みを見せたかのようであった。

しかし、日本の「博物誌」は生物世界の豊かさをそのまま受け入れて、個別に観察し描写することに止《とど》まったのに対し、西洋の「博物学」は、生命体の構造や仕組みを明らかにして形態分類へと進み、さらに動物学・植物学・鉱物学というふうに対象別の近代科学を生み出していった。博物学は「分科した学＝科学」の出発点となったのだ。このような日本と西洋の行き方を区切る溝は明治維新以後において急速に拡大し、「博物誌」は科学性・系統性に欠けるとされて廃れていった。殖産興業を唱え、富国強兵を国家目標とした日本においては、趣味的で遊戯的な「博物誌」は無用のものとされたのだ。と同時に、西洋の博物学が生んだ近代の科学・技術のみを重用したから、日本は博物学の伝統に乏しい国となってしまった（明治期以来の唯一の例外は南方熊楠《みなかたくまぐす》〈一八六七〜一九四一〉であろうか。彼については、章末で手短に論じる）。

とはいえ、近年の江戸ブームは、例えば江戸時代に多数生み出された博物誌の成果物を見て、対象を丸ごと捉えた思いがけない多様さや豊饒《ほうじょう》さを発見したことに始まる。そして見直された江戸の文化の楽しさを思えば、過去の伝統に過ぎないとして切り捨てることはもはやできなくなってしまった。むしろ、要素還元主義の視点で、ひたすら「正しさ」と「役立つこと」を強要する近代科学・技術の酷薄さにうんざりした人々は、江戸の「博物誌」を始めとするもう一つの「科学」の温かさに回帰しようとしたと言える。むろん「酷薄でなければ科学的真実には到達できない」のだが、人間的な真実や自然観照の醍醐味《だいごみ》というような、江戸の「科学」が持っていたもう一つの「真実」の追究を私たちは見直すべきではないだろうか。そのような視点から本章を開始したい。

本草《ほんぞう》学から博物誌へ

江戸の「博物誌」のルーツは中国から渡来した「本草学」である。「本草」とは、元々は植物の「根」という意味の「本」と「実」（端的にはドングリ）という意味の「草」に由来するらしい。つまり「本草」とは根を持ち実を付ける植物のことで、薬材・薬物となる植物を意味した。古代中国には「神農」という伝説上の帝王がいて、人々に農耕と医療の知識を教えたという伝説があり、後漢の時代に『神農本草経』という書物が書かれたことから「本草」という呼び方が確立したのであった。

この『神農本草経』では、まず食用となる植物の採集・栽培・利用法を説き、さらに健康に生きるための薬物となる植物・動物・鉱物の選別法を示し、そのための基礎知識を記している。これを後代の人々が学んで新たな知識を付け加え、生活上の知恵としてきた。その成果が『神農本草経集注』（五〇〇年頃）としてまとめられ、野菜・穀物・果実・虫獣・草木・玉石などの有用物を利用する道が拓《ひら》かれた。学問として「本草学」が成立したというわけである。

これが日本に持ち込まれ、やがて『本草和名《わみょう》』（九一八年頃）として、それらの有用な諸物が日本名で記載された。そして、中国流の医学教育や薬用植物の栽培を薬草園（園芸植物園）で行うようになり、こうした営みは「名物学」とも呼ばれた。多数の薬物を含む自然物の「名称と実体（性質）」を確定し、対応する日本の物品の有無を確認し、対照・校訂を行い、中国書との比較を試みたのである。本草学の日本化を行い、日本人の食と薬に役立てようとしたと言えるだろう。

それ以後、日本の歴史に残る本草学の成果は、時代が一気に飛ぶが、明《みん》代の医師である李時《りじ》珍《ちん》が書いた『本草綱目』（一五九六年）の輸入であろう。この本に早くも一六〇四年には目を通していた儒学者の林羅山（一五八三〜一六五七）が解説書を書き、これが契機となって日本の本草学が動き始めることになった。つまり、『本草綱目』を手本として日本の薬草・薬物を細かく調べるという研究が盛んになり、以後『本草〇〇』と名がつく著作物が続々と出版されたのである。その意味で『本草綱目』は日本の本草学に大きな影響を与えたのであった。健康・病気治癒という実用目的のための有用な書物であったこともあろう。やがて、こうした営みは中国由来の本草のみにとらわれず、徐々に日本独特の産物や天然物を収集し、分類・記載・描画するという「殖産学」あるいは「物産学」へと拡大し、さらに「博物誌」へと展開していったのである。

その一つの到達点が儒者である貝原益軒《かいばらえきけん》（一六三〇～一七一四）の『大和本草《やまと》』（一七〇九年）だろう。同書は中国からの輸入学問から脱皮して、日本に存在する植物・動物・鉱物を列挙し、その名称（和名・漢名・方言名）とともに来歴・形状・効用などを有用性・無用性にかかわりなく総まとめしたものである。貝原益軒は教訓を垂れるのが好きであったようで、『家訓』『君子訓』『楽訓』『家道訓』など多数の教訓書を残し、これらはいわゆる「益軒十訓《じつくん》」と呼ばれている。中でも健康を維持するためのさまざまな処方を書いた『養生訓』（一七一三年）が有名である。彼はどんな事柄についても興味を持って調べ、自分流の考え方を加え、小言幸兵衛《こごとこうべえ》（古典落語の演目で、常に小言を言い回っている男の小咄《こばなし》）のように、必ず一言教訓を加えて本とすることを自分の仕事と心得ていたらしい。まさに「博物誌」の第一歩である。

益軒と同時代に、儒医である稲生《いのう》若水《じやくすい》（一六五五～一七一五）という本草学者がいた。彼は、中国の詩や経典や本草書に出てくる動植物の「名」が日本のどんな「物」にあたるかという考証をする「名物学」をもっぱらとしていた。一六九七年に、彼は当時仕えていた加賀藩主の前田綱紀《つなのり》（一六四三～一七二四）から、食用も含めてすべての天然物の文献を集大成する『庶物類纂《しよぶつるいさん》』の著作を依頼された。若水は、まさに名物学の本領発揮とばかりに勇んで取り掛かった。そして鱗（魚）・介（貝・蟹《かに》など）・羽（鳥）・毛（獣）などの動物と草・木・果・花などの植物を三六二巻までまとめて生涯を閉じた。彼の予定では、なんと一〇〇〇巻を構想していたのであった。

八代将軍徳川吉宗（一六八四〜一七五一、在職一七一六〜四五）がこの著作の未完を惜しんで、官医である丹羽正伯《にわしょうはく》（一六九一〜一七五六）に完成させるよう命じた。正伯が薬用植物の採集・育成・薬の製法に詳しく、幕府の採薬使として有名になっていたためだ。正伯は若水が予定していた一〇〇〇巻のうち未完だった六三八巻を完成させ、さらに増補する五四巻をも加えて幕府に納めたのであった。ところが、中国の文献を引用して日本の産物を集大成したため、日本の本草書が文献として一つも入っていない。そもそもそれまで、日本の独特の産物を記載した日本の本草書がなかったのだ。

そこで正伯は、各藩の産物が一覧できる「産物帳」を作成することを考えた。そのため、大目付（大名の監察などを担当した役職）を通じて、「諸国の産物の俗名・その形について、正伯からの依頼事項を聞き、質問があれば答えるよう」とのお触れを出した（実際には正伯自身の要請であって、幕府の権威を利用したとの説もある）。国中の産物を、穀類・菜類・菌類・瓜《うり》類・菓類・木類・草類・竹類・魚類・貝類・鳥類・獣類・虫類・蛇類・金などの鉱物岩石、という順で残らず書き出し、その俗名（和名・方言名）や品種名を書き入れる帳面まで準備して一覧表の作成を諸藩に命じたのであった。それ以外に「辺土百姓食べ物類」として、町方では食べないが百姓が食べるもの（例えば、蝮《まむし》や蝗《いなご》や蜂の子）まで書き出させるという徹底した調査であった。それだけでなく、上納されてきた「産物帳」で正伯の知らないものがあると、説明や注釈を要求したそうで、これでは対応した各藩の役人も大変であっただろう。かなりの反感を買ったらしい。この「産物帳」は一七三九年頃には報告がほぼ出揃っていたようで、正伯の執念がよくわかる。しかし、一七五六年に正伯が亡くなってからは行方がわからなくなってしまい、控えを取っていた藩のものがかろうじて残っているのみである。

このような正伯の調査は、食や健康のための本草学から、諸国のあらゆる産物を集約・調査するという「物産学」への拡大と言えそうだ。さらに、飢饉《ききん》の際の救荒食物としてどんなものがあるかを調べる目的があったのではないかとも推察されている。その意味では、博物学的なデータ収集ではなく、あくまで実用的な目的を持った本草学としての物産調査であったと言うべきだろう。ただ、正伯の個人的な知識欲が暴走してしまったきらいはある。

このような「物産学」は、「殖産学」（あるいは「商品学」）と呼ばれたこともある。なぜなら八代将軍吉宗の享保の改革（一七一六～四五年）において、全国各地でさまざまな特産物を作り出し、それを産業化して商業ルートに乗せるという殖産興業を大いに奨励したためである。正伯の「産物帳」作成もその一環であった。また、一七三二年に享保の大飢饉が起こり、翌年には打毀《うちこわし》が勃発したこともあって、吉宗は青木昆陽《こんよう》（一六九八～一七六九）に命じて救荒作物の甘藷《かんしょ》（サツマイモ）を普及させ、田村藍水《らんすい》（一七一八〜七六）が手掛けた朝鮮人参の国産化なども援助した。「薬物殖産化」とも言うべく、米などの食用作物のみに頼らず、和薬の開発を行うよう薬用植物にも広く手を広げて物産化を図るように仕向けたのである。その目的もあって、吉宗は各地の薬用植物を調査するための採薬使制度を設けている。さらに組織的に薬園の新設・拡充を行って、国内の薬草の発見・採薬・流通機構の整備を推進し、他方ではオランダ産の薬品調達のためのオランダ語文献の輸入・学習を認めたのであった。

その結果として、物産会・薬品会・本草会・博物会・闘草会など、呼び名はいろいろだが、さまざまな物品を持ち寄って展示し品評会を開くことが盛んに行われるようになった。最初は薬用の植物・動物・鉱物が中心であったが、さらに各地の物産・名産・特産へと対象は拡大し、やがて天然物の名品・珍品・奇品などへと広がった。まさに博物品の情報交換の場となったのである。好事家たちが興味の赴くままに収集した物品を展示し、人々に見せて得意がる光景も見られるようになったのだろう。

この物品交流会の最初は、一七五一年に酒屋の息子であった津島如蘭《じょらん》（一七〇一〜五四）が主宰して大坂で開いた「本草の会」とされている。一方、江戸では町医者である田村藍水が会主（企画・主宰者）となって、一七五七年に「第一回東都薬品会」を開催し、これが弾みとなって一七六二年までに五回を数えた。この会は最初は国内薬品の開発・発見を主目的としていたが、回を重ねるにつれて各地の物産紹介の色が濃くなっていった。そのうちの第三回と第五回の会主を務めたのが平賀源内（一七二八〜七九）で、彼の意向が徐々に貫徹されるようになった。源内は紅毛蛮（オランダ）産品である石鹸《せっけん》・雲母《うんも》・サソリなども展示して、「物産会」そして「博物会」の様相を呈するようにしたのであった。その成果が、第五回までの出品物の中で重要と思われる品をまとめた『物類品隲《ぶつるいひんしつ》』（一七六三年）である。江戸の物産会はそれでいったん途切れるが、一七八一年に再興され、後述する「紅毛博物学」も混じるようになった。「薬品会」は名古屋・京都・大坂・熊本などへと広がり、江戸時代末期まで継続したものも多くある。

例えば、大坂の「薬物会」は一七六〇年に町医者である戸田旭山《きょくざん》（一六九六〜一七六九）が始めている。どうやら、田村藍水が江戸で始めた薬品会に対抗して開催したようだ。藍水・源内・木村蒹葭堂《けんかどう》（一七三六〜一八〇二）・中川淳庵《じゅんあん》（一七三九〜八六）などの参加・出品もあって成功した彼は、『文会録』と題する出品目録を絵入りで出版している。その後、この催しは物産会・闘薬会などと名前を変えつつ一七六四年まで開催された。京都の本草学としては、山本亡羊《ぼうよう》（一七七八〜一八五九）が始めた「山本読書室物産会」があった。こちらは一八〇八年から一八六三年まで四八回も開催されており、物産展のようなイベントだけではなく、若者への教育のためフィールドに出て採集まで行っている。現在の科学館のような役割も果たしていたのである。

さまざまな「博物誌」学者たち

歴史的な時間が前後するが、一七世紀中ほどから、植物・薬物について書かれた本草書とは異なった、さまざまな事柄（謡《うたい》・生け花・香道・茶道など）の手引書を始め、暦書・辞書・百科事典・農業技術書など実用目的の本が多く出版されるようになった。好奇心と実学精神が結びついた著作物で、やがてこれらは「博物誌」へと発展していく出発点となったと言える。何人かの先駆的試みを紹介してみよう。

後藤梨春《りしゅん》

後藤梨春（一六九六〜一七七一）は『本草綱目補物品目録』（一七五二年）において『本草綱目』に取り上げられていない物（草・木・竹・鱗・介・羽・毛・虫・金石）の漢名に和名のルビを振っており、この研究は後の小野蘭山《らんざん》（一七二九〜一八一〇）に受け継がれている。面白いのは、『随観写真』（一七五七年、「写真」は写生の意味）で、熊女、一つ目小僧、野槌、河童《かっぱ》、雷獣など、怪異で怪奇な動物、珍品や奇品などを梨春が描いていることだ。これらゲテモノについても博物的興味を持っていたのだろう。彼がオランダの文化・風俗・歴史などについて書いた『紅毛《オランダ》談《ばなし》』（一七六五年）は西洋事情を一般庶民に紹介した最初ではないだろうか。好奇心溢《あふ》れる人物であったようだ。

中村惕斎《てきさい》と寺島良安

図入りの百科全書である『訓蒙図彙《きんもうずい》』（一六六六年）を書いたのは中村惕斎（一六二九～一七〇二）で、草木竹果や魚獣虫鳥など本草学で定番のもの以外に、天文・地理・道具・衣服など幅広い事物を取り上げており、ケンペル（一六五一～一七一六）の『日本誌』（一七二七年）の挿絵にも使われている。

一方、『和漢三才図会《ずえ》』（一七一三年）は大坂の医家であった寺島良安（一六五四～？）が書いた畢生《ひっせい》の著作で、「天地人の三才（この世界全体）」に存在する万物についての知識をまとめたものである。「和漢」と付いているように中国・日本における事物を漢名と和名で表記し（本文は漢文）、図が入っている百科事典である。この書物はその後二〇〇年以上にわたって使われており、日本の「博物誌」に大きな影響を与えた。本書でも、度々この本を引用することになる。

小野蘭山

江戸の「博物誌」の一つのピークは小野蘭山で、蘭学が隆盛の道を辿《たど》り始めた時代を生きた人物でもある。といっても蘭山はほとんど蘭学と無縁であり、号の「蘭」の字も蘭学とは全く関係しない。彼の師である松岡恕庵《じょあん》（一六六八〜一七四六）の著作である『怡顔斎蘭品』（動植物や鉱物を九つの品目に分けた著書の一つで植物の蘭を扱っている）から採ったのではないかと言われている。

蘭山は幕府や大名に仕えることをせず、弟子をとって講義を行うことで得た束脩《そくしゅう》（入学金）を収入源とし、本草家として生きて採薬以外のためには外出しなかったと言われる。弟子には入門の際、得た知識は外部に一切漏らさないと誓約させ、講義内容を記載したノートは人に見せることを禁じ、辞める時にはノートを師に差し出すことを約束させた。学知は門外不出であったのだ。一七九九年、蘭山は七一歳の時に医学館の教授として招かれて江戸に赴任し、生活上の余裕ができたことから著作に励むようになり、講義をまとめて『本草綱目啓蒙《けいもう》』（一八〇三〜〇六年）を出版した。この著書では、名と物を明確に同定し、和名・方言名を採集し、物産調査の進展やデータの蓄積の成果を網羅している。しかし、『本草綱目』が立脚していた中国の体系をそのまま受け入れたため、日本にあっても中国にないものだと取り上げず記述しないという欠陥があった。シーボルト（一七九六〜一八六六）が蘭山を「日本のリンネ」と評したそうだが、そう呼ぶのは過大評価であろう。

蘭山が果たした誰にも負けない重要な寄与は、全国から有能な弟子がそのもとに集まり（一

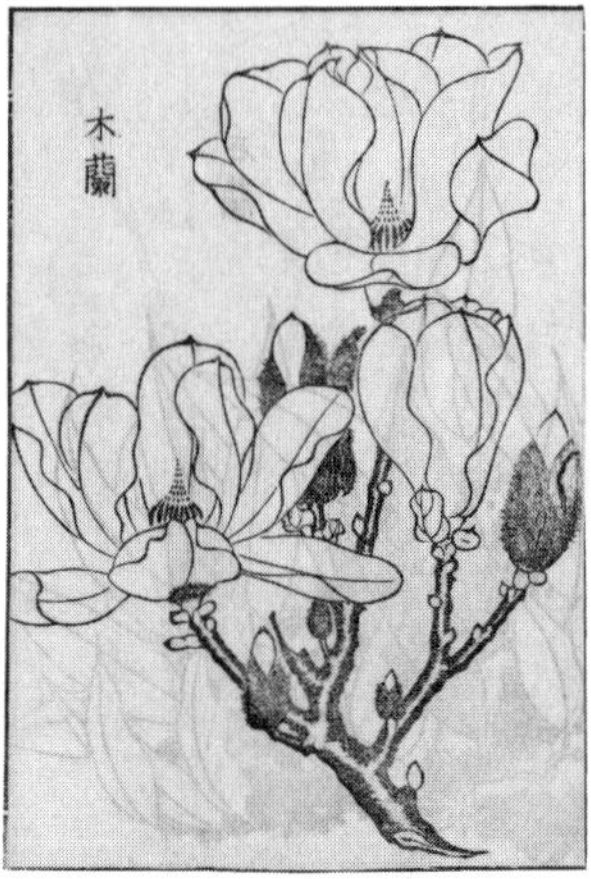

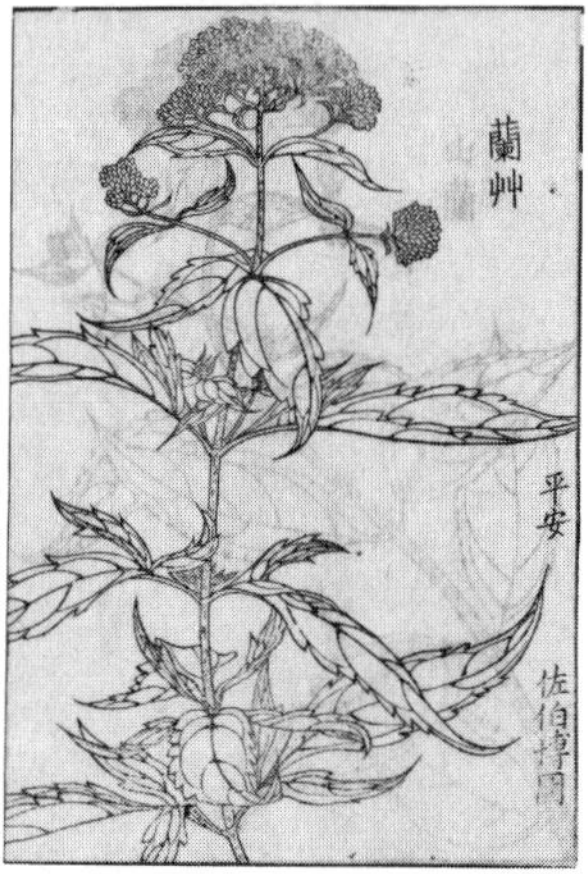

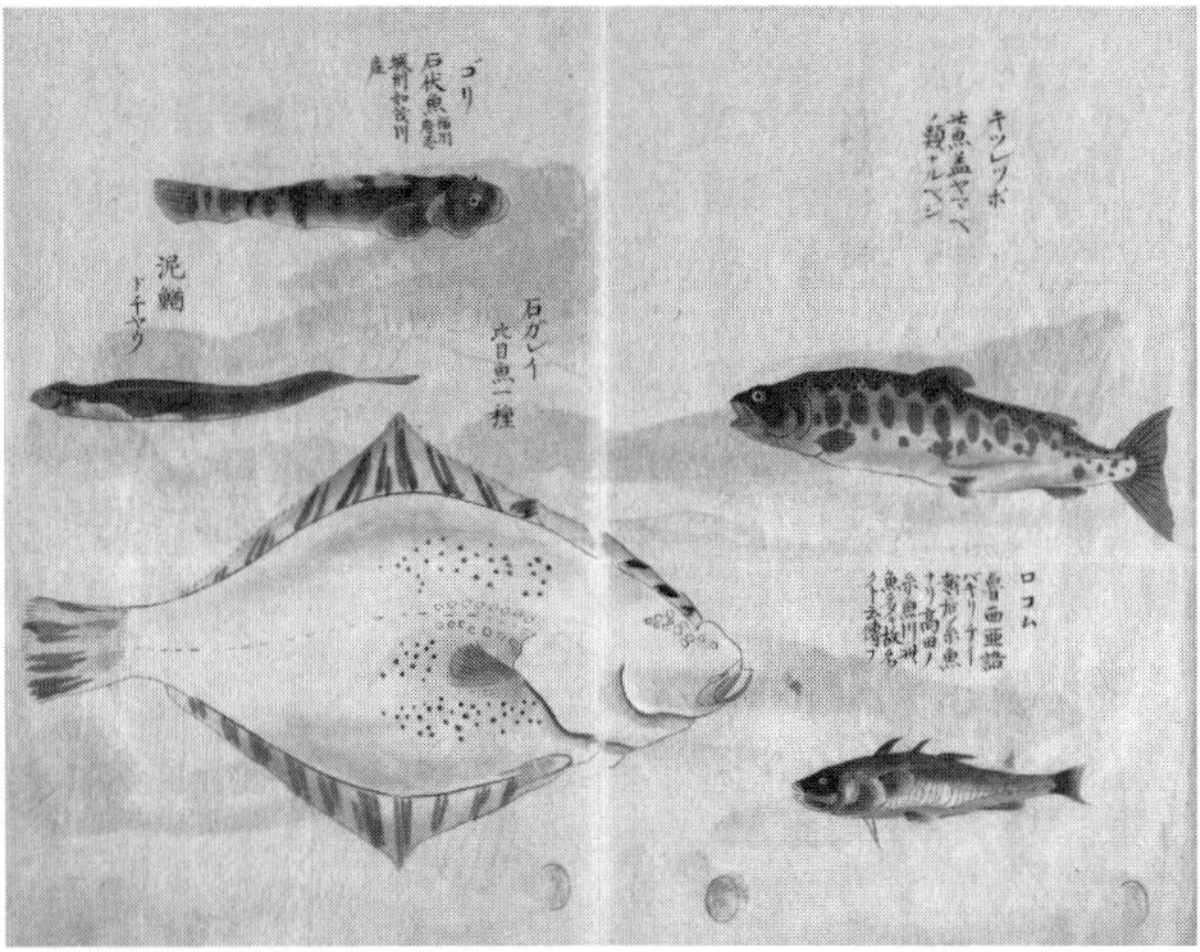

小野蘭山による花や魚類のスケッチ。（上）『怡顔斎蘭品』より、（下）『魚譜』より（いずれも国立国会図書館デジタルコレクションより）

説に門弟一〇〇〇人と言われる）、以後の日本の本草学・博物誌の主だった人物が彼の門弟から輩出したことである。名古屋の水谷豊文《ほうぶん》（一七七九〜一八三三）、大坂の木村蒹葭堂、先に述べた京都の「山本読書室物産会」の山本亡羊、大垣の飯沼慾斎《よくさい》（一七八二〜一八六五）、江戸の岩崎灌園《かんえん》（一七八六〜一八四二）などが代表で、錚々《そうそう》たる本草学者が輩出し、さらにそこから多くの孫弟子が育っていった。

水谷豊文

尾張名古屋の水谷豊文は御馬廻組《おうままわりぐみ》の武士であったが、父の趣味に影響を受けて植物に親しんで尾張藩御薬園《おやくえん》御用となり、小野蘭山に学んで本草学の研鑽《けんさん》を積んだ。豊文は広く日本産の自然物の名を集めて記述した『物品識名《しきめい》』（一八〇九年）および『物品識名拾遺《しゅうい》』（一八二五年）を出版したのだが、これは日本における本草学から自然誌への最初の一歩であったとされる。彼はラテン語の学名を日本で最初に理解した人で、植物をリンネ（一七〇七〜七八）の方式で分類して属名を記していたとシーボルトが証言している。また、豊文が中心になり、尾張藩の医者や藩士が集まって本草同好会を作り、「嘗百社《しょうひゃくしゃ》」と名づけた。この会の名前は、中国古代の神農が薬物となる百の草を嘗《な》めることで見分けた、という伝説に由来する。その活動で豊文は、近郊に採薬に出かけて数多くの標本を作り、採集記録や図譜を多く残している。趣味と実益を兼ねた研究会と言えるだろう。嘗百社は一八二七年から博物会(本草会)を開催し、一八六二年まで継続している。豊文の弟子として著名なのは、日本における近代植物分類学を確立した伊藤圭介(一八〇三~一九〇一)であろう。

木村蒹葭堂

大坂の木村蒹葭堂は、造り酒屋の主人であったが家業は支配人に委ね、自分は父の遺産から入る年三〇両ほどの自由に使えるお金を工面して、まさに博物的な収集に励んだ有数のコレクターであった。最初は「聞人」として唐絵・文人画・詩文に親しみ、自らも作品を残している。彼は一七八四年に小野蘭山に入門して本草学を学び、物産会に自らのコレクションを出品し、さらに考古資料の鑑定も行うなど考証学の分野にも分け入っている。それに留まらず、蘭学に興味を持って蘭学者の大槻玄沢《おおつきげんたく》(一七五七~一八二七)とともに「一角」(雄が長い一本の角を持つとされる鯨《くじら》類)についての見解を披露する、というふうに博物誌全般に手を広げた。彼の家はさしずめディレッタント(好事家)のサロンで、さまざまな著名人が訪れて歓談し、収集品を見せ合い、蘊蓄《うんちく》を傾けてその知識を交換し合った。蒹葭堂は、その収集品について「奇を愛するに非《あら》ず、もっぱら考察の用とす」と自伝に書いているように、単なるマニアックな好事家ではなかったようだ。『日本山海名産図会』(一七九九年、絵は蔀関月《しとみかんげつ》)の著者でもあり、気の向くままに全国各地の珍しい物産を収録しているのも彼らしい。

飯沼慾斎と岩崎灌園

伊勢の亀山出身の医師である飯沼慾斎は、若い頃に京都に出て小野蘭山に学び、後に江戸に出て宇田川榛斎《しんさい》（一七六九～一八三四）に蘭学を学んでいる。五〇歳で引退するや植物研究に打ち込み、西欧の植物分類法を学んで、日本で最初に植物をリンネ流の分類法で体系化した『草木図説』（一八五六～六二年）を著している。蘭山流の本草学を蘭学を基礎にして凌駕《りょうが》しようとした、ということになるだろうか。

一方、直参《じきさん》の武士の生まれである岩崎灌園は、江戸に出てきた蘭山に短期間師事して採薬に従事し、その後二〇年かけて『本草図譜』（一八三〇～四四年）を著している。これは、それまでの本草書で欠けていた部分を補い、新たに二〇〇〇種の草木の図を付け足したもので、『本草綱目』に従って植物を配列している。『草木図説』と『本草図譜』の二冊の植物事典は、薬物の学である本草学から外れ、経験的・実証的で博物学的な植物研究の素材として重用された。

前田利保

小野蘭山の弟子筋ではないのだが、「反魂丹《はんごんたん》」と呼ばれる丸薬を江戸期に日本全国へと広め、今日でも有名な「富山の薬売り」の伝統が生まれた背景には、藩主を先頭にした富山における本草学・博物学の伝統があったことに触れないわけにはいかない。そもそも、立山の麓である富山は薬草の栽培・採集の適地であり、製薬は富山藩の産業として育成され、国を越えた薬の販売行商が幕府から認められていた。富山藩第一〇代藩主である前田利保（一八〇〇～五九）は、幼い頃から本草好きで、『本草綱目』に準じた順序で植物を配列し、日本の文献からそれらに関する記述を抽出した『本草通串《つうかん》』（一八四八年から刊行）を編集している。

利保は、後に述べる「博物大名」の典型である福岡藩主の黒田斉清《なりきよ》（一七九五～一八五一）と相談して、江戸で「赭鞭会《しゃべんかい》」という本草の会を一八三六年頃に立ち上げた。この会の名は、（嘗百社と同じく）伝説の神農が、薬草を見分けるために赤い鞭《むち》で草木を叩《たた》き、茎を折り、葉を揉《も》んだり、匂いを嗅いだり、舌で嘗めたりしたとされることに由来する。会員は当然ながら大名や旗本などの武士がほとんどで、例会を開いて本草に関する情報交換を行い、いくつも興味深い図譜を残している。博物趣味を満足させる武士の「余興」として催されたのだが、その規則に「民間を利するため」との一項もあり、産物や薬材を領内に求めることを大義名分としていたらしい。前田利保は赭鞭会では「万香亭」と称しており、「自知春館」とか「弁物舎」などの号も使っていたように、自在な心の持ち主であったと想像される。藩主として凡庸ではなかったらしいのだが、藩の財政難による逼迫やお家騒動に悩まされて政治力を十分発揮できず、その分「博物誌」など学芸に精力を注いでいたらしい。本草学に傾倒したのには、財政再建のためとして薬草栽培を奨励したという背景があり、「草癖」と揶揄《やゆ》されたそうだ。前田利保が引退(一八四六年)して富山に帰郷したため、この会は自然消滅した。

武蔵石寿《むさしせきじゆ》

赭鞭会の会員のなかで私が興味を惹《ひ》かれたのが武蔵石寿(一七六六〜一八六〇)である。当時、舶来の鳥を飼うのがブームであったそうで、彼は、若い頃はオウムやインコの飼育に熱中して本草学とは無縁であった。ところが、七一歳になる頃、赭鞭会が発足し、その会員になるや本草学に夢中になって、なんと七八歳になって『目八譜《もくはちふ》』(一八四三年)と題する貝類図鑑を完成させたのである(「目八」は「貝」の字を分解したもの)。まさに晩成の人と言える。貝類は薬用となるものが比較的少ないため注目を浴びなかったのだが、石寿は貝の詳しい観察図を残しており、ユニークな研究である。なお、蒹葭堂にも貝石標本とされる博物コレクションがあり、奇石標本には化石・岩石・鉱物、貝類標本にはヨーロッパから最初にもたらされたとされる標本や、源氏貝(『源氏物語』五四帖にちなんだ五四種の貝)、歌仙貝(三六歌仙にちなんだ三六種の貝)などが紹介されていたりして、遊びがあって楽しい。

博物大名

江戸の「博物誌」は、まさに不要不急の趣味の学問という要素が大きいから、とりあえずは暇と金がある人間が夢中になった。江戸時代に暇と金がある者と言えば武士階級だが、下級武士には暇はあっても金がない。そのため上級武士、つまり大名（藩主）・旗本が主役であり、それ以外には医師（藩医や町医者）と僧侶が「博物誌」の愛好者であった。むろん、園芸から広がっていった「博物誌」は、金がない者であっても参画できたから町人階層にまで普及していったのだが、それは次章で述べよう。ここでは「博物大名」と呼ばれた面々を紹介することにする。先に述べたように、蘭学に凝った「蘭癖大名」がおり、和算に夢中になった「算勘大名」もいて、趣味に没頭した大名が「江戸の好奇心」を担う役割を果たしたのである。

まずそもそもの徳川家康（一五四二〜一六一六、将軍在職一六〇三〜〇五）が、自らの健康に非常に注意を払っていたこともあり、本草学には好意的で、幕府として江戸に御薬園を持つことを予定していた。これを実現させたのが三代将軍家光（一六〇四〜五一、在職一六二三〜五一）で、一六三八年に江戸城の南北に二つの御薬園が開かれた。ところが、五代将軍綱吉（一六四六〜一七〇九、在職一六八〇〜一七〇九）の時代に廃止になって小石川の白山《はくさん》御殿地に統合された（一六八四年）。それが現在の小石川植物園のルーツで、当初は一万四〇〇〇坪だった。その後縮小されたものの、八代将軍吉宗の時代に再び拡大して四万四八〇〇坪の御薬園となった。このように、将軍家は薬用植物の栽培・採集の重要性を認識していたこともあって本草学を大事にしたのであった。そのため、大名にとっても、本草学を盛り立てるとの名目が立ちやすかった。それが、本草学から名物学、そして殖産学・物産学といろんな呼び方をされつつ、大名たちが「博物誌」（博《ひろ》く天然の物質のことを知る分野）を奨励した理由であろう。

それとともに、本草会・草木会・薬草会・薬品会・物産会と、これもいろんな呼び名で、本草に役立つ天然物の出品を行う催しが、やがて諸国の物産・名産・特産などを集めて陳列する展覧会・博覧会となり、さらに名品・珍品・奇品を収集して展示する見世物的な要素も色濃くなっていった。そして、これらの会の「出品目録」が作られ、それらが「図譜」として美しい絵入りになり、彩色まで施される、というふうにして人々の関心を惹きつけた。その結果、そのような催しにかかわる人々の博物趣味がいっそう強くなる、というような相乗作用が働いたのである。このような繋がりを考えると、「博物誌」が隆盛した背景には、「博物大名」の存在があったことは確かであろう。

とはいえ、注目したいことは、これから紹介する博物大名は元禄時代を経た一八世紀以後の藩主ばかりであることだ。つまり、文化的に成熟した時代を迎える中で、産業構造として米作農業のみへの依存が限界に達しつつあるとともに、うち続く天災のために、いずれの藩も財政難に遭遇した、そんな時代に博物大名が登場したのである。彼らは藩主として、先頭に立って財政逼迫《ひっぱく》の困難に向かい合いながら、他方では「博物誌」への興味を持ち続けて足跡を残しているのである。このことをどう考えればいいのだろうか。財政難とはいえ、藩主だから「博物誌」に費やすくらいの金はあっただろうが、さて役にも立たない博物趣味に打ち込むだけの時間的余裕があったのだろうかと思われるのだ。むしろ逆に、忙しいが故に、少しでも時間があれば趣味の世界に没頭しようとしたのかもしれない。

以下に、博物大名とされる人物を並べてみよう。

松平頼恭

その最初は、高松藩の松平頼恭（一七一一～七一）である。江戸城の溜間《たまりのま》（黒書院の控えの間。ここに席を有する親藩・譜代大名は将軍や老中に意見を上奏することができた）に詰める「三溜」と呼ばれる三大名（高松、会津、彦根）の一人で、幕府の政治顧問を務める家柄である。しかし、「博物誌」に凝って、『衆鱗図《しゅうりんず》』（魚譜）や『衆禽図《しゅうきんず》』（鳥譜）という美しい絵入りの観察図を残しており、本草学の発展のためとして、現在の栗林《りつりん》公園がある場所に藩の薬草園をそっくり移転させもした。一方、平賀源内の才能を見抜いて藩籍を捨てる（脱藩する）ことを許可しながら、他藩に仕えることを許さなかったので、源内は浪人にならざるを得ず、一生苦労したと言われている。自分の意思を強引に押し通す殿様であったのかもしれない。

細川重賢

熊本藩主の細川重賢（一七二〇～八五）は、蝶《ちょう》や蛾《が》などの昆虫の丹念な飼育記録を残しており、そこには幼虫から蛹《さなぎ》、そして成虫に変態していくさまが詳細に描かれている。家来たちとともにじっくり観察するだけの暇がたっぷりあったためだろうか。それらの観察を『昆虫胥化《しょか》（変態）図』や『昆虫生写』としてまとめている。生物が親から生まれるのではなく無生物から生じる可能性もあるという「化生（自然発生）」説を否定したのは、生物発生の実際の姿を観察したためであろう。モンシロチョウの生態図を示したのは日本で最初とされている。他方で、藩が遭遇した厳しい財政難を乗り切り、同じく藩政改革により和歌山藩の財政再建を成功させた「紀州の麒麟《きりん》」（徳川治貞《はるさだ》〈一七二八～八九〉の異名）と並んで「肥後の鳳凰《ほうおう》」と呼ばれていることから、辣腕の大名でもあったと推測できる。

島津重豪《しげひで》

薩摩《さつま》藩主の島津重豪（一七四五～一八三三）は、博物大名であるとともに、蘭学に興味を示して長崎のオランダ商館に出入りし、ローマ字を学んでオランダ語も理解したという蘭癖大名でもあった。一一歳で家督を継ぎ、二八歳で藩政改革に自ら乗り出したように、自分に自信があって剛腕であるとともに開明的であったようだ。そのことは、藩校の造士館（儒学の学校）のみならず、明時館《めいじかん》（暦学や天文の研究の場で天文館と呼ばれた）や医学院（医療技術者の養成校）などの学問所を設立し、地元薩摩に三つの薬園を設置・経営したことでもわかる。蘭学の新しい知識を領民に学ばせようとしたのだろう。これらの施設は、武士のみではなく農民や町人にも開放したという。

彼の「博物誌」への貢献として、農業や動植物に関する百科全書である『成形図説』（一八〇四年一部完成）を編纂《へんさん》させたことが挙げられる。これは、農事・五穀・菜蔬《さいそ》・薬草・樹竹・虫豸《ちゆうち》・魚介・禽・獣の一〇部に全体を分け、各事項について日本の古典や漢籍における記述を拾い上げたものである。それとともに、琉球《りゆうきゆう》諸島などの島々に産する草木の薬用効能をまとめた『質問本草』（一七八六年）や、小さい頃から愛着を持って飼育してきた鳥類に関する『鳥名便覧』（一八三〇年）をそれぞれ編纂させている。彼は「博物誌」のスポンサーであったとともに、自身が知識を集約する役を果たしたのである。

佐竹義敦

秋田藩主の佐竹義敦（一七四八～八五）は、平賀源内の勧めによって洋画を始めた人物で、藩士の小田野直武（一七四九～八〇）に洋画を学ばせ、「秋田蘭画」と呼ばれる日本で最初の洋画の一派が彼の下で形成されたことで著名である。義敦は直武の協力を得て、日本産の昆虫三〇〇種の写生（少数の爬虫《はちゅう》類と両生類を含む）とオシドリなど一八枚の鳥の写生を収録した二冊の『写生帖』とともに、『画法綱領』『画図理解』として西洋絵画の手引書を残している。昆虫の図は前述の細川重賢が記録したものの模写が半分を占めているようなのだが、重賢のように変態には興味はなく、幼虫ばかりを選び出しているのはなぜなのだろうか。昆虫への「博物誌」的な興味とともに、西洋絵画の技法の研究も兼ねていたのかもしれない。

増山雪斎《せっさい》

伊勢長島藩主の増山雪斎（一七五四～一八一九）は、中国流の彩画や水墨画での写生画が得意であり、特に昆虫の写生画をまとめた『虫豸帖』（一八〇七～一二年）が有名である。同書は全体を春夏秋冬の四冊に分け、春は蝶、夏は蜻蛉《とんぼ》・蝗・蟬《せみ》、秋は蛾・蜂・甲虫《こうちゅう》など、冬は蜘蛛《くも》などを写生している。昆虫の表面と裏面、雄と雌を一対として描き分けているのだが、彼は人との接触を謝絶して静かに写生していたそうである。また、写生後の昆虫は、「わが友なり、これを糞壌《ふんじょう》にまかすには忍びない」としてタンスに保存していたという。雪斎の没後、上野の山に供養碑を建てて、その下に保存していた昆虫を埋めたのが「虫塚」で、現在は上野寛永寺の境内にある。木村蒹葭堂が造酒令に触れて家財没収に遭った時、雪斎が長島に招いて助けたことが知られている（一七九〇〜九三年）。「博物誌」をともに愉《たの》しんだ好みから、毎日のように二人は絵や昆虫のことを語り合ったのではないだろうか。なんとも羨《うらや》ましい。

堀田正敦《ほったまさあつ》

堀田正敦（一七五五〜一八三二）は下野《しもつけ》佐野藩主として知られるが、それは晩年のことで、近江《おうみ》の堅田《かたた》藩主であった時に老中の松平定信（一七五八〜一八二九）に若年寄に抜擢《ばってき》され（一七九〇年）、定信が失脚した後も若年寄として寛政の改革の精神を引き継いで四三年間勤め上げたという、幕政の中心にいた人物である。政治的な手腕に優れていたのは確かであるとともに、さまざまな文化的事業を援助するのみならず、自らも文人として、また博物誌愛好者としての業績を残しており、大変な才能の人物であった。彼の下には全国の鳥に関する情報が集まったこともあって熱心に研究し、その百科事典である『観文禽譜《かんぶんきんぷ》』（一七九四年）を編纂している。さらに、鳥類の細密画を所収した『堀田禽譜』（成立年不詳）は日本鳥類図鑑とも言えるもので、両者が彼の鳥類に関する代表作である。

一八〇七年に蝦夷地《えぞち》の視察に赴くと、さっそく翌年には『松前紀行』を著しており、そこには鳥類に関する記録とともに、漂流民と現地調査を行った記録も残している。蘭学の大槻玄沢、天文暦学の高橋至時《よしとき》（一七六四〜一八〇四）・景保《かげやす》（一七八五〜一八二九）父子や間重富《はざましげとみ》（一七五六〜一八一六）、測地家の伊能忠敬《いのうただたか》（一七四五〜一八一八）などとも交流があり、彼らを援助したことからわかるように、蘭学に絡む新しい学問にも深く理解を示していた。

堀田正民《まさたみ》

あまり知られていないが、近江宮川藩（現在の滋賀県長浜市）の藩主の堀田正民（一七八一〜一八三八）も博物大名であった。絵画に造詣が深く、自然科学に関心が深いことは、多くの蝶や蛾を描いた『蜻蝶譜《せいちょうふ》』（成立年不詳）や望遠鏡を用いた月面観察図『太陰之図』（一八一三年）があることからわかる。当時盛んとなった「博物誌」ブームに乗った一人である。

黒田斉清

福岡藩主の黒田斉清は、日頃から蘭学に傾注した「蘭癖大名」の一人である。彼は一八二八年に長崎に派遣された時、オランダ商館を訪ねてシーボルトと会見し、動植物学や世界地誌について教示を受けている。「博物大名」としては、幼い頃からカモやアヒルを飼育していたこともあって鳥類に強い関心を抱いており、『鴨経《おうきょう》』『鵞経《がきょう》』という著書がある。また、小野蘭山の『本草綱目啓蒙』に補足・訂正・注釈を加えた『本草啓蒙補遺』を著していて、本草学に

いずれも堀田正民『蜻蝶譜』より。多様な昆虫を描いている。
（国立公文書館デジタルアーカイブより）

も詳しかった。前田利保が始めた赭鞭会の有力メンバーでもあり（「楽善堂」と称した）、当時発行された「物産家相撲番付」では、東の大関に前田利保、西の大関に黒田斉清が位置づけられていて、「博物大名」として名を馳《は》せていたことがわかる。財政難の解決のため切手（藩札）を発行したのだが、あまりに大量に刷ったため価値が下落して流通せず、失敗に終わったという。弱視のため四〇歳で隠居している。島津重豪の息子を養子に迎えて長溥《ながひろ》（一八一一～八七）という名で藩主を継がせた。長溥は蘭学好みで西洋流の兵制改革を行い、開国を主張したという。

「紅毛博物学」

日本流の本草学から「博物誌」までの特徴を辿ってきたが、鎖国をしていたからといって、全く西洋の博物学と無縁であったわけではない。日本と通商していたオランダの書籍がオランダ商館に来ており、その中には美しい絵とか物珍しい風物を描いたものがあった。一七世紀半ば、オランダ商館長（カピタン）は毎年江戸に参府して将軍に謁見することが義務となっており、その際の献上品として書籍を進呈することもあった。一六五九年の江戸参府の際、四代将軍家綱（一六四一～八〇、在職一六五一～八〇）に献上されたのがドドネウス（一五一七～八五）の『草木誌』（日本に来たオランダ語版は一六一八年のライデン刊と一六四四年のアントワープ刊）であった。ドドネウスはオランダ・ライデン大学の医学教授で、この本は彼が収集してまとめた薬用植物誌で、各植物の名称・形状・産地・開花期・性質・効用などを記述しており、木版の精密な植物図がついている。ところが幕府の要人たちはこの本にはさっぱり興味を示さず、もっと大きな挿図がある美しい本が欲しいと注文したという。

その注文が考慮されたのだろうか、一六六三年のカピタンの江戸参府の際に献上されたのがヨンストン（一六〇三〜七五）の『動物図譜』で、一六六〇年刊行のオランダ語版である。発刊から三年で江戸にお目見えしたことから、いかにオランダが将軍に気に入られるよう努めたかがわかる。実際、この本はすべて銅版（エッチング）による図が一ページに一点ずつ掲載された豪華本なのである。当時流行《はや》った動物百科全書で、四足獣・魚・海獣・水棲《すいせい》動物・鳥・昆虫・蛇などが記載されている。ところが、この本も読める者がおらず、幕府の文庫にいれられたままであったらしい。

時代が下り、殖産興業の一環として西洋の知識を利用することを考えた将軍吉宗が、一七一七年になってかつてカピタンから献上された蘭書を文庫から取り出させた。その中に『草木誌』や『動物図譜』があって、これに興味をそそられたのだが、いかんせん解読できる者がいなかった。そこで野呂元丈《のろげんじょう》（一六九三〜一七六一）にオランダ語を学んで翻訳するように命じたのだが、おいそれと翻訳が進むはずがない。ようやく一七四一年に『動物図譜』が『阿蘭陀《おらんだ》禽獣虫魚図和解』として、また一七五〇年に『草木誌』が『阿蘭陀本草和解』（抄訳）として一応まとまった。さらに、平賀源内は一七七〇年に長崎に出かけ、大通詞（オランダ語通訳者）・吉雄耕牛《よしおこうぎゅう》（一七二四〜一八〇〇）の助けを得て『鐸度涅烏斯《どどねうす》植物志』の部分的翻訳に従事したらしい。こうして抄訳とはいえ、『草木誌』は薬用植物の研究のために重宝されるようになった。他方、『動物図譜』は博物誌のためでなく、洋風画を習得するための模写用の手本として使われた。画家の司馬江漢（一七四七〜一八一八）の模写が有名である。

杉田玄白（一七三三〜一八一七）の『蘭学事始《ことはじめ》』（一八一五年）には、カランスというカピタンが江戸に来た時、本草家の平賀源内に会ってその奇才に大いに感心し、そこで源内に「ヨンストンの『禽獣譜（動物図譜）』、ドドネウスの『生植本草（草木誌）』、アンボイスの『貝譜（貝類図鑑）』などという博物学者のために有益な書物を贈った」と書いている。他方、この話に関して司馬江漢は、彼の自伝的回想記の『春波楼筆記《しゅんぱろうひつき》』（一八一一年）において、「源内はヨンストンという一冊五、六〇両もする蘭書を、家財夜具まで売り払って買い求めたりした。この蘭書は、世界中の動物を集めて記録した本で、獅子《しし》とか竜とか、日本人がまだ見たことのない動物まで数限りなく写生して載せてある。今ではこの本を持っている人が他にもあるが、当時はまだ誰もいなかった」と詳しく書いている。玄白はカピタンから贈られたと言い、江漢は大金をはたいて購入したと言うので食い違っているが、私は江漢の方が正しいのではないかと思う。

玄白は好き嫌いを率直に示す人間で、それに合うよう平気で作り話をする習癖があると（『蘭学事始』を読んで）思うからだ。いずれにせよ、一七五〇年代以後になると、博物趣味の人間が増え、ドドネウスもヨンストンも高く評価されるようになったことがわかる。

このような文献的な「紅毛博物学」とは別に、日本に来訪した「出島の三学者」と呼ばれる西欧の博物学者がいて、それぞれが日本の自然物の豊かさを海外に紹介するとともに、日本の「博物誌」に大きな刺激を与えたことが知られている。それら紅毛人の博物学について振り返っておこう。

ケンペル

エンゲルベルト・ケンペルは、ドイツ出身だが三十年戦争でひどく傷ついた祖国から離れ、スウェーデン国王の使節団に入ってロシアとペルシャを旅した。彼は、若い頃から海外に出て見聞を広げようと計画しており、そのため医師の免許を取得するとともに、五ヵ国以上の言語を習得している。一六八四年にオランダ東インド会社に船医として雇用され、インド・セイロン（現在のスリランカ）・ジャワなどを経て、オランダ商館付きの医師として日本を訪れ、一六九〇～九二年にかけて二年余り滞在した。その間、二度カピタンの江戸参府に同行し、その度に将軍綱吉に謁見しており、綱吉の所望に応じて歌と踊りを披露したこともある。

ケンペルはロシア・ペルシャ旅行の記録などを『廻国奇観《かいこく》』（一七一二年）として刊行し、その第五部には「日本の植物」を付け加えている。これはリンネが一七五三年に発表した植物分類法以前の時代の産物であり、当時の典型的な植物学の記録となっている。植物の葉・花・花冠・果実・種子について詳しく記述していることから、ケンペルが鋭い観察眼の持ち主であることがわかる。ケンペルの記述と、ほぼ同時代の貝原益軒の著作『大和本草』とを比較して、植物学者の大場秀章氏は『江戸の植物学』の中で、要約すると次のように述べておられる。

「ケンペルが残した植物画は益軒のそれと比較にならないくらい観察力に優れており、植物の記述においてもケンペルが植物自体の特徴を余すことなく詳細に記述しているのに対し、益軒は植物自体の特徴ではなく、その植物を日本ではどのように利用しているかに力点をおいて記述している。むろん、益軒には日本人がその植物をよく知っているとの意識があるから、植物自体については詳しく述べず、地方ごとに異なる利用法についての解説を加えることを基本的な方針としたと想像される。実は、このような日本の学者の傾向は、いつの時代でも、どの学者についても言えることで、鎖国によって生じた学問の閉鎖性として日本人に根強く巣くっているのではないか」

この日本の学者の閉鎖性に関する指摘は示唆的である。他方、「ケンペルは日本のことを何も知らない多数のヨーロッパ人が、具体的なイメージを抱きやすいよう徹底して特徴を細かく記述しており、いわば好奇心に発して科学的な学問に繋がっていく要素が強い」とも大場氏は指摘されている。応用重視の日本と好奇心由来の西洋との差異は、文物や歴史についての記述にも共通しているのかもしれない。それはまた、博物誌と博物学の差異に通じていると言えそうである。

ケンペルは『廻国奇観』と同時に「今日の日本」という日本に関する総合的著作の執筆も進めていたが、生存中には刊行することができなかった。この著作は彼の死後、『廻国奇観』の六つの論文を加えて、『日本誌』として英語で一七二七年に刊行された（その後、一七二九年にオランダ語版とフランス語版、一七四七年にフランス語版に基づくドイツ語版〈抄訳〉、一七七七〜七九年により完全なドイツ語版が刊行されている）。ディドロが編集した『百科全書』の日本人に関する項目はケンペルの『日本誌』を下敷きにしていることから、一八世紀ヨーロッパにおいてケンペルの百科事典的報告が重視されていたことがわかる。

ツンベルク

先述のリンネは一七五三年に『植物の種』を著し、近代植物学の基本となる分類体系を提唱した。折しも西欧では海外渡航が盛んになり、世界各地の植物標本が得られるようになった頃であった。ヨーロッパは、元来寒冷の地であって少雨だから植物の種類は少ない。そこに何万という植物が海外から持ち込まれたことから、それらを系統的に分類して整理する必要に迫られた。そこで、収集した自然物を、拠《よ》り所《どころ》とする基準を設けてそれとの共通性と異質性によって区分けした。これが博物学・分類学の出発点である。その作業においては、どのような基準で共通・異質を判断するかがキーポイントになる。リンネは植物にも動物と同様な性体系があるとして（「夫」や「妻」、そして「結婚」が存在すると考えた）、分類方式を確立したのであった。その方式の正しさを検証するためには、数多くの植物を探索・採集・観察・記述する必要がある。そのため、自分の弟子たちを世界各地に派遣して、植物の標本を集めさせることにしたのだ。その冒険旅行のために命を落とした者もあったそうである。

スウェーデン人のカール・ツンベルク（一七四三〜一八二八）もリンネの弟子の一人で、一七七二〜七五年の間アフリカの喜望峰から南アフリカ一帯の植物を調べ、それに引き続いて一七七五〜七六年の間、日本を訪れたのであった。彼はあえて、当時暗黒大陸と呼ばれたアフリカ大陸、そして遥《はる》か極東の日本という、探索が容易ではない地域の植物相の研究に挑んだのである。その困難な任務を成功裏に果たしたことから、ツンベルクはスウェーデンに帰国後、リンネの後を継いでウプサラ大学の教授に就任している。彼は『フローラ・ヤポニカ（日本植物誌）』（一七八四年）を出版し、さらに『喜望峰植物誌』（一八〇四〜一三年）とともに『日本動物誌』（一八二二〜二三年）をも書いていることから、植物のみではなく昆虫や四足獣にも興味があったのだろう。なお、一七八五年にはウプサラ大学の学長になっている。また、『ヨーロッパ・アジア・アフリカ紀行』（一七八八〜九三年）を出していて、その三、四巻目に「日本紀行」が含まれている。

ツンベルクとケンペルとの植物に関する記述の差は一目瞭然である。いずれも詳細な観察力に長《た》けているのだが、ケンペルは個人の好奇心に由来する個別事象に興味があって、そこに記述の重心をおいているのに対し、ツンベルクは植物自体の客観的記述に徹しているという大きな差があるからだ。従って、ケンペルは植物学の範疇《はんちゅう》にはない利用法や資源性について深い関心を示しているのだが、ツンベルクの記述ではそれらはほとんど影を潜めている。ケンペルにとっては博物学的な総合的視点が当たり前であったのに対し、ツンベルクの頃は博物学の範疇から植物学が分科した時代、専門化が進み始めた時代となっていたことがよくわかる。さしずめ、ケンペルの記述は江戸の「博物誌」に対応し、ツンベルクの記述はヨーロッパ流の博物学を通り越して、植物学という近代科学の入り口にさしかかっていたと言えるだろう。

リンネがラテン語を用いて学名を記述したため、それ以降は植物学の文献もラテン語で書くのが普通になったのだが、それには理由がある。ラテン語は「死語」でもはや誰も日常語として使わない。そのために、時間とともに語義が変化するとか、時代によって全く異なった意味を持つようになる、というような言葉のゆらぎが少なく、厳密性が保たれるという利点があるのだ。その意味で、ツンベルクが名づけた学名は今でも通用するのだが、その植物学的成果はさまざまな想像を楽しむ博物学から外れつつある時期の業績とも言える。

ツンベルクは一七七六年にオランダ商館長の江戸参府に同行して一〇代将軍家治《いえはる》（一七三七～八六、在職一七六〇～八六）に謁見したが、その時、江戸の長崎屋という宿舎に訪ねてきたのが、医者で蘭学者の桂川《かつらがわ》甫周《ほしゅう》（一七五一～一八〇九）や中川淳庵たちであった。ツンベルクは彼らに医学や植物学などを教授し、彼らからの質疑にも答えたのだが、特に甫周と淳庵の才能を見抜き、帰国後も文通を続けて学問上の関係を続けた。とりわけ甫周については、「非常に若く、気立てがよく、鋭敏で生き生きしている」と大いに褒めている。後年になって甫周は、「ツンベルクはスウェーデンの人である。東都に来る。最も医術に通じ、かつ多識の学に通じており、未《いま》だかつて彼のような知識が広く、研究に詳しい人間はいないだろう」と回想している。

当時の日本の本草学者は、植物の「種類」を認識し、共通の特徴によって「類」にくくり、草部とか果部とかの「部」に大別する、という分類法を意識し始めていた。しかし、その分類法は直観的過ぎて、リンネが最初に試みた綱・属・種という三つの階級に分けて体系化するという方法とは大きく異なっていた。未知の植物を既知の分類体系上に位置づけ、そこに入りきらない分類群があれば新たな分類体系を再構築するという、体系性と系統性を組み合わせるという概念が日本人にはなかったからである。では、大場秀章氏が疑問を呈されたように、なぜツンベルクは、日本人にとっても合理的として受け入れられたであろうリンネ式の分類体系を教えなかったのだろうか（『江戸の植物学』）。博物学に対する彼我の意識の違いを強く感じ、あえて教えることもないと見限ったためかもしれない。

シーボルト

ドイツ人のフィリップ・フランツ・フォン・シーボルトは、名前に「フォン」が付くように貴族階級の生まれであり、彼の父はヴュルツブルク大学の医学教授であった。父を早く亡くしたけれど、彼の貴族意識が、政治に深い関心を抱いていたその行動に大きく影響したことは確かなようだ。シーボルトは一八二三年に長崎に来て、一八二九年に日本から追放されるまでの約六年間の日本滞在中に、数々の博物学上の知見を得るとともに、主に医学に関して多くの弟子を育てている。彼は長崎奉行から特別の許可を得て「鳴滝塾《なるたきじゆく》」を運営し、近代科学を日本に導入する糸口となった。高橋景保から提供された、当時外国に持ち出すことが禁じられていた日本地図を所持していることが発覚して、日本から追放されることとなったのが「シーボルト事件」（一八二八年）である。

シーボルトは特に園芸に強い興味を抱き、標本のみならず生きた植物や日本人本草家の図譜を数多く収集してオランダに送っている。また、来日後二年も経《た》たない一八二四年に、早くも出島に植物園を建設して一〇〇〇種以上の植物を栽培し始めている。さらに、日本の美しい植物をヨーロッパに伝えるために、科学的にも信頼できる絵画の名手である川原慶賀《けいが》（一七八六～？）を専属の絵師として雇用し、詳細な動植物の写生画を描かせた。一八二六年には江戸参府の機会があり、その往復の道すがら生きた植物・動物を多数買い入れて自身のコレクションを豊かなものにした。江戸滞在中、長崎屋に宿泊している彼を訪れた蘭学者として、桂川甫《ほ》賢《けん》（一七九七～一八四四、桂川家の六代目）、宇田川榕庵《ようあん》（一七九八～一八四六、宇田川三代の一人）、大槻玄沢、それに栗本丹洲《たんしゅう》（一七五六～一八三四、田村藍水の息子）らがいる。また、シーボルトと文通をしていた博物学者に水谷豊文がいて、彼はシーボルトが参府する際の往路と復路の「宮の宿」を訪れ、珍しい収集品の標本を多数見せてシーボルトから「大学者」と呼ばれている。

　シーボルトは帰国後、それまでにオランダに送った多数の植物を育てる植物園をライデンに開設して、日本の植物の分類学的研究を続けた。主として球根や種子を送ったのは、オランダで育てることを考えたためで、その意図は成功して豊かに花を咲かせたのであった。その成果が『フローラ・ヤポニカ（日本植物誌）』（一八三五～七〇年）で、植物学者ツッカリーニとの共著である。これには、植物学的な系統に関する記述に留まらず、それぞれの植物をどのように利用し、生活に役立てているかも記述されている。日本における植物の資源としての観点も交えているわけで、博物学的要素も忘れていない。

また、オランダの王立自然史博物館の初代館長であったテミンクらとともにまとめた『ファウナ・ヤポニカ（日本動物誌）』（一八三三〜五〇年）も出していて、オランダにおける日本の博物学研究の振興に大きな寄与をした。彼の追放令は一八五八年に解除され、一八五九年から六二年にかけて日本への再度の訪問を果たしている。この旅の目的は、自らの学問的業績を背景に日本の植物を産業に活《い》かすという名目であったが、その意図は達せられなかった。彼がロシアに情報を売り込もうと活動したこともあって、オランダ政府の信用が得られなかったのである。

シーボルトは貴族階級として誇り高く自尊心が強い人間であったようで、尊大で権力好き、無遠慮で他の人たちに危険を及ぼすようなことがあっても意に介さない、というような厳しい批評も残されている。であればこそ、猪突猛進《ちょとつもうしん》で莫大《ばくだい》な資料を収集してオランダに輸送できたということにもなるのだろう。シーボルト事件では関係した日本人を大いに震え上がらせたが、当のシーボルトは何ら罪の意識を感じていないようであった。他方、日本の植物を同じ緯度のヨーロッパに移植して、多くの人々を愉しませようと考えて広めたものが多くある。椿《つばき》・薔薇《ばら》・百合・躑躅《つつじ》・山茶花《さざんか》などの園芸植物で、今日では人工交配によってさまざまに品種改良され、国際的に広く栽培されている。
因《ちな》みに、オランダ商館勤務の人間が博物学のための活動をしようと思えば、パトロンの存在が不可欠である。ツンベルクにはオランダの裕福な市民層が資金援助をしたそうだが、シーボルトのスポンサーはオランダのアンナ・パヴォローナ大公女（ロシアの皇帝エカチェリーナ二世の孫娘でニコライ一世の姉、オランダ国王ヴィルヘルム二世の皇后）であった。そのこともあって、シーボルトは桐《きり》の学名にパウロニア・インペリアリスと名づけ、著書の『フローラ・ヤポニカ』をパヴォローナ大公女に献呈している。シーボルトは、やはり貴族趣味の人間であったことは確かなようである。

私の印象に残った人たち

本章の締めくくりとして、あまり名前は知られていないのだが、博物趣味に夢中になった人には面白い人物も出ているので、ここに紹介しておこう。

阿部将翁《しょうおう》

まず、生涯の前半が不明で、清《しん》国に渡って本草学を学んだとされる阿部将翁（？〜一七五三）を挙げよう。南部藩（現在の岩手県盛岡市）の出身で、大坂に行こうとして船に乗ったが台風に遭って遭難し、流されて清国のマカオに上陸し、浙江省《せっこう》の杭州《こうしゅう》に行って医学・本草学を一八年間学んだ後に日本に帰国した、ということになっている。この履歴は、ずっと後年になってから東条琴台《きんだい》（一七九五〜一八七八）が編集した『先哲叢談《そうだん》続編』に書かれているのみだから、俄《にわ》かには信用できない。他の説によれば、長崎に行って清国人やオランダ人から学んだとある。どちらかが正しいのか、どちらも正しくないのか、漂流ではなく清国へ自ら密航したのか、それとも長崎で見聞しただけなのか、いずれをも証する確固たる証拠はないから判じ難い。それが、将翁を気になる人物として挙げる理由だが、一応清国に渡って本場の本草学を学習したとされるだけあって非常に博識であり、その言動から自分の知識に自信を持っていたことは確かである。

将軍吉宗が享保の改革で、薬草を増やすために諸国採薬使を募集した時、将翁も手を挙げて採用されている。すでに丹羽正伯や野呂元丈などの著名人が採薬使として採用されていたのだが、将翁が最も本草に詳しかったとされる。彼は、東海・北陸・奥州で採薬し、蝦夷地には三度も出かけた。『採薬使記』（一七五八年？）には、対馬の宗家や長崎の清国商人から献上された朝鮮人参の種六〇粒余りを蒔《ま》いて、五年後には立派な根を作ったとあり、この成功は将翁の指導によるとしている。将翁の最高の弟子が田村藍水で、薬草園に朝鮮人参の種を蒔いて栽培し、『人参耕作記』（一七四八年）を著して培養法をまとめている（版木が焼失したため増補版『朝鮮人参耕作記』〈一七六四年〉が出された〉。なお、将翁が一七二七年、採薬の途中で陸奥国釜石の仙人峠で磁鉄鉱を発見したことから、釜石鉱山が開かれたという変わった逸話もある。

奥倉辰行《たつゆき》

江戸の神田で八百屋（青物商）を営んでいた奥倉辰行（?〜一八五九）は、号が魚仙であることからわかるように、魚を始めとする水産動物の写生と研究に打ち込んだ人物である。彼は、家業を放ったらかしにして日本橋の魚市場に日参し、見たことのない魚を選んでは、それを得意の絵筆で正確に描写していた。この作業を二〇年以上続けたらしい。さらに見慣れない魚種を求めて、関西・山陽・四国・九州へと魚の採集旅行に出かけている。彼の手法としては、正確さを求めて魚体の鰭条《きじょう》とか側線の数や鰓《えら》の付き方など細かい点にこだわるのではなく、とにかく魚体の新鮮さや質感を絵で表すことを好み、生命感が溢《あふ》れる魚譜を多数残していることに特徴がある。幼い頃より絵を描くのが達者であり、笛の名手でもあったそうで、家業の青物の売買は妹に任せて絵画と芸事と採集旅行に熱中したという。兄が金を浪費するものだから青物屋は破産したのだが、妹が兄の死後に独力で店を再興させたという涙ぐましい話も伝わっている。

彼は研究の成果のまとめとして、鯛《たい》類のみ約九〇種を図示した色刷り木版図『水族写真鯛譜』（一八五五年）を自費で刊行している。さらに魚類図を逐次刊行する予定で『水族写真説』（一八五七年）を出したのだが、刊行費用が莫大になって破産してしまった。彼はこの破産から立ち上がれず、続刊を出すことができなかった。彼の没後、散失したと考えられていた魚類図や草稿が発見され、『水族四帖』として国立国会図書館に保存されている。彼は、魚の地方名や漢名を詳しく調べ、実際の魚体と名との一致を図る「名物学」の使命を果たそうとしたようでもある。

実は、彼の魚類分類の視点は、例えば和名に「タイ」と付く魚をすべて区別なく網羅していることからわかるように、江戸時代の分類思想にベースをおいている。近代の分類方式に従って目や科に分けておらず、経験的に類似していて、同じような呼称が付いているものであれば、すべて同族と見做《みな》しているのだ。そのような「江戸式分類法」もまた面白いのではないだろうか。それにしても、こんな兄貴を持った妹さんの苦労や、いかばかりであっただろうか。

松森胤保《たねやす》

名前は知られているが無視されがちな松森胤保（一八二五〜九二）を最後に紹介しておこう。彼は、庄内藩の支藩である松山藩（現在の山形県酒田市）の家老であり、東北戦争（一八六八年）において、奥羽越列藩同盟の松山藩一番隊隊長兼庄内藩一番隊参謀として薩長中心の官軍と戦っている。明治維新後は戦後処理と新体制移行への業務を担った後、県会議員や区長などを経て、一八八五年に一切の公職から退いて研究・著述に専念した。このような履歴から、江戸末期から明治初期の慌ただしく変遷する時代の中で活躍した豪傑のように見える。実際、若い頃には馬術・槍術《そうじゅつ》・居合・砲術・水練など武芸百般を習得している強者であったようだ。しかし他方では、幼少の頃から鳥類に親しんで鳥の絵を多く描き、鉱物・昆虫・石器・土器などに関心を抱いたとされる。さらに博物学・考古学にも興味を持っていた。蟬や魚介類への興味を早くから持ち、年を取ってからは蝶や蛾の採集、園芸から山野の草木・樹木にも造詣を深めている。彼の著作は数多くあって、テーマも多岐にわたるが、ここでは代表的なもののみを取り上げることにする。

彼の「博物誌」関係の著作の代表は『両羽《りょうう》博物図譜』であろう。「両羽」とは、羽前・羽後（出羽の南北）、つまり現在の山形・秋田両県のことで（実際の対象領域は庄内のみであるが）、獣類図譜・禽類図譜・爬虫図譜・魚類図譜・貝螺《ばいら》図譜・飛虫（昆虫のこと）図譜・植物図譜の七部五九冊から成り立っている。動物図約二一〇〇点、植物図約二九〇〇点から成る大作で、大きさは縦二八センチ、横一八センチ、和紙に描かれた図は彩色されているという見事なものである。松森は「万物一系理」という自然観を持っており、万物は相互に関連する存在であると考えていた。動植物にはよく似た種類があり、いろいろな種類の間には何らかの繋がりがあるという思想で、西洋から渡来した生物の系統樹と結びつけたのであろう。その思想から、外形と生態の類似性を重視した分類法を提案しており、極めて独自である。

さらにダーウィンの進化論を知って、進化という概念も会得したと思われる。無生物から簡単な生物が誕生し、それが少しずつ複雑化して、やがて人類が出現したという筋書きで、彼独特の生物進化の系統樹を提案しているからだ。そして進化の原因として突然変異と交雑を挙げている。ヨーロッパの動植物図鑑を見て、日本に広範囲の生物を扱った図譜がないことから、一念発起して自ら作成しようとした経緯があるようだ。西洋思想の引き写しではなく、自分流の生命観を提出していることに感心させられる。

他に理学系の著作として、物のことわり（理）を論じた『求理私言《しげん》』や『物理新論』、光学を論じた『視道私言』、音響学を論じた『聴道私言』を書いたのも、「万物一系理」の思想から彼独特の理論を構築しようという意図があったようだ。また、物の本質を究める開物学として、『南郊意匠開物』や『開物奨励』なども執筆している。役に立たない「博物誌」や物理学だけに留まるのでなく、施政者として殖産興業を推進しようとしたのだろう。

江戸の博物誌の終焉《しゅうえん》

本章で、自然物を対象とした江戸の「科学」である本草学が物産学を経て「博物誌」へと変遷していった過程をまとめた。各地の物産・特産・名物を集めて本草会・物産展・薬品会などが行われ、さらに類似の新規の物品をも多数収集して詳細まで観察し、図版入りで紹介する「博物誌」となったのだ。自然の造形の見事さを浮き彫りにして、「じねん（自然）」が成した作品を鑑賞し賞玩《しょうがん》するというわけだ。だから、その限りにおいては切手集めやコイン収集と同じ趣味に留まっていて、「学」ではないことは確かである。

しかしながら、例えば植物の花・葉・樹形・実などに美意識を刺激され、その「美しさ」をより究めようとする心の動きは「文化」と言ってよいであろう。たとえそれが「学」とは言えなくても、自らの美意識に従ってそれぞれの「文化」を追究しているわけで、それが生きるということなのではないだろうか。その収集と観察精神は、植物のみならず貝類・魚類・鳥類・猛禽類・虫類などの動物に及び、数多くの博物画譜として残されている。その遺産を私たちは分類体系にこだわらず、もっと楽しんでいいのではないだろうか。

江戸の博物誌の精神を引き継いだのが、一八六七年生まれの南方熊楠だろう。開国の時代に生きた熊楠は、さまざまな言語をマスターして博物学・生物学・民俗学の知識を広めるとともに、学生生活はアメリカで過ごし、その後イギリスに渡って大英博物館に日参し、蔵書の筆写を行って文献の収集・蓄積を行った。帰国後は和歌山の田辺に本拠を構えて、生物学の対象として粘菌研究に打ち込み七〇種以上もの新種を発見した。他に隠花植物と呼ばれたコケ・シダ・キノコ・藻類・菌類など、地味な植物の研究にも没頭した。さらには柳田国男との交友から民俗学の研究を行い、明治政府の神社合祀《ごうし》政策に反対するなど、伝統的な文化の継承に精力を傾けるとともに、神社を取り巻く森の生命力とそのエコロジカルな重要性を知悉《ちしつ》していたのである。その意味で熊楠は、西洋の近代科学と江戸時代以来の博物誌的発想を併せ持ち続けていた最後の人であったと言える。

残念ながら、熊楠以後はその系譜を引き継ぐ人物は現れなかった。そのため、「江戸の博物誌」の流れは途絶してしまったのである。

第三章 園芸

様々な変化アサガオ。江戸時代にはこのような珍しい色や形のアサガオが次々と生み出され、人々の間でブームとなった。

(『変化朝顔図鑑』より)

本章で取り上げるのは、江戸時代に広がった園芸——栽培植物学者の中尾佐助（一九一六～九三）の呼び名では「花卉《かき》園芸文化」（略して花卉文化あるいは園芸文化）——である。一般に博物学とは、いかなる自然物にも多種多様な形があり、そこで展開されている美の形態も異なっているという事実を究め、その多様性を味わい鑑賞し、そして収集し整理する学問と言えようか。それに留《とど》まらず、自らがその造形に関与して創造すること（パフォーマンスすること）を目指すのが園芸文化である。端的に言えば、植物の美しさを、この手から生み出そうという、ある意味で自然の摂理を飛び越えようとする不遜な行為とも言える。その思いがどんどん強まると美意識が変容して「奇品・珍品・矮小品《わいしょうひん》」の作出を狙うようになる。それもまた江戸の好奇心の一つの究極の姿で、江戸が生んだ「侘《わ》び・寂《さ》びの美学」の一形態と見做《みな》せるのではないかと思う。

対比的に言えば、博物学が自然物の多種多様な展開の観照的追究であったとすれば、園芸は一品種の植物の生長過程の現実的追究、そして介入であろうか。その違いは大きい。前者の博物学は、森羅万象を相手にして、その対象の運命を客観的・一般論的に論じることができるが、後者の園芸は花や木という植物の分野に限られており、その生育から枯死までの変化は個別的であるため特殊対象として捉えざるを得ない。故に、普遍を追究する博物学は手を汚さない学者が携わるものであるのに対し、園芸は実際に土をいじって造型する植木屋・庭師の領域であって、学者が手を出すべき領域ではないとされてきた。従って、江戸の「博物誌」においては武士や医師出身の学者が多いのに対し、園芸には学者はほとんど無縁であった。

その意味で花卉園芸文化は江戸の「科学」とは言い難いのだが、植木屋や庭師の園芸に対する見識は高く、「実用科学」の域に達していたことは確かであろう。霧島から大坂にもたらされ、大坂から江戸に来て、接ぎ木・挿し木で増やされて広がったキリシマツツジや、大陸由来の朝鮮人参や甘藷《かんしよ》を風土の異なる日本に移植するのに成功した背景には、園芸家の絶大な努力があったことを忘れてはならない。そのことを強調するために、園芸を主題にしたこの章を設けたのである。むろん、後述するような何度も起こった園芸バブル、さまざまな奇品の作出、知らずに人々が行っていたメンデルの法則の実験などについての楽しい話もあるので、それも書いておきたいと思った。

さらに、同じ園芸という言葉に集約されるが、花卉・花木よりいっそう実用的な野菜（果菜・花菜・葉菜・芋類）の園芸も取り上げたい。これらはすべての人々の食生活に関係する普遍性がある一方、それらを育てる農家にとっては地域性（土壌・水利・肥料の有無や有効性・伝統・消費地までの距離など）が大いに問題で、作物に関する一般的知識とともに耕す土地に特有な経験的知識も不可欠である。それ故、普遍性と地域性を兼ね備えた農学書が普及していくことになった。また、飢饉《ききん》が頻発した江戸時代においては救荒植物に対する情報も非常に重要で、それに関する著作は多くの農民にとって福音となった。これら農業も含めた広い意味での園芸の分野は、直ちに「科学」とは言い難いのだが、経験知としていずれも頼りにされ、重宝がられ、大事にされた。そのような側面に光を当ててみたい。

花卉・花木園芸の歴史

ここで、少々、日本の花卉・花木園芸の歴史を振り返っておこう。

まず、藤原京から平城京への移転の時期（七一〇年）を話の起点にする。この時期を選んだのは、太安万侶《おおのやすまろ》による『古事記』の撰録が七一二年、『風土記』の編纂《へんさん》が開始されたのが七一三年、舎人《とねり》親王らによる編修で『日本書紀』が完成したのが七二〇年と、相次いで国史および地方史を確定させて国家意識が確立しつつあった頃であるからだ。八世紀中頃には『万葉集』を編纂して文化国家としての形を整えることもした。ここで大事な点は、弥生《やよい》時代に日本語の祖語となった共通の言葉（「和語」）が広く使われるようになり、漢字を知ってからは、その音訓を活用して日本語の音を表記する方法が発明され、万葉仮名と呼ばれる文字の獲得と使用が一般化したことである。文学にしろ、歴史にしろ、科学的事象にしろ、それらを記述する方法が確立することが、文化を生み出し発展させる基本的要因であることは明らかだろう。

人間が開発した最初の「科学」は薬用植物の発見と利用であり、それが本草学《ほんぞう》の出発となった。中国では、すでに六世紀に『神農本草経集注』が出され、蘇敬《そけい》（五九九〜六七四）らによる『新修本草』が七三一年までには日本に伝来していたとされる。この本から、中国の本草学の理解が始まるとともに、万葉仮名による動植物名の表記がなされるようになった。これを辿《たど》ることで、当時の人々の博物学的な世界の把握状況を知ることができる。例えば、『万葉集』では、全四五一六首のうち植物が詠み込まれているのが約一五〇〇首、動物が詠まれた歌が約一〇〇〇首にもなる。もっとも、万葉仮名と漢字表記の差異、漢字名だけで和名を持たない動植物、方言や口伝えも混じっていて不確定なものなどがあって、動植物名としての同定が難しく正確な数は確定していない。それでも、それらの歌から万葉人の自然との接し方が推し量れるだろう。

中尾佐助の『花と木の文化史』によれば、『古事記』『日本書紀』に出てくる植物のほとんどは、イネ、アオナ、アサ、ムギ、サクラ、ツバキ、ハスなど実用植物が主力だが、それ以外にも数は少ないが花の名が入っていることに注意を要するという。記紀（『古事記』および『日本書紀』）の時代の民衆は花の美学も有していたと想像できるからだ。『万葉集』になると、いっそうはっきりと花に対する強い関心が見えてくる。『万葉集』には約一六〇種の植物が登場するが、頻度順に並べた上位一〇傑は、ハギ、ウメ、マツ、モ（藻）、タチバナ、スゲ、ススキ、サクラ、ヤナギ、アズサで、どれも実用植物ではない。つまり、植物の実用性より花や姿を美学的に評価する文化が成立していることがわかる。また、ウメ、タチバナの他に、モモ、アンズ、ユスラウメ、クレナイ（ベニバナ？）が詠われている。これらは中国から渡来して栽培されたもので、少なくとも上流階級では花木園芸がなされていたことが窺《うかが》われるのだ。『万葉集』の和歌の作者の階級と植物名との関係を調べてみれば面白いのではないだろうか。

平安から鎌倉時代に入ると、アサガオ、キク、トコナツ、ホテイチク、長春など、中国より渡来した栽培花卉が文献に多く登場するようになり、貴族から武士階級や僧侶に園芸が広がったと推測される。重要なことは、中国から伝わった「盆景」（盆の上に主として石を並べたもの）が「鉢の木」（植木鉢に木を植える、盆栽）となって、誰もが気軽に花卉栽培を行う道が開かれたことであろう。庭がなくても園芸を楽しむことができるようになったのだ。

中尾は、室町時代において、中国の模倣から脱して日本独自の花卉園芸文化の創造的分野が開拓され、大進展の糸口になったとしている。その背景には、日本の社会と生活文化に大転換が起こって、日本人のエネルギーが解放・放出されたことがあるという。その原動力としては、①嫁取り婚の定着による家族構成や相続の変化（家庭の確立）があり、②農業生産力の上昇による民衆のエネルギーの盛り上がりが文化・生活を発展させたことにより、花卉園芸文化を躍進させ（茶道・華道・南宋画・花鳥画なども同じ時期に発達・盛行）、③一日三食となってさまざまな料理・間食が広がるとともに、服装の変化や書院造の住宅が普及した（文化・社会・日常生活の大転換）、の三点が挙げられている。室町時代から始まった花卉園芸文化としてはツバキとサクラの品種改良があり、江戸時代に多様な品種が開発されるまでの橋渡しをしたことになる。

江戸時代に入ると花卉園芸が非常に盛んになったのだが、最初は上流階級である旗本など御目見得以上（将軍に直接会うことができた身分）の上級武士と、医師、僧侶、豪商などがその担い手であった。しかし元禄年間（一六八八～一七〇四）になると中級武士（御目見得以下の御家人）や中級町人（町のお店の主人）にまで広がり、それ以降は徐々に庶民（農民や商人）に至るまで園芸を楽しむようになった。その結果、江戸時代は世界に誇れるほどの園芸文化が文字通り「花開いた」のであった。面白いことに、江戸の園芸熱においては、ある時期に集中してブームとなった花卉・花木がある。それぞれなぜ人気を得たかは順に解説するが、ここで大まかに一覧しておこう。必ずしも正確に時期が区切れるわけではないが、それらを整理すると、

寛永年間（一六二四～四四）　ツバキ：秀忠・家光のご愛好
元禄年間（一六八八～一七〇四）　ツツジとカエデ：綱吉のご愛好と伊藤伊兵衛三之丞《さんのじょう》
正徳年間（一七一一～一六）　キク（第一次）：「菊合わせ」「菊大会」

享保年間（一七一六〜三六）カエデ：伊藤伊兵衛政武
元文年間（一七三六〜四一）オモト・沈丁花《じんちょうげ》：奇品、永島連
宝暦年間（一七五一〜六四）キク（第二次）：肥後菊、カラタチバナ（百両金）：奇品、栄伝
明和年間（一七六四〜七二）マツバラン：奇品
天明・寛政年間（一七八一〜一八〇一）カラタチバナ：奇品
文化・文政年間（一八〇四〜三〇）アサガオ（第一次）・キク（第三次）：「江戸菊」・菊人形、オモト・マツバラン：金生樹《かねのなるき》
天保年間（一八三〇〜四四）オモト・コオモト・ナデシコ：「太平の万年青《おもと》」「東都小万年青《こおもと》連」
弘化年間（一八四四〜四八）キク（第四次）：「宝珠菊」
嘉永・安政年間（一八四八〜六〇）アサガオ（第二次）

といった次第である。このように江戸園芸にはいく度かの栄枯の推移があったのだが、なぜこのように隆盛がもたらされたのだろうか。

〈「花癖将軍」〉

江戸に幕府が開かれてから最初の約五〇年は武断政治であり、誰もが最高権力者たる将軍の顔色や意向を斟酌《しんしやく》するのが普通であった。だから、この時代はおよそ花とは縁がなさそうに思えるが実際は正反対で、最初の三代の将軍はいわば「花癖将軍」と言ってよいほどである。事実、初代家康は一五九〇年に江戸城に入城したのだが、さっそく城内にお花畑をつくらせて、心を癒やしたという。二代目の秀忠（一五七九〜一六三二、在職一六〇五〜二三）も花が好きで諸国から珍しい草木を集め、特にツバキが好きであったらしい。三代目家光もツバキに熱をいれ、「寛永のツバキ」と言われたくらいツバキが流行した。後水尾天皇（一五九六〜一六八〇、在位一六一一〜二九）もツバキを好んで後押しをしたとされる。

四代目家綱、五代目綱吉の時代となると、安定した世情と経済力の向上から園芸は幅広く町人の生活に入り込むようになった。将軍の好みは下々の者にも影響する。また、当時普及し始めていた植木鉢に花を植えて鑑賞するという手法の手軽さが受けて、花卉園芸が広がる原動力になった。それも花の美しさだけでなく絞り（独特の模様）が入ったものとか、樹形や葉の形の美しいものや斑《ふ》入りの葉などに人気が集まったらしい。園芸が江戸一帯に広まるようになった最初は寛永年間（一六二四〜四四）で、世情が安定した証拠とも言える。この時期には、家光が多数の鉢植えを飾って楽しむのを案じた守旧派で武断主義の大久保彦左衛門（一五六〇〜一六三九）が、鉢を地面に投げつけて諌《いさ》めたという伝説がある。家光が一六三八年に江戸城の南と北の二カ所に御薬園を開いて本草学と園芸に力をいれたことからもわかるように、武断から文治へと政治の基本形が移り始めたのである。

綱吉が支配した元禄年間は、幕府政治が安定して町人に経済的余裕ができたこともあって、歌舞伎・浮世絵・川柳などが流行し、それまでにない文化的な盛り上がりを迎えた時代である。園芸では「元禄ツツジ」が庶民に親しまれて広がったが、上流階級では渋好みのカエデ（楓）が主流であり、それも葉の色や形が珍しい「へりとり」や「斑入り」など奇品・珍品と言われるものに人気が出たという。元禄文化は派手好みと思われそうだが、実はカエデの樹形や枝ぶりのような地味な側面が好まれたのである。日本最初の総合園芸書は水野元勝（生没年不詳）の『花壇綱目』（一六八一年）と言われ、この本には花の異名や色や分植の時期などとともに、土質や肥料のことまで書かれている。

綱吉は南北の御薬園を消滅させ、代わりに小石川の白山御殿地を御薬園とした。彼は有名な悪法である「生類憐《あわれ》みの令」を出して人々を苦しめたことで広く知られているが、一方では鷹などの鳥を愛護するため、小石川の御薬園の土地一万四〇〇〇坪のうち八〇〇〇坪を鳥籠をおくために使用している。綱吉にとっては、植物よりも動物の方が大事だったのだろう。

〈俳諧と園芸〉

この一七世紀後半頃から一八世紀にかけて俳諧が盛んになったことが、意外にも園芸文化の高まりと関係があることを述べておかねばならない。俳諧は平安時代の『古今和歌集』に「誹諧歌」があるように、古くからある連歌が基礎となったもので、室町時代に連歌から独立したものの、まだ上流階級の言葉遊び程度でしかなかった。それを広めたのが江戸時代前期の松永貞徳《ていとく》（一五七一～一六五三）で、古典的な和歌の教養を基礎にしながらも俗語を大胆に使い、洒落《しゃれ》や滑稽を旨とする「貞門派」を打ち立てた。おかげで貞門派の俳諧は親しまれ、全国に広がって庶民も親しむようになった。続いて、西山宗因《そういん》（一六〇五～八二）がやはり和歌の伝統を重視しつつ、道理の攪乱《かくらん》や発想の意外性を前面に出して、自由で笑いの要素が強い「談林派」俳諧を標榜《ひょうぼう》して人々を惹《ひ》きつけた。松尾芭蕉（一六四四～九四）はこれら二派を経た後に、芸術性が高く「侘び・寂び」を基調とする日本的心情を詠い、最後には「軽み」のような品格のあるユーモアを含意させて俳諧の幅を広げたことでよく知られている。

松尾芭蕉と花卉園芸とが直接関係するわけではないが、芭蕉が若い頃に仕えた伊賀上野の藤堂家と園芸家との間の関係について述べておこう。江戸の園芸家の第一人者は、代々続いた植木屋である染井（駒込）の伊藤伊兵衛とされている。初代は伊賀上野の藤堂藩の庭師で、初め猪兵衛と名乗ったそうだが、一六五八年に亡くなったことしかわかっていない。正保年間（一六四四～四八）の頃、薩摩からキリシマツツジの名品が大坂にもたらされ、その後江戸の染井に移されて（一六五六年）、伊兵衛が管理することになったことから「霧嶋屋伊兵衛」と号したそうである。伊藤家は代々藤堂藩の江戸の下屋敷の隣で植木商を営んでいた。

三代目（二代目という説もある）の伊藤伊兵衛（通称三之丞、？～一七一九）は、日本で最初の園芸植物図鑑とされる『錦繍枕《きんしゅうまくら》』（一六九二年）でツツジ・サツキの栽培について詳しくまとめている。続いて『花壇地錦抄《かだんじきんしょう》』（一六九五年）でキリシマツツジの栽培法を教示したことで江戸への普及に功があり、「つつじ屋猪兵衛」と呼ばれた。接ぎ木や挿し木など、草木の栽培法についてもまとめている。

三之丞の息子の政武（一六七六～一七五七）は、父の画集を「耕人伊兵衛の図」としてまとめて『草花絵前集』（一六九九年）を出し、その後『増補地錦抄』（一七一〇年）、『広益地錦抄』（一七一九年）、『地錦抄附録』（一七三三年）と地錦抄シリーズとして、当時の園芸百科事典を刊行している。彼は、春夏を好む陽の種と秋・湿地を好む陰の種があるとする「草木陰陽説」の信奉者で、「土地の冷熱虚実と肥（糞）に補寫《ほしや》温涼と草木の陰陽の性とをよく見きわめて手入れをすべし」と述べている。これら一連の著作は花卉園芸を広く普及させることに重要な貢献をした。政武はモミジの収集に熱をいれてモミジ（カエデ）の専門書を三冊も著しており、「ツツジの三之丞、モミジの政武」と言われた。このように、植木屋が園芸書を出版して園芸ファンを拡大させたことには大きな意義がある。

藤堂家の初代の高虎（一五五六～一六三〇）は秀吉の朝鮮出兵で名を揚げ、関ヶ原の戦い以後は家康の忠臣となった人物で、築城の名人と言われた。藤堂藩の三代目の藤堂高久（一六三八～一七〇三）が庭を整備しようと草花を抜き去った時、庭師であった三之丞がそれを持ち帰って自分の庭に植え、キリシマツツジ、ツバキ、シャクナゲ、竹やカエデ、サクラの諸品種を育てたという。こうして植木屋伊兵衛の発展の礎を築いたのだが、芭蕉が直接仕えたのは藤堂良忠《よしただ》（俳号蟬吟《せんぎん》、一六四二～六六）で、その上司が高久であった。園芸家と藤堂家、そして藤堂家と芭蕉とが互いに関係を持っていたというわけだ。

俳諧が本草学や博物趣味と結びついた理由だが、俳諧には季節を詠み込むという約束（季語）があり、俳諧の手引書として「季寄せ」とか「歳時記」が編纂・刊行されることが多い。その際、それぞれの草花や動物に対応する季節を記す必要があり、動植物と人間とのかかわりやその歴史的なエピソードなどが書かれた「本草書」が、いわば百科事典のように使われたのである。それを読むうちに、人々の身近な動植物への興味が喚起され、草の根の博物趣味、そして花卉園芸に手を出していく契機となった。その結果、園芸書が出版されるようになって人々の園芸熱がさらに強まる、という相乗作用が働いたのである。談林派が流行《はや》ったのと同時期に「花の図鑑」が創られて人々を魅了し、仮名（または仮名交じり）文で書かれた「仮名草子」が大衆向けの絵本として普及したことも園芸の流行に一役買ったとされている。

〈吉宗の時代〉

六代将軍家宣《いえのぶ》（一六六二〜一七一二、在職一七〇九〜一二）と七代将軍家継《いえつぐ》（一七〇九〜一六、在職一七一三〜一六）はいずれも将軍在職期間が短く、これといった業績は残していない。続く八代将軍が吉宗で、悪化し始めた幕府の財政の再建を行い、新田開発などの農業改革（四公六民＝農民が四割を年貢に納める状態から、五公五民＝半分を納める状態に増税）、漢訳蘭書の輸入を認めた文教政策（改暦を目指して神田に天文台を設置）、大岡忠相《ただすけ》（越前、一六七七〜一七五一）を奉行として重用するなどの行政改革（「目安箱」の設置や小石川養生所の開設）など、「享保の改革」と呼ばれる一連の政治・経済・文化改革を行った。彼の本草学・園芸文化への寄与としては、小石川の御薬園を一気に一〇倍以上の面積に拡大し（一七二一年）、御殿山（品川）・飛鳥山《あすかやま》（王子）・墨田川堤（向島）に合わせて一〇〇〇本以上の桜を植えて庶民を愉《たの》しませたことが挙げられる。

青木昆陽が飢饉対策（救荒作物）としてサツマイモを小石川御薬園で試植して成功させ、栽培法を確立（一七三六年）して関東一円に普及させたのは、吉宗と大岡忠相の援助があってのことらしい。昆陽は顔に疱瘡《ほうそう》の跡（痘痕《あばた》）が残っており、「あばた」のことを「いも」とも言うので、サツマイモで名を揚げた昆陽を江戸の人々は親愛の気持ちを込めて「いも先生」と呼んだ。彼の墓には「甘藷先生墓」とのみ記されている。一七四〇年に吉宗の命を受けて青木昆陽と野呂元丈がオランダ語の学習を開始して、蘭学が大きく発展する起点となった。

　全国で朝鮮人参を栽培するようになったのも吉宗の時代である。朝鮮人参は煎じて飲むと体が温まり、強壮剤としての効き目が高いことは『神農本草経』にも書かれており、薬用植物として効験あらたかであることは昔から知られていた。朝鮮半島でも栽培が困難とされてきたのだが、これを日本で人工栽培しようというわけで、吉宗は朝鮮に近い対馬藩に命じて生根を鉢植えで献上させた。一七二二年には、本草に精通した者を諸国採薬使として募集し、その一人として阿部将翁がこれに応募して採用された。彼は人参が種子から栽培可能であると気づき、弟子の植村政勝（一六九五～一七七七）に命じて下野（栃木県）の日光の薬園で試植させ、これに成功した。さらに、将翁の弟子の田村藍水が日光で栽培した人参が多数の実をつけて栽培を成功させたことから（一七三八年）、全国に売り出して人参の栽培が普及したのであった。この人参の栽培法を述べたのが『人参耕作記』（一七四八年）で、ここに朝鮮人参の栽培という積年の野望が実現したのである。甘藷と朝鮮人参の栽培の成功は園芸の力を如実に示すことになった。

　この植村政勝という人物は、もともと紀州家のお庭方で吉宗に仕えており、吉宗が将軍になって江戸に出た時、彼も江戸城本丸のお庭番に出世した。幕府のお庭番とは密《ひそ》かに将軍を警護する忍者なのだが、ふだんは植木職人として庭の手入れをしていたのである。吉宗の時代には世情は安定していて忍者の仕事はなくなり、もっぱら植木職人としての技能を活《い》かすのが主な任務になっており、その面の有能さを買われて採薬使となったという次第である。実際、彼は植物の弁別に堪能で、毎年のように採薬の旅に出かけているが、この旅は同時に各地の忍者との連絡も兼ねていたらしい。政勝は駒場の御用屋敷に薬園を開き、日光で採集した薬草をここで栽培した。清国に渡って薬草について学んだという阿部将翁といい、隠密出身の植村政勝といい、この時代はいろんな履歴の人間が活躍したことがわかる。

以上のように吉宗の時代までは、江戸の将軍が、一八世紀に入るまでは本草学を、それ以後は花卉園芸文化を牽引《けんいん》したのであった。将軍が率先して園芸を実践したが故に武士階級に広がり、やがて町人も参加するようになり、最後には全国の庶民がこぞって励んだという、稀有《けう》な歴史が実現したのである。以下では、実際に江戸の園芸を担ってきた主役たちがどのように変遷してきたかを辿ってみよう。

園芸文化の広がり

「花癖将軍」が本草や園芸に熱をいれるとなれば、将軍に伺候《しこう》する大名たちの間で話題になるのは必然で、彼らも将軍の自分への印象を少しでも良くしようと追随する。特に、時間とともに生長・変化する花卉・花木が相手だから常に生育状態を把握しておく必要があり、大名たちは注意を払って造園をすることになる。その態度は、各藩の重臣や直属の武士団（将軍家の旗本）、そして出入りの豪商にも伝わり、大名家の主だった人間は園芸に関心を寄せざるを得なくなる。むろん、彼らが直接土いじりをするわけではないので、結果として植木屋・庭師・園芸家など園芸の職人の出現を促すことになり、職人たちは専門職として自立した職能集団を形成し、園芸文化の担い手となっていった。また、彼らを管理・命令する専属の武士を雇用する必要も生じるから、武士階級にも園芸に堪能な人間が育つことになる。ただし支配階級の園芸趣味は閉鎖的で、各藩で栽培された草花は門外不出の「お留花」として秘密にされたようである。

それが打ち破られたのは、園芸の専門家の町人や園芸文化を理解した武士階級が増え、元禄時代になって彼らが中級社会を形成したためらしい。栽培花卉の種類やその品種の解説・栽培法を書いた園芸本が多く発行され、園芸文化が人々の間に浸透していって、栽培技術が秘密でなくなってきたのである。また、大名が国元に江戸の園芸文化を持ち帰り、江戸と同じように園芸の専門家と専属武士を地元でも雇用するようになり、文化・文政の時代（一八〇四〜三〇）には園芸文化が全国へと広がって日本全体が園芸に勤《いそ》しむようになった、というのが中尾佐助の論である。

武士としての知行が一万石以上であるのが大名で、一七二二年には全国に二六四家あった。これらの大名は、国元の藩の住居以外に、江戸にも上屋敷と中屋敷を一戸ずつ、下屋敷を三〜

五戸も持ち、他に抱え屋敷と蔵屋敷を持っていたそうで、上・中・下の屋敷には庭園があって薬草園としていることも多かった。大名の家臣たちが園芸に存分に手を出す素地があったのである。同じ一七二二年のデータでは、一万石未満で二〇〇石以上の上級武士は「御目見得」で（幕府直属の場合は「旗本」と呼ぶ）五二〇五人、二〇〇石未満の御目見得以下は「御家人」で一万七三九九人とある。

これらの武士階級は、まだ幕府や各藩の財政が順調であった元禄以前の時代には、暇と土地と金と知識を持った有閑層で、精神的・経済的ゆとりを満喫していた。本草学や「博物誌」という実利を伴わない学問を実践するための菜園・薬園などは十分にあり、そこで栽培したり採取したりする植物に関する知識を備え、技術も習得した。彼らは産地名や漢語の品種名を覚え、また新種とあれば命名する能力や学才を身に付けていた。その限りにおいては本草学や「博物誌」を志向する人材は多くいて、前章に見たように、それなりの学問の隆盛があったのである。

むろん、そこからはみ出る人間も多くいた。それらの多くは、知行が少なくて生活が苦しい御家人、旗本の次男や三男の「若隠居」（老人でないのに隠居させられた人間）、そして何人もの上級僧がいる寺院の下級僧侶などである。御家人の場合、通常の勤務は「三日勤め」（二日出勤すれば一日休み）で暇な時間がたっぷりある。その代わり俸禄《ほうろく》（知行）は極めて少ない。失業浪人を出さないよう多めに雇っているためだ。それでも雇用されて俸禄が出るのはまだいい方で、旗本の次男坊や三男坊は勤め先がなく実家から食《く》い扶持《ぶち》があてがわれるだけだから、自由に使える金はほとんどない。何をするにしても金がかかる世の中になると、時間は持て余すくらいあるが金がないので何もできず、身動きできない状態をただ黙って受け入れるしかない、そんな下級武士が多くいたのだ。彼らが自分の古い家の床下の土を掘って売って小遣い稼ぎをしたという話もある。そんな古い土が何の役に立ったのかは第五章でお話しする。

彼らが居住する組屋敷では小銭を稼ぐ内職が大流行で、「青山百人町が傘（張り）、根来《ねごろ》百人町が提灯《ちょうちん》（張り）、大久保百人町が植木（作り）」と囃《はや》されたくらいである。彼らは教育を受けているから、園芸に関して少し学習すれば理解することができるし、専門の園芸家にくっついて作業すれば元手がなくてもやっていける。実際、大久保百人町では、伊賀組鉄砲百人組がツツジ栽培を行い、あたり一帯ツツジが咲き誇って多くの見物客を呼び込んだそうだ。このように、暇はあっても金がない人々の経済問題を園芸が解決することに繋《つな》がり、そのような人々が一八世紀以後の江戸の花卉・花木の園芸文化を担ったのである。その結果、花卉・花木園芸が盛んになり、さまざまな花や樹木が入れ代わり立ち代わり人気を呼んで脚光を浴び、ブームとなったのだ。

〈花卉・花木園芸ブーム〉

二派に分かれ、花の美しさとその花を詠った和歌を競う優雅な「花合わせ」は平安時代から始まっている。実は、花はあくまでも歌の題材を提供するだけで、和歌の優劣を競う「歌合わせ」が主目的であったらしい。しかし、江戸時代には園芸文化が広まってきたこともあって、「花合わせ」は純粋に花の優劣を競うものとなり、仲間内の品評会の役割を果たすようになった。園芸植物の価値判断に権力は介入しなかった（できなかった）から、花の愛好者たちは独自の物差しで価値が決められることになる。それとともに、花が売買されるから園芸に携わる人々の収入となり、園芸で生活する階層も増加していった。

その結果として、通常の花の色や形に飽き足らない「はぐれ者」が出てくる。これまでにない色や絞りの花や、異形や斑入りや筋が入った葉など、奇品・珍品を好む気風が強まり、それらに大金を投じるようなことが起こってくる。奇品の流行と園芸バブルについては後に話題にするが、やはり人とは違ったものを持って誇りたいとの気持ちを誰もが抱くようになるものなのだ。一八世紀以後の花卉・花木ブームが、このような人間の欲望と結びついた、やや浮薄な様相を呈するようになったのは必然の成りゆきかもしれない。

正徳から享保年間（一七一一〜三六）に、キクの大輪や花の品格を競う「菊合わせ」が流行した。そもそもは、京都円山《まるやま》で行われた「菊合わせ」大会（一七一一～一六年）が人気を呼び、江戸でも開かれるようになったのが発端らしい。その結果、「勝ち菊（入選した花）」の一芽に一両～三両三分（約五万～一五万円）もの破格の値段が付くようになり、キクの栽培と品種改良に熱が入ったのであった。

『京新菊名花惣割苗帳』（一七一九年）には、金七両（約三五万円）でキク一鉢が売買されたとある。この時のキクは、花の気品や風格が第一で、在来種にはない大輪や自然には見られない花弁の形状が高く評価された。「菊合わせ」では一輪だけを提出して、その花だけの評価を競ったのであった。その花は現在「丁子菊」と呼ばれる「一重あるいは半八重の菊」が大半であったらしい。時代がずれるが、与謝蕪村（一七一六～八三）が「菊作り汝《なんじ》は菊の奴《やつこ》かな」（一七七四年）という句を残している。菊合わせに狂奔する人間のおかしさを詠んだもので、蕪村らしく菊ブームから一歩退いての冷静な句と言える。何事であれブームが高じるとバブルとなり、必ずその後に弾けてバブルは消えるもので、キクブームは第四次の一九世紀半ばまで断続的に継続した。

続く元文の頃（一七三六～四一）とされるが、「永島先生」としてのみしか伝わっていない、かなり身分の高い幕臣が「壺木《つぼき》」と呼ぶ鉢植え法を考案して、オモト（万年青）の大型品種や常緑で低木の沈丁花など、比較的地味な花卉・花木栽培を普及させたという。「壺木」とは、小さな苗木を畑で育て、十分に根を出させてから鉢に移植する方法なのだが、ここには新しい工夫があった。縁が外に反った形の「縁付《えんつき》」と名づけた鉢を尾州瀬戸の陶工に命じて焼かせて、鉢植えで花木栽培を行ったのである。この縁付が人気を得て全国に広まったのだ。さらに面白いことは、鉢植えでオモトを育てる「永島連」が形成されたことである。江戸時代には、俳諧・狂歌・小説・絵画・浮世絵・落語・博物学・医学など、さまざまなジャンルで「連」という集まりができたそうだが、園芸にも「連」があった。永島を先生と仰いで担いで、仲間内の人間が集まって品評会などを楽しんだのである。

江戸文化研究者の田中優子氏らの著作をもとに「連」の特徴をまとめると、①巨大化しない、②存続が目的ではない、③世話人はいるが強力なリーダーはいない、④費用は参加者各々の分に応じた持ち寄り、⑤全員が対等な創造者、⑥メンバーは現職にこだわらず複数の名を持つ、ということだろうか。いわば同じ趣味を持つ人間のサロンであり、身分や貧富に関係しない知的共同体と言える。この「永島連」に対抗して、「安養寺連」も結成されていたそうだ。享保から元文の頃、市ヶ谷の安養寺の住職であった「真和」という名の僧侶が、スギやヒノキやヒバなどの針葉樹の変わり物を集めて人気を博したのだ。また、永島の門人である幕臣の朝比奈某（真明《さねあきら》とすると、一七二六？～八七？）は、江戸で温室を初めて考案・作成した人物である。植物が冬の寒さで傷むことを恐れ、床下に冬の間だけ収容する「唐むろ」を発明し、ガジュマルやソテツを育てていたという（浜崎大『江戸奇品解題』）。まさに「必要は発明の母」である。

明和年間（一七六四〜七二）になるとマツバランの流行が始まっている。『松葉蘭譜』が一八三六年に出版されているから、一九世紀前半まで人気が持続したらしい。マツバランは花も葉もない植物で、草でも木でもなく、植物学上ではシダの仲間である。根っ子がなく、茎が二股に分かれて伸び、先端には鱗片《りんぺん》状の突起がまばらにでき、高さ三〇センチ以下で、特に気を惹くようなところが何らなく、「いいところが一つもない」植物なのである。それが人に阿《おもね》るところがない植物に見えたため、かえって好まれたのだろう。

一方、寛政年間（一七八九〜一八〇一）には、「百両金」と書いて「タチバナ」（植物学上はカラタチバナ）と読ませた植物の鉢植え仕立てが人気を呼んだ。小さな白い花が咲き、冬には赤い実を付けるのだが、さほど美しくはない。より人の気を惹くとして名づけられた「センリョウ（千両）」や「マンリョウ（万両）」と比べても勝るわけではない。しかし、寛政九年（一七九七年）に『橘品』を始め三冊もタチバナに関する本が出版されたそうで、人気になって人々が栽培を競い合った。タチバナが人気になったのは、葉の奇品（斑入り、奇形）があったためで、『杉浦家日記』の同年の項には、「百両金が一鉢三〇〇両や四〇〇両、種一粒が何両としている」とある。「一鉢一〇〇両は当たり前、大坂では最高二三〇〇両（約一億円）の値がついた」とも言われた。すっかり、投機の対象となってしまったのだ。むろん、やがて見捨てられることなるのだが……。

文化年間（一八〇四〜一八）には、二つの園芸ブームが起こった。一つは、第一次アサガオブームで、『増訂武江年表』によれば、大番与力（江戸・大坂・京都の城の警護役）の谷七左衛門がアサガオの変わり種を見つけたのが発端であったらしい。下谷の市兵衛が徒士組《かちぐみ》屋敷の御家人にアサガオ作りを伝授し、以来「変化アサガオ」と呼ばれて下級武士の内職として流行したとも言われる。アサガオについては、後の園芸バブルの項で再度立ち寄ることにする。

もう一つの園芸ブームは、第三次キクブームである。人々が左右に分かれて菊の花を持ち寄り、優劣を競い合う「菊合わせ」では「勝ち菊（入選）」「負け菊（落選）」を決めていた。小林一茶（一七六三〜一八二七）の俳句に、「勝菊や力み返て持奴」（一八一四年）、「勝菊は大名小路もどりけり」（一八一八年）があるが、「勝ち菊」となった時の持ち主の威張った顔や、大名になったかのような高揚した気分をよく表している。この頃「江戸菊」と呼ばれる中菊が栽培されるようになり、大菊に匹敵する人気を得たそうだ。また、一八一一年頃から巣鴨の染井の植木屋街で人寄せに「菊細工」が行われるようになった。最初は、スギやヒノキの薄板を曲げて円形の容器にした「曲げ物」で見場を良くしただけであった。やがてそれらをいくつか集め、白菊ばかりで富士を模し、黄菊ばかりでトラを象徴し、さらに人間の形とする菊人形が登場するようになった。歌舞伎や浮世絵の名場面を、多くの色の菊の大小を組み合わせて造型するの

歌川国芳「百種接分菊」。巣鴨・染井の菊細工を描いている。1本の台木から100種類もの菊の花を咲かせ、多くの見物客を驚嘆させた。
（国立国会図書館デジタルコレクションより）

である。しかし、見物料を取らなかったので財政的に行き詰まり、菊人形は一八一六年頃には廃れたらしい。人々を驚かせたのは「一本造り」で、一本の台木に接ぎ木をして一〇〇種もの異なった菊の花を咲かせるという、曲芸のような技術が披露され、歌川国芳（一七九七～一八六一）が「百種接分菊」という絵を残している。

文化・文政年間（一八〇四～三〇）にはオモト・マツバランなどの「金生樹《かねのなるき》」が人気を博し、天保年間（一八三〇～四四）がオモト人気のピークであった。『金生樹譜』の『万年青譜』（一八三三年）によれば一鉢一〇〇両、二〇〇〇両はざらであったという。『江戸繁盛記』（一八三二～三六年）は「太平の万年青」と称して、あるオモトを紀州の人が一〇両で売った後、数日後に七〇両で転売し、そこから諸侯に献上されて三〇〇両の礼金が出されたという話を伝えている。

また天保・弘化年間（一八三〇～四八）には、第四次キクブームがあった。従来の単弁菊花の「平物」か、せいぜい一重か半八重の「丁子菊」から、管状の花弁が手毬《てまり》状に盛り上がって咲く「厚物」の先行形である「宝珠菊」が出現したのだ（これらの技術はより洗練されて現代に受け継がれている）。同じ頃、「東都小万年青連」が結成され、コオモト（小万年青）が異常なブームとなっている。嘉永・安政年間（一八四八～六〇）の第二次アサガオブームでは、およそ考えられないくらいの多様・多彩で異様とも言えるアサガオが作出された（本章扉参照）。

〈**変化アサガオ**〉

アサガオは奈良時代に、その種が「牽牛子《けんごし》」と呼ばれ下剤として重宝された薬用植物で、中国では牛と引き換えたという言い伝えがあるほどの貴重品であったという。江戸時代に入るまで、花の色は青のみであった。しかし、栽培を続けているうちに異なった色のアサガオが出現することに気づかれるようになり、栽培も手軽であるため、徐々に人気が出てきた。四代将軍家綱の時代に著された『写本花壇綱目』（一六六四年）には青と白の二色が描かれており、この頃に白花の出現があって、アサガオを栽培する人も増えたらしいことが窺える。芭蕉の句に「あさがほにわれは飯くふ男かな」（一六八二年）があるように、初めの頃アサガオはしみじみと自分を省みながら眺める静かな花であったのだ。

一七世紀末には、赤、白、浅黄（淡青）、瑠璃《るり》色の花や二葉朝顔という矮性の品種ができている。アサガオ栽培の記録の嚆矢《こうし》は、その栽培法や詳しい観察記録を『朝顔明鑑鈔《めいかんしょう》』（一七二三年）として出版した尾張藩士の三村森軒（一六九一～？）である。彼は多くのアサガオの品種を集め、茎・葉・花（の付き方や色や形の変化や大きさ）・開花期・種子の形や色などを、詳しく観察して記述している。その文章から、この頃にはすでに江戸の変化アサガオの原型が登場していたことがわかる。

一八世紀半ば、備中松山藩（現在の岡山県高梁《たかはし》市）で「松山朝顔」、またの名を「黒白江南《こくびゃくこうなん》花《か》」と呼ぶ、絞り咲きのアサガオが出現し、京都や江戸に広まった。これが後の変化アサガオを生み出す原点となった。平賀源内が編集した『物類品隲《ひんしつ》』（一七六三年）には「黒白染め分け花」と「八重咲き」が記録されている。また『本草綱目啓蒙《けいもう》』（一八〇三～〇六年）には、切れ咲き・桔梗《ききょう》咲き・孔雀《くじゃく》八重・牡丹《ぼたん》などが記録されている。このような変化アサガオが多く登場するようになって第一次アサガオブームが起こり、珍花・奇種を競ったのは文化・文政時代であった。アサガオは地味な花から派手な花へと変貌したのである。

そのきっかけは、一八〇六年（文化三年）の江戸大火にあったらしい。これにより下谷の周辺一帯が広大な空き地になったため、植木屋たちが種を植えていろんな珍しいアサガオを咲かせたのが第一次ブームとなったのだ。この時期には毎年「花合わせ」が開催され、その結果を記録したのが「花合わせ番付」である。種々のアサガオに「小式部」「花筐《はながたみ》」「七小町」「須磨《すま》の浦」「時雨かさ」「美よし野」「春日野」「漣《さざなみ》」など情緒のある優雅な名がつけられているが、その名からはさてどんな花であるかさっぱり見当がつかない。そのためもあったのだろう、第二次アサガオブーム（一八四八〜六〇）では、品種名に特殊な名前をつけず、一定の法則に従って葉と花の色と形を「見立てて」特徴を表現するようになった。黄葉・紅鳩鼠花笠絞り・車牡丹度咲・鼠虎斑入りというような具合である。

第一次アサガオブームの時の変化アサガオは、現代の科学用語を使えば「潜性遺伝」がある割合で出現したもの、およびトランスポゾン（動く遺伝子）と呼ばれる遺伝子が既存の正常な遺伝子の中に割り込んできた時に生ずる変異が原因とされるもので、比較的単純なものであった（一七四〜一七五ページ参照）。この時期の代表的な本としては、壺天堂主人《こてんどうしゅじん》著作の『花壇朝顔《あさがお》通《つう》』（一八一五年）があり、これが大坂で出された最初の朝顔図譜である。

続く第二次アサガオブームの立役者は植木屋の成田屋留次郎（実名・山崎留次郎、一八一一〜九一）で、八代目市川団十郎の大ファンであったため成田屋と称したらしい。彼はアサガオやサボテンの育種・栽培家であり、花合わせの世話人としても有名で、アサガオブームを再燃させたと言われている。植木屋たちは現在も朝顔市で有名な入谷《いりや》を本拠にして、人目を惹く幟《のぼり》を立て、さまざまなアサガオの鉢植えを陳列・即売したのであった。町中を売り歩く植木の行商もあって、江戸の庶民は、狭い路地に鉢を並べて楽しんだのだろう。この時期には、乱菊・林風・燕《つばめ》などの新しい変化アサガオに加えて、牡丹咲きというオシベとメシベが花弁状に変わる八重咲きの花が組み合わされたものも出現して、いっそう複雑になった。

成田屋は珍種を得るために大坂に出かけて多くの種を買い付けて栽培したが、珍種の花は咲かず買い付けは大失敗であった。それにも懲りずに買い付けを続けた結果、次第に珍花が出現する確率も高くなり、大坂の栽培家と種を交換したり、全国への手紙による「通販」も手掛けたりするようになった。一般に珍花・奇花を咲かせたアサガオには種子ができない（不稔性）。その場合、その花を咲かせる元となった親の種を植え、普通の花しか咲かない時は種ができるからそれを植え、また普通だとその種を植える、というふうに辛抱強く植え続けると、何年か後にまた珍花が咲くのである（全然咲かない場合もある）。潜性遺伝の場合、遺伝子の組み合わせのヘテロ（異質な）タイプがたまたまうまく接合した時だけ、変わった花が咲くからだ。

このような地道な努力が実を結んで第二次アサガオブームを招き寄せたのだが、そこには成田屋が中心になって、京都・大坂からも参加した者がいた「花連」と呼ばれる、武家も町人も区別しない人的交流の場を作ったことが大きな力を発揮した。これに参加した人物に、江戸北町奉行を務めた鍋島直孝（一八〇九～六〇）がいる。彼は佐賀鍋島藩主の血筋の人間だが、風流を心得ていてアサガオ栽培に熱中したのである（彼が北町奉行であった時の南町奉行が遠山金四郎であった)。その後、明治に入って第三次アサガオブームが起きるが、それは本書の対象外の時期だから省く。

奇品ブーム

江戸の園芸の歴史を語るうちに、いくつも園芸植物の奇品が登場し、また度々園芸バブルが生じたことを述べた。必ずしも、奇品と園芸バブルは一体のものではないが、関係が深かったのは事実である。そもそも奇品とは園芸植物の「変わり物」で、花の色が多色で縁取りができたり絞りが入っていたり、葉に斑が入ったり奇妙な形になったり、茎が針金のように折れ曲がったり、というように花や葉や茎がふだん見慣れているものとは異なったもののことである。それに好事家が目を付けて囃し立てたため人気が出て、多くの園芸家が奇品作りに励むようになった。奇品は江戸時代の園芸文化が創り出した日本独特の作品と言える。

人々は奇品が、なぜ、どのような条件下で生じるかを問うことはせず、ただ自然の成りゆきに任せて、植物が「自《おの》ずから」「ひとりでに」奇品となることを愉しんだ。日本人は自然を客観視せず、従って自然と戦うとか自然を征服するとかの意識を持たない、いわば「じねん」(天地間のあるがままの万物・宇宙そのもの)と一体化した自然観であったから、奇品も自然の一つのあり様と捉えたのである。それは、「粋《いき》」(あか抜けしている、気がきいている、洒落っ気がある）とか、「通」（人情の機微に通じている、さばけていて思いやりがある）という、江戸の美意識から発した風流心とも言える。江戸の文化を探る一つのキーワードが「奇品」なのではないかと思う。

しかし、それもだんだん行き過ぎが生じるようになる。奇品が当たり前となると、通常品を見る目が曇ってしまい、ますます「奇」の度合いが露骨な園芸品しか評価できなくなるからだ。そして、自分の評価基準を客観的に判断する心を失ってしまう。こうして珍奇な園芸作品を高い値段で売買する奇品のバブルへ繋がっていくのであった。むろん、単に珍奇性に踊っていただけと人々が気づいたとたん、バブルは弾《はじ》けるわけである。

他方、園芸バブルには奇品とは異なった、もう一つの出自がある。一年草を毎年栽培し続けているうちに、時おり変わった形の花や葉っぱが出現することに気づく。また突然、実に美しく透き通った花弁の花が咲くこともある。そこで、秋になって特別の花や葉が出現した苗の種を別に取り分けておいて翌年に蒔《ま》き、再び同じことが起こらないかを試してみる。ほとんどは通常のものに戻ってしまうのだが、たまに同じ変化が起こることもある――というような試みを年々繰り返しているうちに、一定の割合で変わった花や葉をつけるようになり、それが思いがけない変化をしてますます変わったものになっていくのである。奇品は自然の成りゆきの結果であるのだが、そんな奇品から変種を生み出す工夫をするようになったのだ。

特に、一年生の花卉であれば、毎年繰り返し栽培するので、変種を見つけて突き詰めていくという楽しみが加わる。このような場合、その園芸家の努力を多として高い値段がつくようにもなる。そうなれば変種栽培の競争となって、珍品・奇品を多く作出して金を稼ごうとするようになり、そこにバブルが発生する。これも、やがて「変種でなければ花にあらず」となってしまい、あまりに人為的だと人々に飽きられ、バブルの終焉《しゅうえん》という運命を辿ることになった。

〈そもそも奇品とは？〉

以下では、主に浜崎大氏の『江戸奇品解題』に沿って、奇品の登場から、それがどのように広がっていったかを追うことにする。奇品を中心になって開拓した人々は、いたって真面目であったことがわかるであろう。浜崎氏によれば、奇品について体系的に書かれた本は、植木屋金太（一七九一〜一八六二）の『草木奇品家雅見《かがみ》』（一八二七年）、水野忠暁《ただとし》（一七六七〜一八三四）の『草木錦葉集』（一八二九年）、長生舎主人（一七九四〜一八七〇）の『金生樹譜別録《きんせいじゅふべつろく》』（一八三〇年）の三つしかないらしい。あえてさらにもう一冊加えるとすれば、佐橋兵三郎（生没年不詳）らによる『珍卉《ちんき》図説』（一八三五年）であろうか。

それに比べて、江戸の本草学および「博物誌」については、第二章にまとめたように、当時の「研究者」の研究書・解説書・収集品図説などが数多く出されていて枚挙に暇《いとま》がない。花卉・花木の園芸については、庭作り・土いじり・造園・庭園史・名花と行楽など、関連する本が出されているが、本草学・「博物誌」関連ほど多くはない。園芸は植木屋とか庭師などの専門職による経験主義的な側面が強く、まさに「芸」という言葉が付くように技術・技量の範《はん》疇《ちゅう》と見做され、体系化されることがなかったためであろう。さらに園芸の中の奇品となると、「変わり物」が相手だから偶然がもたらした例外的事象に過ぎないため、鍛錬すべき「芸」の対象にも入らない。好事家が骨董品《こっとうひん》の掘り出し物を見つけてアレコレ蘊蓄《うんちく》を傾けるのと同様、世間の目を惹くことはほとんどないため、奇品に関する本は非常に少ないのであろう。

しかし、奇品に没頭した人間は、いったん凝るとたまらなく惹きつけられ、病みつきになって逃れられなくなる。印刷がずれた紙幣とか絵柄の上下が逆さまの切手など、趣味で「変わり物」を収集する心理とも共通する。奇品はそれに魅せられた人間にとっては値千金の宝なのである。人間の、そのような不合理を慈しむ気持ちは、江戸の人間の好奇心の源泉ではないかと想像する。

奇品はサイズの小さな花卉・花木がほとんどだから、鉢植え作物が主である。『草木錦葉集』によれば、植木の鉢植えで茶や沈丁花の葉に斑が入った奇品作りを始めたのは榊原《さかきばら》十太と山角の二人だとされている。榊原十太は幕臣である榊原政武（通称十太夫、一七一三〜八三）らしいが、山角はどこの誰やらわからない。斑が入った植物は元来不健康な状態なのだが、十太や山角は人為を超えてできた「無心無作の美」としてこれを高く評価したのであった。さらに植木鉢として使った器は、欠けた徳利とか味噌《みそ》や塩をいれる雑器に、後から水抜き穴を開けた便宜的なものであったようだ。これも日用の粗器に無作為の美を見出《みいだ》したのであろう。こうして生まれた鉢植え園芸が全国に広がっていったのだが、十太の鉢植えには通常の草花から奇品までさまざまな植物が含まれていた。彼は奇品のみに興味があったわけではなかったらしい。『草木奇品家雅見』には、オモト（万年青）やジンチョウゲ（沈丁花）などの葉の形や斑の入り方が独特のものが図示されていて、確かにいずれも珍しい品種である。

宝暦年間（一七五一～六四）頃からカラタチバナ（百両金）の斑入りの葉の奇品が現れ、明和年間（一七六四～七二）の頃には赤・黄・白・紫などさまざまな色の実や緑・赤・紫・黄などの色の幹というような変種が作り出された。一七九七年（寛政九年）には京と大坂でカラタチバナの専門書が三冊も出版されていることから、奇品ブームが江戸のみならず上方まで広がったことがわかる。天明・寛政年間（一七八一～一八〇一）がカラタチバナ流行のピークで、バブルの趣を呈するようになったため、幕府も見るに見かねて一七九八年に園芸植物を高値で売買するのを禁止するお触れを出している。しかし、カラタチバナを始めとする奇品ブームは文政・天保年間（一八一八～四四）まで続き、明治を迎える頃まで愛好家が絶えなかったという。

〈奇品本の著者たち〉

奇品を愛する人たちの心情は、自分だけが特別なものを見つけて愛《いと》おしいとの思いから逃れられない状態、と表現できそうだ。その中から、奇品ブームを作り上げた代表的人物として、前述した奇品についての四冊の本を書いた著者を紹介しておこう。

植木屋金太

最初の『草木奇品家雅見』は植木屋金太の著作である。金太は通称で、植木屋の石井弥助の子として生まれた。彼は増田家に養子に入って、繁斎（繁亭）といかにも学者のように名乗って植木の売買を続けた。そして、次に紹介する水野忠暁の助力もあって出版したのが奇品園芸図書の『草木奇品家雅見』である。金太が自ら選者となって奇品と呼ぶ、斑入りや捻《ねじ》れ、扁平《へんぺい》化した茎（帯化、石化とも言う）など、通常とは異なった形質を持つ植物ばかりを約五〇〇点も集めている。「奇書」と言うべきだろう。ところが、質素倹約を標榜した天保の改革（一八四一〜四三年）の禁に触れたため、版木は押収・焼却され、金太は家財没収・江戸払いとなってしまった。園芸図書出版の罪としては重罰であった。しかし、こんな災難を被りつつも、奇品が取り持つ縁で金太は紀州徳川家に雇われ、以後も植木屋を続けることができたようである。もはや、奇品・奇書は人々が当たり前に受け入れ、別に異様とは思わなくなっていたのだろうか。一方、水野忠暁が何らかの罪に問われたとは伝えられていない。町人と旗本とで幕府の対応は異なっていたのだろう。

水野忠暁

続いて、斑入りの葉を持つ植物ばかりを集めた『草木錦葉集』を刊行したのが、旗本の水野忠暁（通称は宗次郎、園芸名は御《お》鉢《はち》植《うえ》作《つく》留《る》蔵《ぞう》）である。旗本と言っても禄高十人扶持の小身で、ほぼ万年失業状態であったらしい。忠暁は子どもの頃から体が弱く、病気療養のために鉢植えを作るようになり、やがて奇品に魅せられて熱中し、奇品愛好家の総元締めとも言うべき存在となった。彼は、「鉢植えはただの慰みごとで、人と競い合うほど愚かなことはない。身の程を知って栽培すべきである」という哲学の持ち主であったらしい。奇品の全貌を本としてまとめる構想を持っており、まず奇品や奇品家の歴史をまとめた草稿を植木屋金太に委託し、金太が図版を手配して出版したのが前述の『草木奇品家雅見』であった。さらに、水野家に出入りしていた何人もの使用人を植木屋として独立させ、彼らの助けを得て出版したのが奇品の百科事典である『草木錦葉集』だった。これら奇品植物を収集した「奇書」の図を描いたのは、大岡雲峰《うんぽう》（一七六五～一八四八）とその弟子の関根雲停《うんてい》（一八〇四～七七）であった。同書は武家はもちろん町人にも人気となって、日本全国に流布したという。

『草木錦葉集』を刊行した後の忠暁は、「東都小万年青連（東都小不老草《こおもと》連）」を結成し、小万年青ばかりを諸国の愛好者から集めて展示会を開催している。小万年青とは、オモト（万年青）の中でも小型の品種で、彼はこの展示会用の図録として『小万年青名寄』（一八三二年）を多色刷りで刊行しており、ずらっと並んだ鉢植えの小万年青の列は壮観である。

長生舎主人

一方、『金生樹譜別録』は、長生舎主人（奥御祐筆《ゆうひつ》となった幕臣の栗原信充《のぶみつ》）が編纂した、鉢植えの愛好家のために、鉢植え植物の育て方などを図入りで詳しく説明したものである。「金生樹《かねのなるき》」と人を喰《く》ったような書名であるように、枝にお金が生《な》るという想像上の樹木と奇品植物とを結びつけているのには何やら魂胆がありそうである。もともとは『金生樹譜』が本題で、『金生樹譜別録』とともに、シリーズで万年青（オモト）・黄金花（フクジュソウ）・百両金（タチバナ）・蘇鉄（ソテツ）・南天燭（ナンテン）・松葉蘭（マツバラン）・石斛（セッコク、ランの一種）をそれぞれ一冊ずつ刊行するという壮大な奇品全書計画であったらしい。しかし、実際に刊行されたのは前述した『万年青譜』と『松葉蘭譜』（一八三六年）の二冊のみしかなかった。息が切れたのだろうか。

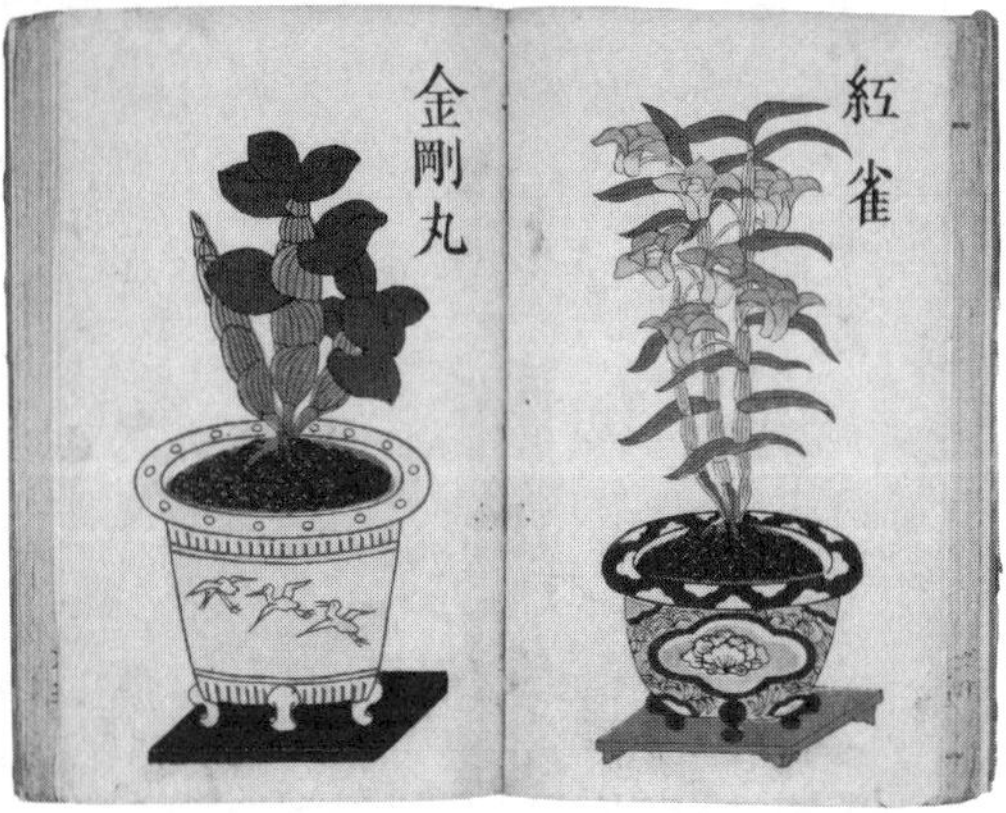

（上）関根雲停画『小万年青名寄』。多彩な葉型のコオモトが描かれている。
（下）秋尾亭主人画『長生草』。セッコクの奇品を描いている。
（いずれも国立国会図書館デジタルコレクションより）

佐橋兵三郎

『珍卉図説』は、旗本の佐橋兵三郎（本名は佳依《よしのり》、号は四季園）が著者の一人である。この本は、日ごろ見慣れない珍奇な高山植物と舶来の植物を比較・鑑定したもので、奇品で培った植物の観察力を活かした本である。佐橋は赭鞭会のメンバーであったように専門は本草学で、本草学の立場から奇品と呼ばれる植物を詳しく鑑定したのだろう。

〈園芸バブルが生じたわけ〉

変化アサガオやキクにおいては、花そのものの品種改良の努力があって突然変異種が多く生み出され、その珍しさからブームとなり、バブルというべき高値を呼ぶことになった。実際、その作者たちの熱意には頭が下がる。翌年に同じ花が咲くかどうかわからない、そんな儚《はかな》いものに高い金を払っても惜しくはないと思い込むのがバブル期特有の心理なのだろう。ましてや、奇品は一般に地味な植物で、葉の形・斑の入り方の違い・茎の変形などにおいて偶然現れた「変わり物」への愛好であり、栽培家が意識して作成したものではない。だからこそ、天の配剤とばかりにいっそう珍重したいと思ったのであろう。そのような個人的な心情はある程度理解できるが、人間集団に爆発的な流行が広がってブームからバブルへと転化したことにおいては、社会的要因というようなものもあったのは確かであろう。

園芸家の青木宏一郎氏は著書の『江戸の園芸』の中で、その理由を挙げておられる。それは、バブルの対象となる物の価値に関することで、園芸植物の価値は客観的には決めにくく、せっかく高値で買い入れても日常的な丹精を怠ると価値が下がってしまう。これが現代の絵画やタワーマンションや宝石などのバブルとは異なるところで、経済的価値（資産的価値）で測られたのではないから、実は標準となる値段はなく、人為的に高値を付けようと思えばいくらでも値段が上がるということになる。

幕府は庶民の生活にアレコレ制限・干渉を加え、物価も厳しく統制していた。実際、初物《はつもの》（初ガツオや初ナスなどの新物）売買禁止令とか奢侈《しゃし》（贅沢品《ぜいたくひん》）禁止令が何度も出されたのは、その統制を破る者がその都度現れたためである。しかし、園芸植物は統制すべき価格が決められず、せいぜい「連」や「品評会」や「花合わせ会」など、愛好者仲間の内での取引でしかなかったから、最初は幕府も口出しできなかった。しかしながら、奇品・珍品が多くの人々の心を捉えるようになると値段も上昇し、あまりに高価格になったため、ついに幕府も制限に乗り出して一七九八年に「珍品鉢植えの高値売買禁止令」を出した。天保年間には「石灯籠・手水鉢《ちょうずばち》などの高値売買禁止令」、一八五二年には「三両以上の鉢物売買禁止令」を発令している。園芸植物や庭園整備にもバブルが飛び火して、幕府としても重い腰を上げざるを得なくなったのだろう。

さらに私は、江戸の人間の洒落っ気（馬鹿馬鹿しさ・いかがわしさ・くだらなさを買う精神）、役に立たないことに熱中する心情、徹底した作り物への傾倒、気取らず執着せずに淡泊で軽妙を好むという「通」の行動原理、珍・奇・怪にあえて手を出すゲテモノ趣味などが混淆《こんこう》した気質が、園芸バブルを引き起こしたのではないかと思う。人生を諧謔《かいぎゃく》に満ちたものと捉え、遊びに満ちていればこそ珍しい奇品にもやみくもに飛びついてしまうのだ。バブルになって高い買い物をしたと思いつつ、こうなってしまったのなら居直ろうという心情である。加えて、粋とか風流心という一種の美意識も背景にあるのではないか。このような生き方は、あぶく銭を摑《つか》んだ町人だけでなく、商売に成功した商人にも、旗本・御家人など武士階級にもあったのではないだろうか。経済的な利得よりも、奇品・珍品・名品と呼ばれるものを、一度はこの手にしたいと望むわけである。「初物好き」とも一脈通じているかもしれない。


〈古典園芸植物〉

以上のように辿ってきた江戸の園芸文化を象徴するものとして、「古典園芸植物」がある。江戸時代に日本で育種され、改良されて人気になり、大発展を遂げた園芸植物のことなのだが、「古典」という名がついているように、明治以降には忘れられ、今や過去を慈しむ人々のみが大事にしている植物を指している。花を鑑賞するものとしては、サクラソウ、イセナデシコ、フクジュソウ、変化アサガオ、サガギクがあり、茎や斑入りの葉を珍重したものとしては、マツバラン、イワヒバ、オモト、セッコク、フウラン、ヤブコウジ、マンリョウ、センリョウ、カラタチバナなどが挙げられる。これらは、いずれも小型の植物（あるいは小型に仕立てられた植物）がほとんどで、鉢植えで栽培された。

「古典園芸植物」に共通する点を列挙してみると、

①日本原産、あるいは中国から伝来した種であっても、日本人が園芸化し高度に品種改良したものが多い。中国では薬用植物であったが、日本では鑑賞用になった。
②さらに斑入りの葉や茎の変形など、花以外の部分の変化（奇形）を楽しむ植物が持て囃されるようになった。観葉植物への関心である。
③小型の植物が多い。鉢植えにして庭や室内に陳列して鑑賞することが多かったためか、小型の鉢で栽培できる種が愛でられ、矮小のものを作ることにも精を出した。

のようになる。

このように、「古典園芸植物」は、その花や姿が華麗とは言い難く、多数を集めて栽培してもあまり人の目を惹くことのない地味な植物である。個人か少数の人間が狭い庭に並べた植木鉢を眺めながら、ひっそりと楽しんだのだろう。とすると、これらの植物を主に栽培し鑑賞したのは、社会の下層の町人ではなく、文字の読める中流以上の人たち（いわゆるインテリで、中級武士や商人、農村では庄屋や地主など）であったのではないかと推測できる。現代で言えば、クラシック音楽を楽しむ、あるいはもっと少数派の小唄や端唄《はうた》や義太夫《ぎだゆう》に入れ込む人たちに近く、少数派であることをむしろ誇りにするという共通点があったのではないか。

ところで、一八世紀後半から起こった奇品ブームにおいては、むしろこれらの「古典園芸植物」とされている植物が大流行し、高値で取引されてバブル状況を呈した。そのようなバブル期においては、金の匂いに敏感なマニアが現れ、真にこれらの植物を愛好した人たちの意向を無視して、あれよあれよと言う間に「金生樹」に仕立ててしまったのだ。それにしても、同じバブルとはいえ、アサガオやキクのような人目を惹く花ではなく、オモトやカラタチバナのような地味な斑入りの葉の植物が投機の対象になったのは不思議である。

江戸の農業・野菜作り

本草学から「博物誌」への歩みにおいては、学術的な研究志向が顕著であった。これに対し、本草学から枝分かれして広がっていった「園芸」という分野では、商品価値という経済的評価基準が加わり、植木屋という現場の職人の方が学者より知識が上であるのが普通であるから、「科学」的な側面がだんだん希薄になっていった。人々は花や葉や茎の奇品の作出や、アサガオやキクのような植物の「変わり物」の生育に熱中したのである。それだけに、学的（理論的）アプローチではなく、経験的（実験的）手法が重視されることになった。そして農学（農業）は、いわば組織的・総合的な園芸であるから、いっそう体験や見聞や伝統が重んじられ、現場の植木屋・園芸家らが蓄積してきた経験知が重要になる。だから、学者よりも実践家の出番となって、試行錯誤の痕跡はほとんど歴史に残らないのだが、それでも何人かの見るべき業績がある。それを辿っておこう。

〈江戸の農業〉

東京で使われる方言に「やっちゃ場」がある。安土桃山時代から使われている言葉らしいが、「青物市場」のことを意味する。市場の仲買人たちがせりで値段をつける際の掛け声の賑《にぎ》やかさからこう呼ばれたようである。江戸は、何もない広大な湿地に城を建設して多数の武士を移住させた俄《にわ》か人工都市であり、そこに移住してきた住人の胃袋を満たさねばならない。米の流通は幕府が完全管理していたから不自由はないが、副食となる魚介類・野菜類、さらには味噌・醤油《しょうゆ》・酒なども江戸に大量に運び込む必要がある。保存が利く味噌・醤油や酒はそれらを扱う問屋が売買の差配をしたが、魚介類や野菜類は新鮮さが重要で、日々の入荷（供給）と売れ行き（需要）の多寡によって値段が変わる。そのために江戸湾や銚子《ちょうし》沖で獲《と》れる魚介類を扱う魚市場と、江戸近郊のあちこちから運び込まれる野菜を取り扱う青物市場ができて、商取引されるようになったというわけである。

特に野菜は低湿地・乾燥地・温暖地・寒冷地・海辺・山地などと、地域ごとに育つ作物が異なって多種多様であり、季節によって作物も変化していく。野菜農家は土壌や風土に合った作物を選択するとともに、高値で取引されるような商品価値の高い作物をいち早く市場に出そうとする。そのためには、作付のために播種《はしゅ》期・育成期・収穫期を適切に設定し、病虫害対策や間引き・摘心を効果的に行い、連作障害を防いだり、促成栽培・軟化（軟白：柔らかく育てるために日照・通風を遮る）を行うなど、多くの園芸的知識が必要である。農業技術（農学）は、唯一で単純な原理や理論を追究する理学的な分野とは異なり、多様で複雑な要素の組み合わせの上で成立する、いわば「複雑系の科学」である。複雑系の科学は現代においても未開であり、系統的な解析手法は開発されていない。ましてや江戸時代においては、経験を足場にして多種多様な知識を集積するしかなかった。しかしそうであっても農家の助けをしようと、それまでに得られた知識を整理して農業技術を集大成した農書が出版された。これもまた江戸の「科学」の試みと言えるだろう。その中でも初期のものを以下で紹介しておこう。

『清良記《せいりょうき》』（成立年不詳）は、伊予国（現在の愛媛県）の小領主である土居清良《どいきよよし》の一代記で軍記物語なのだが、その第七巻に日本最古の農業書と言われる内容が含まれている。本の由緒は不明だが、篤農家である家臣の松浦宗案《そうあん》が藩内の農業振興のためにまとめた意見書を、神官であった土居水也《すいや》がまとめたとされている。野菜の種類と作付期・播種期・収穫期、土壌と肥料、栽培法などについて書かれている。

『百姓伝記』（一六八〇～八二年頃）は遠州横須賀藩の上層農家出身の村役人が書いたとされている。ナス・ウリ・ウド・ミツバなどの栽培法を述べ、カブの項で、①宝土（土壌）、②種（品種）、③耕作、④やしない（肥料）、⑤雨露の恵み、と作付についての注意点を挙げている。実に念の入った解説書と言うべきだろう。

『会津農書』（一六八四年）は会津若松近辺の村の肝煎役《きもいり》（村の庄屋・名主）の佐瀬与次右衛門《よじえもん》（一六三〇～一七一一）がまとめたもので、東北地方の当時の農業の実態を伝えている。水田耕作とともに野菜を中心とした多様な畑作について詳しく記述し、山菜の栽培法、砂土や真土など土壌の種類と、それに適した作物の選択などに詳しい。

以上が農書の古典と言えるもので、四国伊予、遠州横須賀、東北会津若松という、それぞれ異なった気候での農業事情が書かれていて、風土による差異という異質性と土壌・肥料・連作障害などに関する共通性が入り混じっている。しかし一地域のみに目が集中していると、技術で対応できる問題と対応できない問題があることとの見分けがつかない。そこで地域性（特殊性）と普遍性（一般性）を弁別して農業技術を整理するという観点が生まれ、農学者が現れ、農業書が刊行されるようになった。

〈江戸の農学者たち〉

宮崎安貞《やすさだ》

最初に現れたのが宮崎安貞（一六二三〜九七）で、その著書が『農業全書』（一六九七年）である。宮崎は安芸《あき》広島の藩士であったが、三〇歳の時、職を辞して福岡に知行地を得て農業技術の改良を行った。その傍ら、山陽道や畿内や伊勢などを巡って水利・干拓・新田開発・植林事業などの実地を学んで経験を積み、幅広く農業知識を蓄積した。『農業全書』は、その集大成を著作として発表したものである。科学の営みはある部分の特殊な記述から始まり、やがて全体の共通的描像を得た後、それらを一般化・普遍化・抽象化する作業だと言える。宮崎の著作は、まさにそれまで経験的にバラバラに得られていた農業技術を集約して共通の要素を抽出した、意欲溢《あふ》れる農書である。事実、宮崎はこの著作の目的を、「農民の稼穡《かしょく》（作物の植え付けと取り入れ）の道」の手助けを行うことだとしている。一般化して総合化を図り、体系づけて

「農学」という「科学」へと成熟していく前夜の仕事だと言えよう。

実は、この本は中国の農書である徐光啓《じょこうけい》（一五六二～一六三三）の『農政全書』（一六三九年）を手本としている。日本が学問の後進国であった当時にあっては、学術の出発にあたって、まず中国に手本を求めたのはどの分野でも同じである。ましてや、各地域の農業に関する本は存在していたが、地元以外では知られておらず、より広い視点からの本格的な農書はまだどこにもなかった時代だから、中国の文献を参考にするのは当然であった。この『農業全書』には貝原益軒の兄の楽軒《らくけん》（一六二五～一七〇二）が権威づけのために手をいれているが陳腐な内容で、むしろ蛇足であったと評されている。他方で徳川光圀《みつくに》（一六二八～一七〇〇）が激賞したこともあって広く世に広まり、版本として何度も刊行されたそうである。

お手本の『農政全書』が総論四割・各論三割・救荒植物三割であるのに対し、宮崎の『農業全書』では総論は第一巻のみで、各論が第二巻から第一〇巻まで九割（一部に救荒食物が含まれている）を占めていることからわかるように、個々の作物の栽培における技術指導に力点がおかれている。さらに、飢饉対策に留意することを怠らず、商品生産に対して大いなる関心を示していて、すでに元禄時代における日本の農業の進む方向を示しているかのようである。興味深いのは外来の新野菜の記述で、スイカ・インゲン豆・ホウレンソウ・ニンジン・トウガラシなどが、この頃に本格的に栽培され始めていたことがわかる。現代の日本においてこれらの野菜は当たり前にあるものだが、いずれも江戸時代初期に受け入れられ定着し始めたのである。

注目すべきことは、サツマイモ（甘藷、あるいは蕃藷《ばんしょ》）とジャガイモ（馬鈴薯）は、ほぼ同じ一七世紀頃に日本に移入されたと思われるのに、『農業全書』では前者については栽培法が詳しく書かれているのに対し、後者については全く触れられていないことである。その影響があったのか、サツマイモは後に吉宗の指示により青木昆陽が試作を行い、全国へ展開して救荒作物として重宝された。これに対し、ジャガイモは各地の指導者の熱心な勧めもあったにもかかわらず、本格的に救荒作物としての価値が認められ栽培法が普及したのは、高野長英（一八〇四～五〇）の『勧農備荒二物考《かんのうびこうにぶつこう》』（一八三六年）が刊行されてからである。参考にした『農政全書』にジャガイモについての記述がなかったためのようだが、温暖地の作物であるサツマイモと寒冷地に適しているジャガイモの差のせいもあったのだろうか。

大蔵永常《ながつね》

宮崎以降になると農業を専門とする学者が出てくるようになる。その代表が江戸時代後半のほぼ同時期に活躍した大蔵永常（一七六八～一八六〇）と佐藤信淵《のぶひろ》（一七六九～一八五〇）で、この二人に宮崎を加えて「江戸時代三大農学者」と呼ばれている。

大蔵永常は豊後《ぶんご》の日田《ひた》の出身で、祖父の代には綿花を栽培し、販売していた。彼は天明の大飢饉（一七八二〜八八年）に遭遇して農家でも現金化できる作物の重要性に気づき、米麦以外の副業として特殊な作物の栽培・加工をして多角経営を行うことを提唱した。これは大坂や江戸のみならず全国を行脚《あんぎゃ》して農家の実態を見てきた結果で、彼は農家の経済活動の積極的な推奨者であった。また著書の『農具便利論』（一八二二年）は、鎌や鍬《くわ》などあらゆる種類の農具の形状・寸法・重量などを詳しく図解したユニークな本で、農家にとって重宝したことだろう。同書は農家からの情報提供を呼びかけて増補しており、彼自身も商才に長けたアイデアマンであった。また、各藩が特産物育成を行うべきだと主張しており、これは「一村一品運動」（一九八〇年代に大分県で広まった、各市町村が全国に通じる特産品を一品ずつ作ることで地域経済を活性化させようという運動）の先駆けと言える。永常は一八三四年に渡辺崋山《かざん》（一七九三〜一八四一）の推挙によって三河国の田原藩に仕官して農業指導者となったが、一八三九年の「蛮社の獄」（蘭学者たちが幕府の鎖国政策などを批判して投獄された事件）で崋山が処罰された時、彼と親しかったことから追放となった。七五歳になった一八四二年には浜松藩の興産方として仕官したことから、彼のコンサルタント能力が高い評価を得ていたことがわかる。

佐藤信淵

佐藤信淵は、若い頃に父と各地を漂浪し、蝦夷地で一年間過ごしたと称していた。医者でもある蘭学者・宇田川玄随《げんずい》（一七五五〜九七）に弟子入りして本草学や植物学を修めたようだ。それに留まらず国学・儒学・神道・天文暦学・兵学、さらには物産・農政・経済など実際的な分野についても学び、自らの論を立てた。本多利明（一七四三〜一八二〇）や海保青陵《かいほせいりょう》（一七五五〜一八一七）と並ぶ経世家（経済や政治の問題を中心として天下国家の行く末を論じる学者）としても名高い。佐藤は『草木六部耕種法』（一八二九年脱稿）で有用植物の利用を六部（根・幹・皮・葉・花・実）に分け、それぞれについて特に役立つ植物の栽培法を解説したことが高く評価されている。彼は「百姓は国家の根本、農業は政事の起源」との信条の下、『農政本論』（一八二九〜三二年）を著し、富農や豪農による農地の占有を禁止することを主張し、農政を本道とする国家の救済について論じている。とはいえ、彼は毀誉褒貶《きよほうへん》が相半ばする人で、農学関係以外の仕事では虚偽と自己宣伝が多くて信用できないとの批判もある。大言壮語型で、無責任に言い放つことが多かったのだろう。

〈救荒作物への寄与〉

本草学は古来、薬となる植物（や動物や鉱物）を見分ける学問で、物質存在の理を究める哲学志向を持っていたとともに、人間の生活や生産活動に直接役立たせる実学としても広がった。その一つが農作物をいかに健全に育てて収穫を増やすかの技術である農学なのだが、この分野の役割はそれに留まらない。天候不順や風水害、病虫害による不作で飢饉に見舞われた時、最初に被害を受けるのは農民であり、彼らに対する救助策を提案するのも農学の任務であった。

そこで、悪天候で一般の作物が不作であっても、飢饉に備えて、天候の影響をあまり受けない作物の栽培をも奨励するという目標が生じる。一般には、ヒエ・ダイコン・サツマイモ・ジャガイモなどを栽培した。米が凶作であっても、これらはそれなりに収穫できて腹持ちがよいため「救荒（備荒）作物」という。ダイコンは根（茎）が沢庵《たくあん》漬けや切り干し大根などとして保存でき、葉や根を米などに混ぜた「カテ飯」は飢饉にならずとも貧しい人々には当たり前であった。しかし飢饉が何年も続くと、これらの作物も底をつき、それまで食べなかった山野の草木にも手を出さざるを得なくなる。そこで、どんな草木が食べられるかを見分け、毒があるかないかを判断する、毒を持っていても腹持ちがよさそうなものは毒を抜く方法を工夫する、という経験科学が重要になる。山野に自生する、食料となるものも含めた「救荒植物」の研究は人々の命を預かる農学の重要な任務でもあるのだ。

フキ・ワラビ・ゼンマイ・セリ・ミツバなどの山菜の葉や茎、タンポポ・ナズナ・アカザ・ツクシなど野原の草の葉や茎、ユリ・チューリップ・ヒガンバナ・カタクリなどの球根、ドングリ・ヒマワリ・カボチャ・マツ・ヒシ・イチョウなどの草木の種（実）など、実にさまざまな救荒植物がある。食べられるものは何でも食べ、毒に中《あた》って亡くなる人も多くいたことが想像される。中国ではすでに『救荒本草』（一四〇六年）が出され、利用可能な植物の栽培法や調理法が伝授されてきた。

先の『農業全書』でも、食べられる山菜の紹介がなされている。実際に飢饉に遭遇した時、飢えて死ぬ人よりも草根木皮を食べて中毒で死ぬ人の方が多いという事実を前に、とりあえず食べても毒にならない植物の知識を与えることが急務であった。一関藩の藩医の建部清庵《せいあん》（一七一二〜八二）は、それまで度々飢饉に見舞われたことから救荒植物の研究を続け、宝暦の大飢饉（一七五五年）に遭遇して急遽《きゅうきょ》『民間備荒録』（一七五五年、江戸での出版は一七七一年）を刊行している。さらに文字が読めない庶民にもわかるように救荒植物を図で示した『備荒草木図』（一七七一年成稿、一八三三年刊行）を著している。園芸植物として栽培すれば漢方薬として利用できるものの紹介や、草木を茹でて水にさらしてあく抜きをする方法も解説している。なお清庵は『解体新書』を訳した杉田玄白と親しく、両者の間で交換された書翰《しょかん》が『和蘭医事問答』（一七九五年）として出版されている。

天明の大飢饉が起こったのが一七八二〜八八年、天保の大飢饉は一八三三〜三六年で、その時期には特に数多くの救荒書が出されている。米沢藩の上杉鷹山《ようざん》（一七五一〜一八二二）は、ずばり『かてもの』（一八〇二年）という著作で糧食として使われる植物について述べており、遠藤通（一七八九〜一八五一）は『救荒便覧』（一八三三年）、阿部櫟斎喜任《れきさいよしとう》（一八〇五〜七〇）は

『救歉挙要《きゆうけんきよよう》（豊年教種）』（一八三三年）、東条琴台は『補饑新書』（一八三三年）、畑銀鶏《はたぎんけい》（一七九〇～一八七〇）は『たくはゑでんじゆ家内の花』『日ごとの心得』（一八三三年）、『御代の宝』（一八三四年）、岩崎灌園は『種藝《うえもの》年中行事』（一八三六年）、高野長英は『勧農備荒二物考』（一八三六年）と刊行が相次いでいる。このように多くの救荒書が書かれたのだが、そのほとんどが金銭を受け取らない配布本で、無償の自費出版であった。むろん貧しい者も手にいれられるよう配慮したのである。農学者たちの面目躍如と言うべきであろう。

〈本草学者にして園芸家〉

岩崎灌園という人物は本草学者として第二章で短く紹介したが、彼は園芸家でもあり、江戸の自然誌をまとめ、救荒植物の栽培知識を下層農民のために書物にまとめて発刊した農学者でもあったという側面にも触れておくべきだろう。彼の名は常正、号が灌園で、幕府の祐筆（武家の文章・記録の作成者）である屋代弘賢《ひろかた》（一七五八～一八四一）に見出された徒士（軽輩の武士）でありながら、生涯の間にいくつもの著作をものしている。

まずは百科事典の『古今要覧稿』（屋代弘賢編纂、一八四二年未完で終了）の「草木部（植物部門）」を担当し、植物の写実的で正確な図を描くその技量が認められた。それがきっかけとなって、彼の代表作とされる、日本最初の植物図鑑である『本草図譜』を二〇年もかけて完成させ（一八二八年。出版は一八三〇～四四年）、墨刷本に続いて彩色本を刊行した。これが本草学者としての大仕事の嚆矢《こうし》であった。灌園の本に関係した人物としては、白河藩主・松平定信（定信が晩年を過ごした浴恩園の植物を写生している）、福岡藩主・黒田斉清（斉清の『山茶譜』を参照している）、富山藩主・前田利保（利保が育てた人参の解説記事がある）、シーボルト（江戸参府中のシーボルトを長崎屋に訪ねて会見し、肖像を描いている）、谷文晁《ぶんちょう》（一七六三～一八四〇、小野蘭山に入門した本草好きの画家）などがいる。巣鴨の植木屋である群芳園の翁こと斎田弥三郎とは長い付き合いで、斎田は灌園が植物に詳しくなった陰の功労者と言える。

灌園は、無名時代の一八一八年に『草木育種』（上下巻）を刊行している。同書は園芸全般にわたる情報をわかりやすくまとめて刊行物としたもので、彼が本草学者というより園芸家として出発したことを物語っている。その出版広告には、穀類・菜類・果物・花もの・薬草などについて、土地の良《よ》し悪《あ》し、肥料、接ぎ木法、虫害の除去、促成栽培と唐むろ（温室）、播種の時期、鉢植え、生け花の植え替え法などを伝授する、とある。上巻では総論、下巻では各論を書き、平仮名や図を多用したことで園芸家にとって必須の書物として歓迎された。『本草図譜』の一部を除けば、彼が本屋から出版した唯一の著作で、増刷し続けロングセラーとなった本である。

また、灌園は江戸の自然誌とも言うべき『武功産物志』（一八二四年）を自費出版している。

これは何の花が、いつ、どこで咲いているかを記載し、それぞれの名所を記した「花暦」で、農事や園芸にも利用された。加えて、江戸近郊の採薬ができる土地を紹介しており、有用植物・野菜・果実・動物・遊観できる植物などを列挙して、行楽遊覧のための参考として供したのである。

そして先に紹介した救荒作物について執筆した『種藝年中行事』がある。天保の飢饉が頂点に達していた頃、平仮名ばかりの一枚物で、救荒作物の栽培技術を凝縮して自費出版しているのだ。下層農民や無学の者にも読めるように配慮したのである。その最後には、「畑から抜いた苗の移植法、薬種の製法、薬園への植え付け、草木の養い方などについて書き尽くしておらず、質問したいことがあれば知っている限り、お答えします」と書いている。しかも「田畑のことは老農に尋ねるにこしたことはない」と付け加えており、学者の知識のみならず経験知の重要さをよく知っていたことがわかる。彼は極めて謙虚な人でもあったのだ。

本草学者として植物の子細に分け入るとともに、園芸家として自らの植物作出技術を惜しみなく披露し、農学者として救荒作物について下層農民にやさしく説く。江戸時代にはこのような人物が出現し始めていたのである。現在とは異なる「科学」の活かし方であり、それを大事にしたということではないだろうか。

第四章　育種

『珍玩鼠育艸』より、鼠を手に持った子どもの絵。左には、“惣（そう）じてぶちといふはまだら（斑）なり”と書かれている。同書には珍しい身体的特徴を有する「奇品鼠」の種類や、作出法・飼育法などが詳細に記されている。

（国立国会図書館デジタルコレクションより）

江戸期には本草学《ほんぞう》が「博物誌」になるとともに、園芸文化が広がったことを第二章・第三章で述べた。それまで見られなかった種類の植物を作り出す、江戸の人間はそんな「科学」の楽しさを味わうようになったのだ。それが日常に食する農作物や野菜の、より美味《うま》い、より多産な、より見栄えがするものへの改良に繋《つな》がったのであった。

このような「科学」は動物を対象にしても行われた。「植物の園芸」に対する「動物の育種」である。江戸時代の人々は「遺伝」という概念は知らなかったが、「親の因果が子に報い」というふうに、過去の原因が世代を越えて後代に結果をもたらすという「因果応報」の関係には気づいていた。とはいえ、それは神仏の領分であって、人間にはどうすることもできない運命的なものであり、従うしかない。

では、動物の世界はどうだろう。見かけの姿が異なったもの同士をかけ合わせると形態や体色などがどうなるか、あるいは変化アサガオのように、突然出現した、変わった形質が定着するのかどうか、面白がって調べてみる人たちがいた。過去の原因が現在にどう影響しているのか、現在の形質は変えられないのか、を確かめてみようとしたのだ。それは遺伝操作の初歩的なもので、当時の人々は好奇心に駆動されて「科学」の第一歩を踏み出していたのである。

動物の育種の場合、目の前の命を見守りながら、その成育ぶりから子どもにどのような影響を及ぼすか（どのような変わった子どもが生まれるか）を詳細に観察する。その過程においては、動物を健康に育て、その中で良い種を生み出さねばならない。これは、どんな育種家も辿《たど》る道であり、過去の経験談や教訓が非常に役立つ。そのような観察の伝承が、江戸時代に始まっていたのである。むろん、育種家でもない普通の庶民は、ペットとして飼う動物の飼育法や病気への対処法を知りたいと思うものである。彼らは愛玩《あいがん》している動物に強い親近感を持ち、病気にでもなればどうにかしたいと慌てることになる。そのために最も頼りにしたのが、その道の専門家の経験談であった。

以下では、江戸の人々が夢中になった育種動物として鼠《ねずみ》・金魚・鳥・虫（とりわけ蚕）を取り上げ、その各々について経験談として書かれた本を紹介する。それぞれ深浅や誤解もあるが、蘊蓄《うんちく》を傾けた先人の経験知が窺《うかが》え、まさに江戸の「科学」の出発点を知ることができる。

鼠

鼠は、一般に、人家に害を与えるので憎まれていたのだが、その姿や挙動の可愛《かわい》さもあって愛玩動物ともなっていた。鼠にもさまざまなタイプがあって、主には人家の周辺にたむろして台所の食べ物を狙ういわゆる「イエネズミ」（クマネズミ、ラットであるドブネズミ、マウスであるハツカネズミの三種）と、野外のみに棲息《せいそく》する「ノネズミ」（ハタネズミやアカネズミなど）がいる。前者は貯食性・貯脂肪性が低いため、屋外の食物が不足するとヒト社会に入り込むが、後者はもっぱら畑の作物を食べていてヒト社会とはやや疎遠である。イエネズミは屋根裏の器物や衣類を齧《かじ》ったり蔵の中の穀類を食べたりして広がった。もともと人間とは棲《す》み分けしていたのだが、農業社会が発達するにつれ備蓄食料が増えたことから、鼠とヒト社会との接点が増え、鼠の生息圏が人間界にも及んできたのであった。

都市化が進行した室町時代頃から、鼠害が目立つようになった。御伽草子《おとぎぞうし》の『鼠の草紙絵巻』には、鼠捕り専用の仕掛けである「枡《ます》落し」のような鼠害対策のさまざまな工夫が描かれている。一八世紀後半になってから発見された最も有効な鼠退治の方法は、ヒ素や黄燐《おうりん》、つまり「猫いらず」と呼ばれた薬を用いることであった。その薬は行商され、総称して「石見《いわみ》銀山」とも呼ばれたそうで、まさに銀山から採取された毒薬が使われ、鼠は駆除の対象でしかなかったのだ。ところが、戯文の冊子である『鼠共口上書』には、石見銀山から鼠への申出書と、鼠からの願出書が面白く書かれている。鼠にも言い分があるというわけだ。また、害を及ぼす鼠もいるが、人に害を及ぼさない「コマネズミ」や「ナンキンネズミ」、人に富貴をもたらすとされた「福ネズミ」もいて可愛がられている。人々は鼠に対して愛憎半々であったのだ。

というのは、鼠は種類にもよるが、おおむね一年に四〜六回、各回に四〜七匹も子どもを産むので繁殖力が抜群であり、厳しい環境にも負けずに逞《たくま》しく生きる動物であるため、これを子孫繁栄・商売繁盛・家運興隆という吉祥の象徴として人々は大事にしたのであった。『古事記』で大国主神（オオナムチ）の苦難を鼠が助けたという昔話から、鼠が大国（＝大黒）の使者として大黒信仰に結びついたという説（そのためダイコクネズミと呼ばれる）もある。また、大黒は北方の神であり、北の方向は十二支の「子《ね》」にあたり、「子」は鼠であることから大黒天と結びつき、家に住む白鼠は富貴をもたらすとして大事にされた。事実、台所に大黒天が祀《まつ》られ、「甲子《きのえね》」の日には大黒天を祀る甲子祭が営まれていた。一七五〇年頃には、女性の下半身の象徴として二股大根が描かれ、それを鼠が齧るという画像が流行《はや》った。夫婦和合・縁結び・子孫繁栄を表す吉祥画である。主人に忠実な番頭や奉公人のことを「白鼠」と呼んだのは、「番頭は鼠のごとし（「ちゅう〈忠〉」と鳴くから）」で、利に賢く主人を富ませるからというわけだ。

〈『養鼠玉《ようそたま》のかけはし』〉

さて、いよいよ鼠の飼育・育種についての話に移ろう。明和年間（一七六四～七二）以降、上方を中心にして白鼠の飼育が広がり、斑や月輪など毛色の変わった鼠が持《も》て囃《はや》され、高値で取引された。ここからは安田容子氏の論文「江戸時代後期上方における鼠飼育と奇品の産出」を参考にする。おそらく、鼠の飼育の入門書としては、『養鼠玉のかけはし』（春帆堂主人〈春木幸次〉、一七七五年）が最初である。第三章で植物の変わった品種のことを「奇品」と言ったが、同書では毛色の変わった鼠や形・大きさの異なる鼠を「奇品」と呼んでいる。「養鼠家」によってさまざまな「奇品」が作出されたのである。

大坂城代の家臣であった池田正樹が『難波噺《なにわばなし》』の一七七一年の項に、「当地（大坂）に白鼠を多く見かける。普通の鼠に地鼠を番《つが》わせれば白鼠を生ずるという。また、とらふ・紫・その他種々の毛色を生ずるも、皆つくったものである」と書いており、一七七三年の項では江戸と比較して大坂に白鼠が多いことを強調している。江戸では人気がなかった白鼠の育種が大坂を中心に広がり、「奇品」づくりが熱心に行われていたらしい。

また、安永年間（一七七二〜八一）半ばに、暦算家であった西村遠里《とおさと》（一七一八〜八七）は随筆集『居行子《きょこうし》後篇』（一七七九年）で、「近頃、白鼠が多く出て、普通の鼠と変わらないくらいになっている。それに留《とど》まらず、熊鼠と名づけられた毛が真っ黒で、上品なものでは喉の下に白い月の輪があるものや、黒白斑のものも見られる。白鼠はもはや珍しくなく、値段も下がり、子どもの慰みものとなっているくらいだから、大黒天のお使いだと尊ぶ人もいなくなった。元来、黒白の鼠は稀《まれ》にしかいなかったというのに。世の中の人は、何につけても奇物や珍しいものを好んで弄《もてあそ》ぶから、そのことについて巧みな者が、あちこちでその種を探し出して雌雄を交合させて増やしている。黒白の鼠を交合させて斑の鼠を作出するようになって以来、近頃ではたくさん作るようになっている。これは人の手によって、天地自然が造形した自然の働きを奪ってしまうものだ」と書いている。彼は、「奇品」を作り出す世間の風潮が盛んになったことを、自然の営みを奪う行為だとして非難しているのである。

　そのような時代に、『養鼠玉のかけはし』が出版された。この書は序文の題が「養鼠訣序」、上巻が「養鼠訣上」となっており、鼠を飼育する秘訣《ひけつ》の書というわけだ。当時一流の絵師と彫師および狂歌師が同書の制作に関与しており、鼠の飼育法が学べるとともに、絵本として楽しめるよう工夫されている。上巻と下巻では以下のように内容が大きく異なっている。

　上巻は、鼠とその仲間の動物についての基本的な解説で、『本草綱目』に載っている「鼠類」だけでなくそこにはない「香鼠（麝香鼠《じゃこう》）」を加え、「鼹鼠《ゑん》（ころもち）」と「鼩鼱《きょせい》（はつかねずみ）」を『和漢三才図会』から引用している。なかなか博学である。また、鼠は家につく害獣として「その害は少なくない」が、天下太平の時代になって人々の興味が金魚や小鳥や植物に移ると、鼠も愛玩の対象になったと言っている。作者の春帆堂主人は、白鼠を愛玩しているうちに、さまざまな奇品を作り出し、これを楽しむうちに特別な奇品も得たと誇らしげである。

　飼育の対象がラットかマウスかを区別していないので明確ではないが、大きな鼠（「常の鼠」と呼ぶ）はラットと思われ、小さな鼠（「鼩鼱」は大きさ二寸〈約六センチ〉に及ばず、巣を出て二〇日経《た》った家鼠より小さいから「はつか」と呼んでいる）はマウスを指していると思われる。愛玩の対象は「常の鼠」であったことから、飼育の対象はラットと考えてよさそうである。

下巻では、初心者を念頭において、よい鼠の選び方や繁殖のさせ方、食べ物や飼育籠の大きさなど、飼育方法を丁寧に記述している。鼠を馴《な》らすことについては、「特別な方法があるわけではない。鼠は元来疑い深い動物だから、食べ物を与えて覚えさせてもだめで、所詮何かの拍子でうまくいくもので、ゆっくり時間をかけて馴れさせることだ。目が明かない幼い頃から養い、ともに遊んで人に慣れさせなければ手懐《てなず》けるのはむずかしい」と書いている。そして、鼠の飼育者を「よく養うことができたら、鼠は人の言うことを弁《わきま》え、こちらの気持ちを汲《く》んで使いをするようなこともできる」と励ましている。

挿絵には鼠販売店の主人が斑鼠の芸を見せる様子や、その小道具なども描かれていて、実際に人々も鼠に芸を仕込んで愛玩飼育していたことが想像できる。また、鼠を買って帰る子どもの姿も添えられていることから、子どもたちが鼠を飼って愛玩することが流行っていたようだ。鼠を飼育することを「養鼠」、愛玩飼育している人を「養鼠家」と呼んでいたようで、この本の書き手や鼠屋の主人こそ「養鼠家」の玄人と言える。読者には鼠飼育の初心者や子どもたちを想定していたようで、「幼い者が見やすいよう絵を交えており、これを楽しんで読むうちに飼育方法をよく考えるようになり、やがてこの書は不要になるだろう」と書いている。この本が刊行された頃は白鼠が手にいれやすくなっていて、売られていたのは上品だが、奇品とはされない目の赤いアルビノの白鼠だったと考えられる。

まだ奇品の斑鼠は数が少ないので、簡単に手にいれられない。そこで、養鼠家の中でも好事家たちは、仲間内（連）の品評会などで互いのものを見せ合って情報交換を行い、奇品鼠の取引を行っていたらしい。巻末に、品評会の場でもある「大坂鼠品売買所」として五つの店舗名が住所とともに掲げられている。そこでは、「常の鼠」である愛玩用の白鼠のみならず、「奇品鼠」にも値段をつけて販売を行っていたようだ。「奇品を得たいなら、この売買所において、その値段を決めるべき」と書いていることからわかる。

同書では、白鼠の中でも目が黒いものが奇品とされているのだが、さらにそれ以外で次の五種類を挙げている。


「熊鼠」（同斑、熊の豆鼠）：総体が真っ黒で、胸に熊のような月の輪がある。

「豆斑」（豆の斑、白の豆）：約三センチほどの大きさ。二種類がある。

「斑鼠」（はちわれ、鹿斑）：白黒の斑で、はちわれは頭から半身白黒と分かれているもの。鹿斑は大鼠で鹿のような模様がある。

「狐斑」：腹が白く尾は短い。狐色、玉子色、薄赤、藤色、かわらけ色などがある。

「とつそ」：丈が短く、尾も短く、顔は丸く、耳は小さく、鼻口部は丸く、毛並みが荒く、鳴き声が「ちっちっ」と聞こえる。

これらは、いずれも大坂近郊の養鼠家によって作出されたもので、大まかに、

①毛色の珍しいもの：熊鼠、斑鼠（斑、はちわれ、鹿の子）、狐鼠
②形や大きさが通常とは異なったもの：豆斑、とつそ

と分けられる。もっとも、後世の本に記載されていない品種もあり、奇品は一代限りなので、作り出されても維持する（同じ特徴の子孫を続ける）ことが困難であったようである。

この書では奇品鼠について、「奇品の鼠が出る理由として、例えば白鼠に黒鼠をかけ合わせれば斑鼠が生まれると言うのは間違いである。奇品が生じるのは別の理由があり、自然に任せるしかない。奇品が生じるのは人間の技量の範囲ではなく、造化（天地自然）が引き起こす予想不可能な事柄である。だからこそ、値段が高く珍重することになる。白鼠は白鼠と、斑鼠は斑鼠とかけ合わせるうちに、自然が感じ入って思いがけなく奇品が生じるものだ。以上のことがこれまで見聞してきたことで、つまるところこれこそが養鼠家の性根というものではないだろうか」とあって、奇品の作出は自然の成りゆきに任せるしかなく、養鼠家は奇品作成のため

の実験的なかけ合わせを行うべきではないと説いている。

実際には、養鼠家の多くはさまざまな毛色の鼠をかけ合わせて奇品の作出に取り組んでおり、この本の作者の意見は時代遅れであったようだ。社会の趨勢《すうせい》としては、高価な奇品を作り出して一儲《ひともう》けしようとの欲望が強くなったとともに、親の形質が子どもにどのように伝わっていくかを調べてみたいという「科学」的好奇心に突き動かされる人が出ているからだ。

〈『珍翫鼠育艸《ちんがんそだてぐさ》』〉

これは定延子《じょうえんし》という人物が一七八七年に出した本で、鼠のかけ合わせ実験を行い、どのような親からどのような子ども（奇品）が生まれるかを調べて記述したものである。私には原本を読解する力も結果を生物学的に理解する能力もないから、神経解剖学者の寺島俊雄氏の『『珍翫鼠育艸』全訳』を参照する。あまり知られていない論文であるし、近代科学に接近した江戸時代の「科学」の一端を見る上で、ここに紹介しておく価値があろうと考えた次第である。

現在では、鼠（マウスあるいはラット）にさまざまな品種をかけ合わせて突然変異体（ミュータント）を作り出し、それらをヒトの疾患モデルとして発病・病気進行・治療・薬効などの研究に使っている。のみならず、さらに形態形成機構・免疫の仕組み・発癌《はつがん》の機序などを詳しく調べる実験にも鼠を使うことが欠かせない。そのようなミュータントマウスを実際に作り出す

「実験」が、江戸時代に行われていたのである。むろん、高度な遺伝学的知見や遺伝子情報などがわかっていないから、ごく初歩的な「実験」に留まっているが、少なくともメンデルが遺伝機構を調べた時代より半世紀以上前に、その先駆者が江戸時代に存在していたことに驚く。まさに好奇心のみに由来する江戸の「科学」の面白さを、ここに見ることができるのではないだろうか。

先に述べたように、鼠は一年に四回以上も子どもを産み、生まれた子どもも二ヶ月も経てば子を産むようになるから、親子の時間的な系統変化を調べやすい。草花は一年という時間が経たないと次世代の変化が調べられないが、鼠だと一年かければ六～七代の親子関係を追うことができるのである。さらに、各代に四～七匹も子どもが生まれ、それがまた次々と子どもを産むから、まさに「ネズミ算」のように個体数が増えていき、出現確率が低い突然変異体であっても手に入りやすい。その上、生まれた子どもは体の模様や毛色や形態などといった見た目で区別しやすく、寿命は二年ほどだから世代交代が早いという長所もある。このような理由から、生物学・医学・遺伝学などにとって鼠を使った実験が欠かせないのである。

江戸時代において、鼠の育種の最大の興味は奇品の作出であった。先の『養鼠玉のかけはし』にあったように、初期の頃の養鼠家は奇品を「造化の妙」として自然の成りゆきに任せるという態度であった。しかしその後、高価に取引されるということになると、さまざまな体色や模様の鼠をかけ合わせて、それまでとは異なった毛色の鼠を人為的に作出することに熱中するようになった。しかし、闇雲に行っても埒《らち》があかない。というわけで、愛玩用鼠について、正しい飼い方や育種法（「鼠種取様秘伝」）を伝授するとともに、それまでに得られていた奇品の出方をまとめた本が出版された。それがこの『珍翫鼠育艸』である。世界に先駆けての遺伝実験の紹介でもあったのだ。

同書の序文には、「鼠が集まる時は、その家に近々良いことがある」とある。しかし現実には、「鼠が集まる→良いことがある」という言説は順序が逆で、「家に良いことがあった→豊かで食べ物が豊富→鼠が集まる」と言わねばならない。また、鼠は「人に乗り移って日頃の吉凶を下し、遠くで起きた事柄についても知っている」として、鼠には千里眼的な予知能力があるかのように書いている。実際、鼠は地震や火事の前に逃げ出したり、遷都の時に先だって新都に移ったりしたという故事が言い伝えられてきた。ただしこれは、ほんの少しの兆候から大きな変化を予測して早く対応しているのであって、とりわけ神秘的な予知能力に優れているということではないと思う。実際、鼠に大災害の予知能力があると証明するためには、大災害の前に鼠が行動した場合だけでなく、鼠が行動したけれど何も起こらなかった場合と、大きな災害があったのに鼠は何も行動しなかった場合のデータも併せて集めねばならない。データの一部だけを見て結論を下すのは危険なのである。

(参考)メンデルの実験

オーストリアの司祭グレゴール・ヨハン・メンデル(1822〜1884)は、修道院の庭で大量のエンドウ豆の交配実験(人為的かけ合わせ)を行い、「色」や「豆の形」に注目し、以下のような結果を得た。

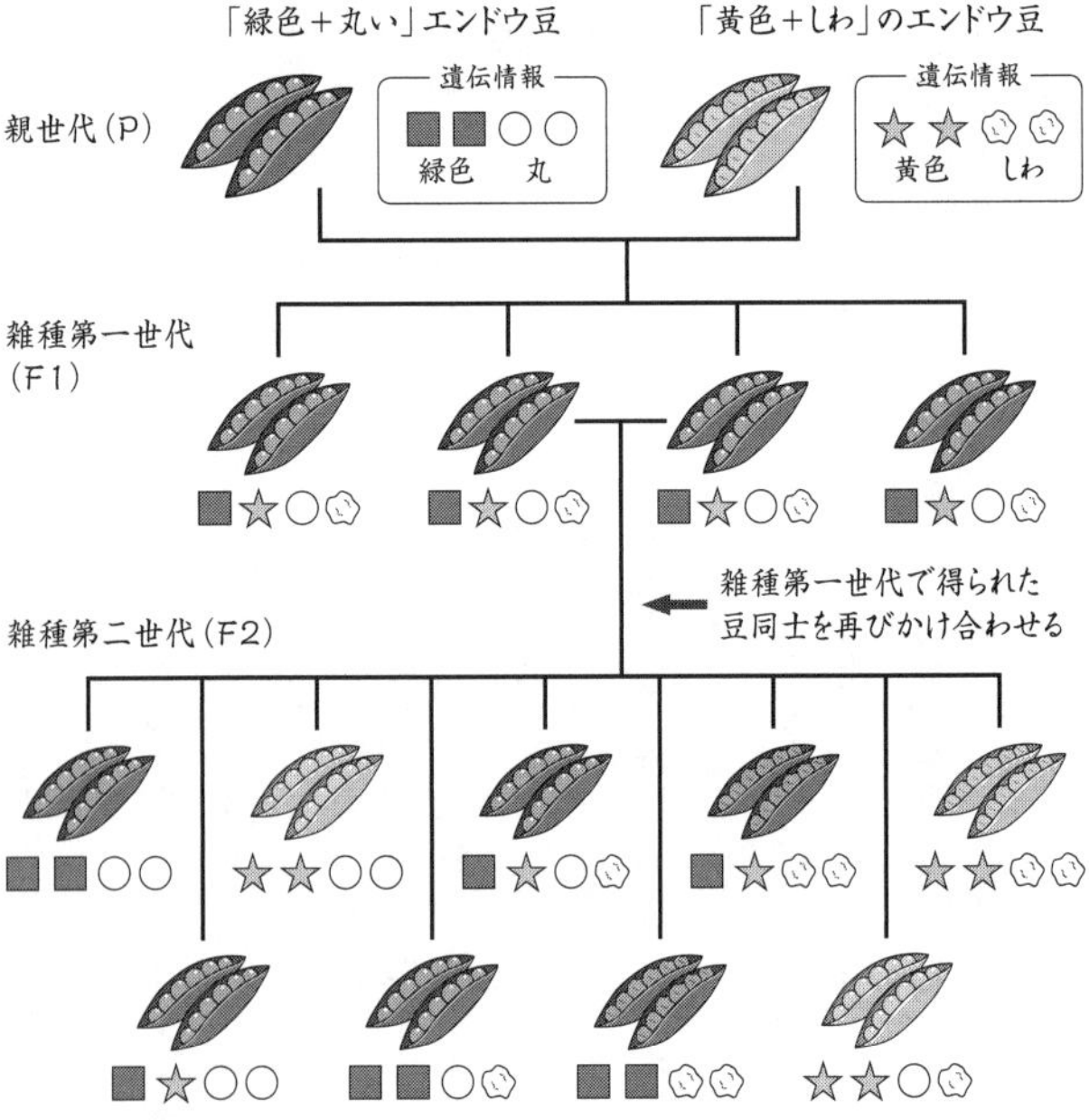

雑種第二世代で入手できた豆について、形と色のパターンに注目し、
それぞれどれだけの量が得られたかを調べたところ、
以下のような数比で表現できることが判明した。

「丸・緑色」:「丸・黄色」:「しわ・緑色」:「しわ・黄色」=9:3:3:1

▼

「丸」:「しわ」=3:1 / 「緑色」:「黄色」=3:1 となった。

メンデルが発見した法則

仮説	生物が持っている**形質**（身体的性質や特徴）は、 **「遺伝子」**を通して次の世代に継承される。

これを前提に、メンデルは実験結果から以下の3法則を導き出した。

①顕性の法則

生物が自らの形質を子孫へと伝える遺伝子には
「顕性」と**「潜性」**の2種類があり、顕性遺伝子の方が優先して働く。
（図で言えば「緑色」と「黄色」の遺伝子を併せ持つ豆では「緑色」が、
「丸」と「しわ」の遺伝子を併せ持つ豆では「丸」が優先的に働く）

②分離の法則

生物の遺伝子は対をなしており（2つでワンセットとなっている）、
分離（減数分裂）して子ども世代に分配される。

③独立の法則

異なる形質は互いに影響し合わず、それぞれ独立して遺伝する。
（後に、この法則に従わず、セットになって子孫に伝わる可能性が高い
特定の遺伝子の組み合わせが存在することが発見された。
このような遺伝子間の関係を**「連鎖」**という）

※メンデルは交配実験を始めるにあたり、自家受粉（同じ個体内における交配）を行った際に「丸形（緑色）しか生み出さないエンドウ豆」や、「しわ形（黄色）しか生み出さないエンドウ豆」を準備して用いたとされる。このように、特定の形質を確実に次世代へと伝えるものを**純系**と呼ぶ。右ページの実験図で言うと親世代（P）のものなど、すなわち保有する遺伝子が 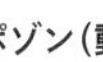 や  など同型のもの（「ホモ接合体」と呼ばれる）を指す。

【補足】トランスポゾン（動く遺伝子）

通常の遺伝子と異なり、染色体（遺伝子の集合体）の中で移動できるものが存在する。そのような性質を持つものは**トランスポゾン（動く遺伝子）**と呼ばれる。トランスポゾンは正常な遺伝子に割り込む（=**転移**）ことによって、その遺伝子の働きを阻害し、植物の形や花の色に変化をもたらすことがある。人間においては筋ジストロフィーの一因になるとも言われている。

奇品鼠の種類

同書の本文の最初では、「黒目の白鼠」がなぜ大事にされるか（「珍鼠《ちんそ》」と呼ぶ所以《ゆえん》）を述べている。それから、当時の鼠愛好家が所有していたさまざまな鼠の一覧を「諸鼠の異名　今人々が持ち遊んでいる鼠の大要」として、「ぶち（斑）」「熊ぶち」「ふじ」「つましろ（妻白）」「くぐり」「頭ぶち」「藤の筋」「むじ」「とき」「あざみ」「月のぶち」「豆ぶち」「目赤の白」「すじ」「黒眼の白」の一五種を列挙している。まさに「珍鼠」である。ただし、「つましろ」と「くぐり」はともに全身が黒の鼠であり、「むじ」と「とき」はともにとき色の鼠のことであるから、これらの重複を除けば正味一三種である。加えて文中に「豆白」と「芸つき（舞ネズミ）」の二種が記載されており、さらに続編として出版予定とされていた『新選三鼠録』の予告には「紅《あか》鼠」「浅黄鼠」「藤黄鼠」の名が出ているので、全部で一八種の愛玩用鼠が知られていたことになる。これらは、今日で言うミュータントマウスと同じもので、すでにこの時代に多くの突然変異の鼠を「奇品鼠」として開発していたのである。

以下、『珍翫鼠育艸』の記述に沿う形で、その主要な内容を私の解説も交えて紹介しよう。まずは飼育法についての説明がある。

鼠の飼育法

(1) 飼育箱

鼠を飼育箱で育てる時、雌が妊娠している際には直ちに雄と別にすることを最初に注意している。鼠の妊娠期間は通常約一九日だが、分娩《ぶんべん》後一二〜一八時間で次の発情が起こり(「後分娩発情」)、雄が同居していればすぐに交尾し、妊娠してしまうことが多い(「追いかけ妊娠」)。このように連続妊娠をすると、哺乳と妊娠が重なって母体に大きな負担になるため、これを避けるために雌雄を引き離すのである。

続けて、雌鼠の最初の出産は二、三匹から四、五匹だが、二回目・三回目にもなると七、八匹も産むようになり、子を圧《お》し潰すことがあるので飼育箱は大きくすることを推奨している。

藁《わら》は吸湿性と保温性に優れているから、寒く乾燥する(旧暦の)八月から翌年四月頃までは飼育箱にいれ、蒸し暑くなると藁が発酵して衛生的によくないので、五月頃から大暑(一年で最も暑い夏の盛り、太陽暦で七月二三日頃)の時分まではいれない方がよい。ただし、雌鼠が妊娠している時は寒暑にかかわらず藁をいれてよい。藁がないと毛がない新生児は放熱が激しく、育たないためである。また、子どもが生まれた日をきちんと記録しておき、親と一緒におくのは通常二〇日間くらい、寒い時期であれば二四〜二五日くらいとするのがよい。

（2）豆白鼠と豆斑鼠

先に、普通は妊娠後の雌と雄を別々にするべきだと述べたが、豆鼠（矮小鼠）の場合は雌雄の同居を勧める。というのは、豆鼠は生殖能力が低かったり、性行動が拙劣であったりして、受精困難となってなかなか受胎が成立しないためである。だから、むしろ同居させて、追いかけ妊娠となることを期待した方がよい。

（3）餌について

飼育箱の中には、黒米（玄米）を混ぜた飯米を毎日二、三度ずついれておくこと。精米に比べて黒米は栄養が豊富であるから、食餌に黒米を切らさないよう注意する。五月末から六、七月頃は、何はともあれ水を多くいれておくこと。春から八、九月末までは、大根・水菜・青葉などの野菜類を与えるべきである。また、川魚や「もろこ」（琵琶湖に多く生棲する淡水魚）を焼き、細かに砕いて、過剰にならない程度に食べさせるのを勧めている。

焼いた魚・はず（巴豆：猛毒の油を含むが、鼠が食べると肥えるとされていた）・塩・青葉などは鼠を健康に保つが、生魚・まちん（馬銭：種は猛毒で殺鼠剤に使われた）・胡椒《こしょう》・砒霜《ひそう》（ヒ素化合物の一種）などの類は非常に害があり、やってはいけない。

さていよいよ、さまざまな種の鼠をかけ合わす実験の概要報告で、新しい分野に踏み込んでいくようなわくわくした気分にしてくれる。ここの記述は、現代の遺伝学から見ても理にかなっているそうだ。遺伝学の詳しい説明は抜きにして、『珍翫鼠育艸』の記述を追いかけよう。

（1）熊ぶちのつがいをかけ合わすと、黒まだらの仔《こ》が生まれる。また、たくさん産むと藤色の仔が生まれることもある。

（2）目の赤い白鼠の雌に熊ぶちの雄鼠をかけ合わすと、真っ黒の仔ができる。これを「つましろ」とか「くぐり」と言う。同じ雌から生まれた仔の中で雌鼠がいたらこれを育て、四ヶ月くらい過ぎてから、親の熊ぶちの雄鼠とかけ合わすと[*1]、黒い体で腹部が白い「うらじろ」、または胸に月の輪の模様がある仔が生まれる。

（3）熊ぶちの非常に白が勝っているものと、黒のまだらの薄いものを選り出して番わせて仔を産ませる。その後、日を経てその仔を黒ぶちの色の薄いものと番わせれば黒目の白鼠ができ

＊1　できた子どもとその親を交配させる「戻し交配（バッククロス）」という手法は、ミュータントの遺伝分析の常套手段として今日では盛んに使われているもので、江戸の人々は近代遺伝学の手法を先取りしていたことになる。

る。世の中で珍重されている白鼠とはこれのことである。目の赤い白鼠は、本当の白鼠とは言わない。[*2] 色が白くて目が赤い動物は、鼠に限らず存在するが、血分の不足のために生じているもので、諺《ことわざ》で言われる白鼠とは、目の黒いもののことである。

（4）さらに、目が黒い白鼠同士を番わせると、同じように目の黒い白鼠が生まれる。その生まれた白鼠の雌に、どんな色であれ毛色が変わった雄を番わせると、頭のみに雄の色が現れ、頭から下は雌と同じ白の仔が生まれる。目が黒い白鼠同士を番わせた仔に限って、かけ合わせた雄鼠の色が頭に現れるのである。

（5）目が黒い、斑の白鼠の雌に、目が黒い白鼠の雄をかけ合わせると、頭だけが藤色の仔ができることもある。

（6）目が黒い白鼠に藤色の鼠をかけ合わせると、目が「羊羹《ようかん》色」のような白鼠が生まれる。

（7）朱鷺《とき》色のことを「むじ」と呼ぶとして、むじ同士を交配するとむじの仔ができる。さらに、こうしてできた朱鷺色の雄と、むじの雌を交配すると「アザミ色（深いピンク）」の仔ができる。

『珍翫鼠育艸』の意味

簡単に『珍翫鼠育艸』の内容を紹介したが、メンデルの先駆者が江戸時代にいたことを、現代的視点から殊更高く評価しているわけではない。当時の人々の解釈を、私流に表現すると以下のようになるだろうか。

実際として、白鼠と黒鼠をかけ合わせると白黒斑の子どもができるのは確かである。どうやら、さまざまな鼠の毛色や模様は親から受け継がれるらしい。そして、鼠（のみならず人間も含めて動物）は、すべて親の形質を受け継いでいるのだから、どんどん元を辿っていけば、ご先祖様みんなから形質を受け継いでいると考えねばならない。つまり、動物は血の交わりによって多様な形質が出てきたことになるわけだ。

そのような好奇の念が広がって、育種の方法を追究してみようという気になったのだろう。実際、鼠の場合、世代交代が早いし、親子の間での道徳規範もないから、生まれた子どもと親をかけ合わせるとか、子ども同士を番わせる、というような人間では許されない組み合わせも

＊2　目が赤い白色の動物（アルビノ）が広く存在することに江戸の人々は気づいていた（一般に鼠に限らない）。その理由を「血分の不足」としているのは、月経時に妊娠すれば胎児の血液が不足して色が薄くなり、白色の子どもが生まれるとの俗説が当時あったためである。しかし、そもそも月経の時には妊娠しないから、これは荒唐無稽の説であった。

可能である。こうして、まさに好奇心の趣くままに鼠の交雑実験をするようになった。科学的探究心というよりは、たくさんの変わった種を作り出し収集することが目的であったのだろう。

事実、先にも触れたが、この本の後編として『新選三鼠録』の発刊が予定されていて（所在は確認されていない）、そこには紅鼠、浅黄鼠、藤黄鼠の三種の作出法の秘伝を記載することになっていたらしい。これまでにない毛色・斑模様の鼠が作り出されていたようなのである。その意味では、鼠の飼育は江戸時代の「科学」の一断面を表していると言える。鼠は育種を通じて「科学」の対象とされたものの、何らかの指針に基づいて系統的に種の多様性を整理するという発想にはならなかった。あまりに多様なので、それ以上踏み込めなかったのかもしれない。

というのは、鼠の飼育は一七九〇年頃までに大坂を中心として広がっただけで、江戸ではあまり評判にはならなかったらしい。ここで取り上げた『養鼠玉のかけはし』も『珍翫鼠育艸』も主として上方での出版である。その理由だが、鼠は放っておくとどんどん増えていくため、飼育箱にいれても広いスペースが必要となる。大坂では武士は数少ないため、商家・町人は広い敷地に余裕を持って家を建てられたが、江戸では町人は狭い長屋で暮らさざるを得なかった。そのため気楽に鼠を飼うというわけにはいかなかったのだろう。鼠によって食べ物や着物や食器を齧られる害に手を焼いたこともあるかもしれない。しかし、コマネズミやナンキンネズミのような、芸をして子どもたちを喜ばせる鼠もいて、それらには江戸の人々は好意的であった。

ここにも鼠に対する多様な感情があったことが推測される。

金魚

日本人は金魚が好きである。お祭りの屋台で「金魚すくい」を、誰もが一度は楽しんだことがあるだろう。せっかく掬《すく》い取った金魚だからと、ビニール袋にいれて家に持って帰ってガラスの器にいれてやるが、二、三日もすると忘れてしまい、気が付いたら白い腹を上にして浮いているということになる。それでは可哀《かわい》そうと、大きな水槽を買ってきて、水車やら温度計やら藻をいれてやるのだが、やがて飽きてしまい金魚から熱帯魚に変えたりする。私たちにとって金魚は極めてありふれているから、いつでも取り換えが利くと思っており、死んでもあまり悲しみを覚えないのだろう。そのように、金魚が実に身近な存在になったのは江戸時代の金魚ブームがあってからのことなのである。

江戸時代初期には金魚は非常に高価であったから、もっぱら裕福な武士や金持ち商人の家で飼われていた。江戸の町中に普及し始めたのは元禄（一六八八～一七〇四）頃で、やがて長屋のあちこちの路地裏で透明のビードロ（ガラス）瓶にいれて金魚を庶民が楽しむようになったのは、江戸時代中期の寛延年間（一七四八～五一）であった。この頃から多種類の金魚が作り出されている。世代交代が早く、同じ水槽にいれておくだけで異種交配が自然に起こるから、雑種が生まれやすいということもあって、実に多種多様な金魚が江戸時代の人々の好奇心の趣くままに作り出された。特に、地域の名を冠した新種が現れたことは興味深い。ここでその様子を辿ってみようというわけだ。なお、本節は金魚に関する科学的・文化史的記述として名高い、魚類生活史学者の鈴木克美氏の『金魚と日本人』に依拠している。

〈金魚とは〉

金魚の系統的な研究は明治以降になってからで、もっぱら水産学者の松井佳一博士(一八九一〜一九七六)に依《よ》るところが大きい。

そもそも金魚とは、一五〇〇年以上昔に中国南部の野生の「フナ」に赤い色のものが突然現れ、それを池で長く飼って赤い「フナ」から赤い子魚をとり続けているうちに、金魚の祖先と言える魚(「ヒブナ」)になり、その改良を繰り返す中で金魚という種が定着することになった、という経緯で誕生したものらしい。しかし、この説には重大な欠陥がある。野生の「フナ」が赤くなって「ヒブナ」になり、それから「金魚」になったのなら、その後同じことが繰り返されているはずなのに、二度と起こっていないのはなぜか、という疑問があるからだ。要するに、いくら待ってもフナから金魚は現れないのである。とはいえ、それ以外の有力な説は見つかっていない。さてどう考えるべきなのだろうか。

なぜ金魚は赤いのか。魚の表皮と真皮には黒と赤と黄の三種の色素が含まれており、黒の色素はメラニンなので魚は自己生産できるが、赤と黄の色素は種々のカロテノイドの色で自己生産できないため餌から取り込んでいる。このカロテノイドの赤や黄とメラニンの黒の重なり具合によって、金魚の赤さや黄色の濃淡が異なっているのである。白色の金魚がいるが、これは色素を含まない細胞が多いせいで、やがてルテインという黄色の色素が蓄積されるので次第に黄色っぽくなっていく。金魚の鱗《うろこ》がキラキラ黄金色に光るのは、銀色のグアニンを含む色素細胞があって虹色に光を反射するためだ。この銀色の色素細胞と黒・赤・黄色・白色の色素細胞の重なり具合で、金魚の多種多様な色模様が演出されているというわけだ。

また、体表に光を反射しない鱗が混じると「透明鱗性の金魚」になり、実に豪華な雰囲気が醸し出される。三色のスポットライトを重ね合わせて多彩な色を作り出す光線の魔術以上の巧みな技と言うべきだろう。黒の色素のメラニンを作り出せない個体がアルビノで、金魚（一般に魚）にもアルビノがいる。しかし、餌からカロテノイドを摂取しているから、体色が黄色や赤色を薄く現していて、目も赤かったり黒かったりする。従って純粋な金魚のアルビノはいないのである。

日本で最初の金魚の飼育書は、後で詳しく紹介するように、大坂の堺《さかい》で長年金魚を飼っていた安達喜之《きし》（生没年不詳）が書いた『金魚養玩草《そだてぐさ》』（一七四八年）で、奚疑斎という人物が補足説明を加えて出版された。同書はロングセラーで何度も再版され、なんと一〇〇年近く後の一八四六年に刷られた版も存在している。小冊子で手軽に読める金魚の育て方のノウハウが書かれているためだろう。この本の序章に「文亀二年（一五〇二年）一月二〇日に和泉国の堺の港に到来した」とあり、金魚が中国より渡来したのはこの時点とされている。しかし、貝原益軒の『大和本草』（一七〇九年）には「金魚は元和年中（一六一五～二四）に異域より来る」と書かれていて、当時からどちらが正しいのか議論になっていた。ただし、『長崎版日葡《にっぽ》辞書』（一六〇三年）に「キンギョ（Qinguio）」「コガネノウオ（Coganeno vuo）」という言葉があり、江戸時代初期には長崎に渡来していたと考えられるので、一五〇二年説が正しいと思われる。戦国時代を経て江戸時代になって世の中が落ち着いてくるに従い、金魚を飼う楽しみは長崎から京大坂へと移り、いつの間にか「金魚」という名が定着したらしい。

金魚の飼育は、最初は富裕階級の贅沢《ぜいたく》な楽しみであった。しかし貞享《じょうきょう》・元禄時代（一六八四～一七〇四）の流行作家であった井原西鶴（一六四二～九三）は、その作品に度々金魚を登場させているから、この頃には金魚は庶民にも身近になっていたことが窺える。殊に、『西鶴置土産』（一六九三年）には「江戸の黒門より池のはたをあゆむに、しんちう屋」という「かくれもなき金魚、銀魚を売るものあり」とあるから、この時代には江戸においてよく知られた金魚屋がすでにあったのだ。「金」と「しんちう（真鍮《しんちゆう》）」はともに黄金色で見かけがよく似ていることから、「しんちう屋」という名前にしたのだろう。

一八世紀になると江戸に金魚ブームが訪れた。その原因の一つにビードロの金魚玉（金魚をいれて持ち運びする小さなガラス玉）や金魚鉢（瀬戸物鉢では上からしか見えなかったため「上見《うわみ》」と呼ばれたが、ビードロ製だと横や正面から金魚の泳ぐ姿が見える）が発明され、長屋の裏店《うらだな》の片隅にでもおいておけるようになったことがある。アサガオやオモトなどの園芸が盛んになった理由として植木鉢が発明され、どこでも草花や小さな花木が育てられるようになったのと同じである。川柳の句集『柳樽《やなぎだる》』にある「裏屋住つき出し窓に金魚鉢」（一八二四年）という川柳が、金魚が広く普及したさまを物語っている。

金魚の種類は非常にたくさんあって、「わきん」「りうきん」「らんちう」「おらんだししがしら」などが江戸で多く飼われ、「ぢきん」「とさきん」「わとうない」「はなふさ」「つがるにしき」などは地方特産である。いずれも江戸時代に作出された。「やまがたきんぎよ」「おほさ

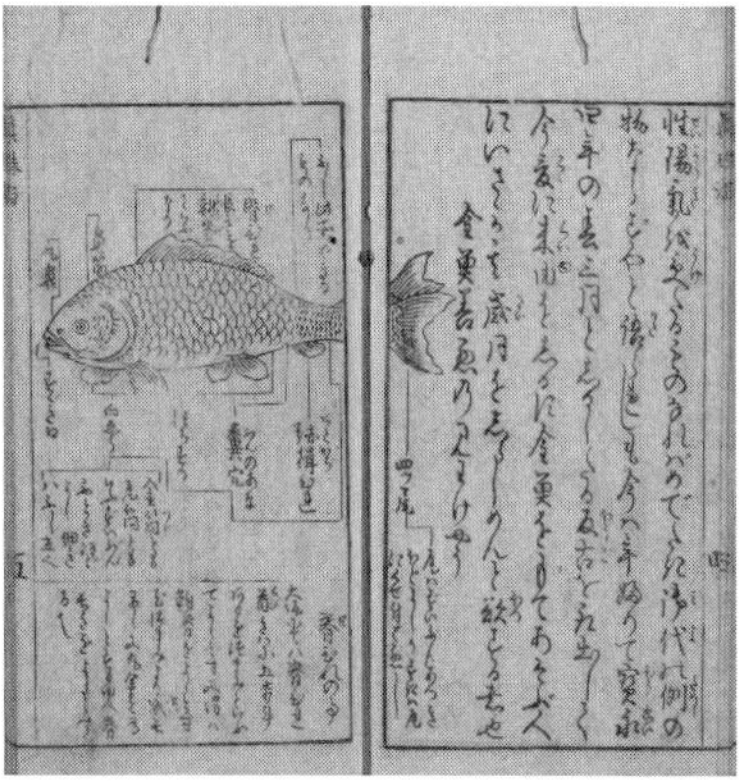

安達喜之『金魚養玩草』。金魚の飼育方法を記した小冊子。当時のロングセラーであった。（国立国会図書館デジタルコレクションより）

からんちう」「やまとにしき」などは、お国（地域）を代表するかのようだが、同一のものの異名もあるようだ。金魚には実にさまざまな形態のものがあるが、基本的には同一の種だからどれとも交配可能で、次々と異なったタイプの子どもを産むから、ますます多様になっていったのだ。以下に、それぞれの金魚の特徴を簡単に書いておこう。

私たちに最も馴染《なじ》み深いのは「**わきん**（和金魚、日本の金魚）」であろう。わきんは中国から伝来したのだが、「最も古くから日本にいる金魚」として、この名で呼ばれる。体が長く、ひれが短く、形はフナに似ている。尾びれとしては、フナ尾（二つ尾、サバ尾）、三つ尾、四つ尾、サクラ尾、五つ尾、七つ尾と多彩であり、尻びれはフナと同じ一枚のものと、左右の二枚が一対になったものがある。わきんは成長するに従い色が変化していく。幼時は祖先のようなフナ色（鉄色）であるが、やがて黒みが薄らいで淡い橙黄《とうこう》となり、やがて赤みが濃くなって金魚らしくなり、年を取るにつれて赤みが薄れて白っぽくなっていく。体色は、赤・白・更紗《さらさ》（まだら模様）がふつうである。

一方、「**らんちう**（卵虫、蘭鋳、金鋳）」は「まるっこ」と呼ばれたように、体形は短くて丸い。背びれはなく、他のひれも短くて、尻びれは二枚、尾びれは三つ尾、あるいは四つ尾である（二つ尾はない）。「おほさからんちう」という体全体が小判型で獅子頭（頭部にできた肉瘤《にくりゅう》）のないタイプ、「ししがしららんちう」という獅子頭が発達したタイプ、そして「なんきん（いづもなんきん）」と呼ばれる出雲《いずも》地方で飼育されていた体の後部が膨らんで全体が卵型をしたタイプがある。

「**りうきん**（琉金）」は体は短いが体高が高く、全体に丸みがあって、顔つきは愛らしい。長く伸びているひれをゆったり振って泳ぐ姿は優美で、「わきん」とともに日本人に大いに好まれて広く飼われた。ビードロの金魚鉢にいれて四方から眺めるのに適しているためもある。この「りうきん」と「らんちう」を交雑させて、日本で作られたのではないかと言われたことがあるのが「をらんだししがしら（和蘭獅子頭）」で、「りうきん」のような長いひれと、「らんちう」のような獅子頭が特徴である。蘭方医の広川獬《かい》による『長崎聞見録』（一八〇〇年）には、「獅子頭金魚」として「まれなる名魚にてその価も他魚に一〇〇倍せり」と書かれている。

「**つがるにしき**（津軽錦）」は弘前を中心とする津軽地方特産の金魚で、体は長く、背びれはないが、他のひれは長く、尾びれは体長の二倍もあって独特の体形をしている。体色の派手な赤色が鮮明な日本原産の金魚で、元来は暖地の魚である金魚に冬を越させるために独自の工夫を積み重ねたものと思われる。「津軽ねぷた」の出し物に「金魚ねぷた」があり、登場する金魚には背びれがなく胴が長めで他のひれが長めに垂れ下がっているという特徴があって、「つがるにしき」をモデルとしたようである。

〈江戸の金魚ブーム〉

金魚は、まず長崎などの西国に入り、それが上方に伝播《でんぱ》し、その後に江戸へと広がっていった。最初は金持ち階級の遊びで、元禄時代に米の売買で巨利を得た淀屋辰五郎《よどやたつごろう》（?～一七一七）が、ガラス張りの壁や天井でできた部屋を作って金魚を放ったという話がある。まるで水族館のようだが、当時すでに水をたっぷりいれても壊れないガラスの壁や天井の水槽があったかどうかは疑わしい。一六九四年に徳川綱吉が、「江戸中の金魚銀魚をみな没収し、七〇〇〇匹ほどあったが、藤沢の遊行上人の池に運んで放った」（朝日重章『鸚鵡籠中記《おうむろうちゅうき》』）という話があり、それが契機となって金魚を池で飼うようになってから、徐々に町人へも広がっていったようだ。

金魚屋の最初の記録があるのは『江戸雀』（一六七七年）のようで、この頃にいよいよ金魚が庶民にも売りに出されるようになった。ビードロの金魚玉が発明されたことが、庶民に広がる一大契機となったことは先に述べた。水を張って金魚をいれた桶《おけ》を肩に担ぎ、町中を売り歩く金魚の行商も増えた。金魚屋と植木屋はどちらも水を扱う仕事であったためか、上方では金魚と植木を一緒に販売していた店もあり、庶民の金魚熱と植木熱は軌を一にしていたのである。

このことは江戸の「科学」を考える上で面白い。庶民の趣味が動物（金魚）の飼育と植物

（アサガオやオモトなど）の園芸という形で、生き物とかかわり合って、手をかけて変化を見守る、という自然との「科学」的な対話を開始したと言えるからだ。現代流に言えば、生物の遺伝で生じる突然変異を見て、それをいかに固定するか（一代のみではなく同じ変異を持つ子孫を生み出すか）に腐心したのであった。植物なら接ぎ木や挿し木で突然変異の種を分離して何世代も作出し続け、動物なら親や子を系統的に交配するというような工夫をしたのである。

金魚を詠んだ最も古い俳諧《はいかい》は「をどれるや狂言金魚秋の水」（『新続犬筑波集《いぬつくば》』一六六〇年）のようで、金魚が水面を跳ねる様子を捉えている。「影涼し金魚の光しんちう屋」（『俳諧向之岡』一六八〇年）には、西鶴が引用した「しんちう屋」が登場している。与謝蕪村は「びいどろの魚おどろきぬけさの秋」（『五元集』一七四七年）と詠んでいるが、泳いでいる金魚が真横から見え、対話しているかのような気がしたのだろう。川柳では「びいどろに金魚のいのちすき通り」（『武玉川』一七六八年）があって、金魚までもが透き通って見える驚きが込められている。

〈金魚の飼い方指南〉

先に紹介した安達喜之の『金魚養玩草』に書かれている「科学的」な金魚飼育法を紹介しておこう。最初の「金魚のものがたり」と題する章に、「ある老人が言うには、金魚は後柏原《ごかしわばら》天皇時代の文亀二年一月二〇日に、初めて和泉国の堺の港に渡来した」とあり、この年を日本の金魚元年としている。もっとも、「その由来を書いたものがあったのだが、いつの間にかその書物は失われてしまった」となんだか頼りない。ともあれ、「金魚の卵があちらこちらに行き渡って、今やいないところがないくらい世に広がっている」と喜んでいる。以下、金魚のアレコレの蘊蓄話を聞いてみよう。経験に基づいた、なかなか的確なアドバイスをしている。

「**金魚の良し悪しの見分け方**」：まず金魚の体の部分を図で示して、「すずき口」「丸鼻」「鼻筋」「向こうゐら」「背びれ」「つちすり」「糞の穴」「ふし」「跡楫《あとかじ》ひれ」「金筒または尾筒」「四つ尾」と、口から尾びれまでの呼び名を示す。さらに尾については、四つ尾、三つ尾、楫尾、矢尾、房尾、鮒尾の六種類を図で示し、他にも、エビ尾、両ばね、片ばね、大開、中開、前揃《さきぞろい》、指尾、なかくぼ、ブドウの葉、獅子尾、一文字尾、十文字尾など数多く存在する、としている。変わった尾の金魚として、アゲハ蝶、箱尾、郭公《ほととぎす》（ホトトギスの尾に似た尾）、八丈（赤・白・黒の三色の縞模様）、熨斗《のし》尾もいると紹介しており、金魚の総ざらいである。

「**金魚の子を産む産まざるの見分け方**」：子を産みそうなのは、泉水のふちをいそがしそうに泳ぎ回り、きょろきょろする、と書いているが、これは役に立つ見分け方ではなさそうだ。

「**金魚の子の採り方の秘術**」：子を産む金魚は、例えば六日に産ませようと思えば、初日から三日までは餌を控え、四日五日には餌を多く与え、泉水に藻をいれるのがよい。六日目の朝四つ時（午前一〇時頃）から八つ時（午後二時頃）までの間に、雄の元気な金魚をいれて雌を追わせて、卵を産ませ、産んだ後には親を別の泉水に移す、とある。このあたりの助言は、「秘術」というのにはおこがましいが、なかなかのものである。

「**子の採り方の実際**」：日当たりが良いところに泉水を作って金魚をいれ、八十八夜（立春から数えて八八日目。太陽暦で五月二日頃）の一〇日前後から、晴天が五〜七日も続くような日に産卵させるとよい。孵《かえ》るのは産んでから五〜七日の間である。親魚に十分餌をやるよう。

「**金魚の卵が孵ったかの見分け方**」：卵が孵っても非常に小さく、これを見分けるには、大きな茶碗か鉢で内側が白い器を水の中にいれるとよく見える。

「**卵が孵ってから初めて水を替える時**」：卵が孵って日数が経って尾の形が見えるようになったら水を替えること。水の替え方は、泉水の中に竹のざるをいれ、ざるの中の水を柄杓《ひしゃく》で七割ほど捨て、水を入れる時はざるの中にゆっくりいれることである。水を度々替えてやると、金魚は早く成長する。

「**金魚の子の良し悪しの見分け方**」：孵った子の尾が、三つ尾、四つ尾だとわかったら、それらを上物として分けて広い泉水へいれて飼うこと。大きな金魚に成長するものは、首が大ぶりで、胴体部は細長く、全体にゆったりした魚である。首が小ぶりで胴体部が平たく締まっている魚は、尾などの付き方がよくても大きくならない。ずいぶん太って鱗が荒く、尾が厚く、尾筒が太く、全体として締まった魚はよく成長する。

「金魚の雌雄の見分け方」：雄はすらりとして細長く、鼻筋が平らで、口先が丸く、顔が小ぶりである。雌はしっかりと肥え、口先が尖《とが》り、目から肩までの鰓《えら》先が長い。また、頭が大ぶりで、鼻筋に筋が立っている。よく見定めてから雄と雌を別々の泉水にいれるべきである。

「赤子が湧く場所について」：大坂新内の内、吉原の堀や、野の淵《ふち》や溜まり水に、春彼岸頃から赤子（イトミミズ）が湧出してくる。清き水には湧かない。雑水の溜まり水を気を付けて見ると見つかるものだ。

「赤子の湧かせ方」：厩《うまや》の藁、米麦の研ぎ汁、雑水などの溜まりを作って、ごちゃごちゃ集めて腐らせれば赤子が湧いてくる。棒振り虫（ボウフラ）は、溜め桶に米麦の研ぎ汁などの雑水を溜めておけば湧く。

「餌のこしらえようとその効能」：赤子はよい餌で、いわば金魚の乳であり、卵が孵ってから四～五日ほどから用いるのがよい。棒振り虫も同じである。子が六、七分（約一・八～二・一センチ）から一、二寸（約三～六センチ）くらいの間は、棒振り虫を食べさせ、三、四寸（約九～一二センチ）になったら、ミミズを食べさせる。素麺《そうめん》は、茹《ゆ》でて水で冷やし、油分や塩分を出し切ってから食べさせる。また、麦ばかりの飯は、柔らかに炊いて水で冷やして食べさせる。シロギスや生イワシは、細く切って湯を通し、一月に二、三度やるようにする。金魚を太らせるのによい。鶏の卵は、一月に一、二度は煮抜き（固茹で）にして黄身だけを食べさせる。玉子餅はオオムギを粉末にしてカスを取り去り、卵で練って茹でて作る。水で冷やして細かく砕いたものを時折り食べさせるとよい。いろんな病気を治し、特に金魚の成長を早める滅多にない餌である。

「**体色をよく輝かせる方法**」：輝くような金魚にしようと思えば、餌をたくさん与えて太らせた後、平らな器にいれ、餌を止め水を替えずに魚を痩せさせ、その後餌を少しずつやると、色が輝くようになる。

「**金魚の病気**」：赤さび、黒さび、白さびなどの病気は、冬に寒気に当たったためで、金魚の体にちょぼちょぼできるから、毎日心がけて見るように。ふくれ病は糞《ふん》が詰まって腫れるのだが、卵を産むことができずに腫れることもある。鱗の中にシラミが湧く病気になると鱗が逆立って、魚がさも苦し気に見える。ぬまり病は、薄白い絹を着たようになって、汚くなっていく。

「**病気の金魚の養生**」：病気の金魚は、別の泉水またはタライに移して、毎日新しい水に替え、薬をやること。病気の魚と同じ泉水におくと、健康な魚に病気がうつるから、早く見分けて取り除くようにすること。

「**病気治療の大秘事**」：薬用の三七草《さんしちそう》は金魚の妙薬で、葉だけをタライにいれて水を加え、汁を搾って振りまくこと。赤さび、黒さび、白さび、ぬまり病、ふくれ病などに用いると非常によく効く。唐辛子は、目にかかり物ができたり、目が飛び出したり、糞詰まりで腫れたような場合、水中に振りかけるとよい。さび病にもよい。鱗が跳ね上がる病気にはタバコの灰を塗り付けるのがよい。魚を手の上に乗せ、頭だけを水がひたひたになるくらいつけおいて、鱗の上からタバコの灰を摺《す》り込み、鱗に入った虫の根を抜くようにする。はこや（木の皮）を水に浸すと、金魚の病気すべてに効きめがある。

「**金魚の毒**」：塩っけがあるもの、煤《すす》・諸々《もろもろ》の灰汁《あく》、油っけ、雨水が多量に入ったりすると金魚の毒となる。（青竹に潜んでいる虫は灰汁を出す害虫だから）青竹でなく枯竹で蓋を作るべきである。また、蓆《むしろ》などの新しい製品には灰汁があるから、水に漬けて灰汁を出してから蓋にすべきである。イタチは水中に入って魚を獲るから、よく気を付けること。イタチが多いところは春夏も夜は蓋をすべきである。目の粗い銅の網、または葦簀《よしず》のようなものがよい。板の蓋だと水気が籠もるのでよくない。

「**遠方に運ぶ時**」：明日の朝に運ぶとすると、今朝から餌を止め、一日に水を四、五回も替えて、全く新しい水で運ぶようにする。その道中や船中では餌をやらず、着いても一度にたくさんの餌を与えないこと。

「**泉水の作り方**」：土を一斗分（約一八リットル）と石灰四升（約七・二リットル）をよく練り合

わせて水を加え、三日の間に水を四〜五回替え、よく灰汁を取ってから魚をいれるのがよい。一畳敷きの泉水の深さが一尺（約三〇センチ）として、子なら一〇匹まで、成魚一〇匹なら同じ深さとして二畳敷きの泉水が必要となる。さらに多くの魚をいれようとするなら、これに準じて大きな泉水を作るべきである。水中にすり鉢のような魚だまりを作るのがよい。

「水の入れ替え時期」：（旧暦の）四月は産卵前で魚にさび病が出やすいので、油断なく水を替えるべきである。差し水として、毎日三割程度の水を捨てて、入れ足すようにするのがよい。何であれ魚は水が冷たいのを喜ぶ。水を替える時は、大ダライに新しい水をいれて魚を移し、泉水の水を入れ替えてから金魚をいれるのがよい。

「日覆いのこと」：夏の間は、高さが四、五尺（約一・二〜一・五メートル）ばかりの日覆いを葦簀で作り、日陰になれば覆いを早く取ること。冬は泉水の上に、直に竹のすのこ、または板などを蓋にして、その上に蓆のようなものをおくのがよい。天気がよい時は蓋を外して日に当てるのがよい。

金魚を飼う文化はその後もずっと続き、現代においても熱帯魚とともに室内愛玩動物として人気があるが、ランチュウやリュウキンのような異形の金魚を飼うのはむしろ珍しくなっているのではないだろうか。江戸時代には異なった姿の金魚に人々は次々と目を奪われたのだが、今や熱帯魚のような色鮮やかで異国風な姿態が好まれるようになったためであろう。夜店で金魚すくいをする文化も徐々に姿を消しつつある。なんとも寂しいことである。

鳥

江戸時代には、飼鳥が熱心に行われた。一般に人々が鳥を飼育する目的は、

①食用：肉や卵を利用する鳥——ガン（ハイイロガン）や赤色野鶏の家禽化
②愛玩：目や耳を楽しませる愛玩鳥——孔雀・インコ・キュウカンチョウ、大型で美しいキンケイやタンチョウ
③特殊目的：狩猟、占いや祭祀《さいし》、権力の象徴など、特別な能力を持つ鳥——伝書バト（カワラバト）・鵜飼《うかい》（カワウ・ウミウ）・鷹狩《たかがり》・闘鶏

のうちのいずれかであろう。そして、いずれも野生の鳥を捕らえて飼育してこれらの能力を高め、あるいは交配によってより優秀な鳥へと改良してきたのである。

例えば、伝書バトはハトの「帰巣本能」を利用したもので、『旧約聖書』のノアの方舟《はこぶね》の故事に登場するくらい古くからその特殊能力が知られていた。日本では江戸時代にオランダから

持ち込まれ、大坂の米問屋の相模屋《さがみや》又市が米相場をいち早く伝書バトを使って関係者に知らせ、莫大《ばくだい》な利益を上げたという（一七八三年）。もっとも、これは違法行為として処罰されたようだが、情報を早く伝えるのに、自分の巣に速く戻る習性を持つハトを利用したのであった。

あるいは、ウグイス・オオルリ・ホオジロなどの高度な囀《さえず》りが人々を魅了した。日本では鳥の歌の師匠は鳥で、歌の上手な鳥の囀りを自分が飼養する鳥に覚えさせたのである。ジュウシマツは、極めて複雑な歌が歌えるように日本で改良された。このように日本では鳥の飼育は盛んであったが、特に江戸時代において鳥を飼うブームが起き、そこにそれなりの「科学」があったことに注目したい。野鳥を捕獲して鳥の安定供給を行った鳥刺がおり、提供を受けた鳥屋が代々鳥の餌・病気・薬・繁殖のさせ方・囀りの音色の直し方・強い鳥と弱い鳥の見分け方・芸の付け方などを伝授したのである。

〈江戸の鳥ブーム〉

『南総里見八犬伝』（一八一四～四二年）で著名な滝沢（曲亭）馬琴（一七六七～一八四八）は愛鳥家であった。自宅でカナリアを中心にハトやイソヒヨドリなど小鳥を多数飼い、繁殖させていたことを『馬琴日記』（一八二五?～四八年）に書き残している。馬琴が小鳥の収集を始めたことを聞きつけた鳥屋が毎日のように鳥を持ってくるようになり、それに応じて飼っていたらなんと一〇〇羽前後にもなっていたという。それらには、カナリア・ウソ・ホトトギス・カッコウ・ヨシキリ・メジロなどがおり、ハトに関してはドバト・キンバト・ギンバト・アオバト・キジバトなど八種一七羽にもおよんだ。これでは鳥籠の置き場に困るだけでなく（家の庭にはチャボ・ニワトリ・コガモ・オシドリ・シギなどやや大型の鳥も飼っていた）、餌代も高くつき、異なった種類の鳥だからそれら各々に適した餌を与えて世話をしなければならず、とても面倒を見切れないとしてほとんど売り払ったそうだ。事程左様に、鳥の飼育にいったん嵌《はま》ると夢中になってしまうのは、鳥の愛らしさについ世話を焼きたくなるためであろう。

それ以後も、馬琴はカナリアなどを二〇年にわたって飼い続けた。「極黄」と評される全身が黄色のカナリア、「ぶち（斑）」と記される斑模様のカナリア、それに白い羽毛のカナリアを飼っていたのだ。そしてそこで、異なった品種のカナリアを番わせることで、親とは違った羽色の雛《ひな》が生まれてこないかと期待し、雛の雌雄や羽の色を非常に正確に観察し記録していた。

江戸時代の人々の鳥の入手法だが、主には「鳥刺」と言われた人たちが野鳥を捕獲して鳥屋に卸し、鳥屋は店舗販売・鳥の市・行商などを通じて人々に売った。また、鳥を飼っている人たち（「連」）の品評会・自慢会・情報交換会で、譲り受ける、交換する、安く買うというルートもあったようだ。むろん、海外から長崎や琉球を通じて日本に渡来して大名の手に渡った外国産の鳥が、鳥屋を通じて売買され、国内で繁殖に成功して普及したこともあった。しかし、吉宗が八代将軍に就任する（一七一六年）や、直ちに鷹狩を復活させ、一七一八年には鳥屋の数を一〇軒に絞るよう定め、以後、多少の規制緩和はあったものの、幕末まで鳥屋の店舗数制限が続いた。鷹の餌となる鳥（餌鳥）を保護するためである。もっとも、鷹狩は江戸を中心として関東で行われたため、京都や大坂ではあまり厳しく制限されなかったらしい。

江戸時代に庶民によって飼育されていた鳥は一〇〇種類以上で、日本産の小鳥としてはウグイス・メジロ・ヤマガラ・コマドリ、海外産ではインコやオウム、海外産だが日本で繁殖に成功して広く愛好されていた鳥としてはブンチョウやカナリアがある。これら多種多様な小鳥には、病気や怪我《けが》や飼い方の基本など共通する飼育法とともに、鳥ごとに異なった特別の飼育方法があり、ベテランの鳥屋といってもそれらすべてを知ることはできない。そこに登場したのが鳥の飼育書で、代表的なものが『喚子鳥《よぶこどり》』（蘇生堂《そせいどう》主人、一七一〇年）と『百千鳥《ももちどり》（諸鳥飼様百千鳥）』（泉花堂三蝶《せんかどうさんちょう》、一七九九年）である。鳥屋や熱心な鳥の愛好者を含めた「鳥飼」にとっては、鳥の飼育者から持ち込まれる相談事に応じ、時には鳥医者の役割を果たす上で大いに重宝したことであろう。

飼鳥史を調べておられる著述家の細川博昭氏は、『大江戸飼い鳥草紙』において、江戸時代に出された鳥の飼育書・解説書を一七種も紹介されている。むろん、直伝で秘匿されて一般の目に触れなかった書き物や歴史的に失われてしまった書物もあっただろうから、実際にはもっと多くの鳥の本が存在したことは確かである。細川氏の分類によれば、①鳥の総合解説書（飼育書）が八種、②特定の鳥の飼育書・解説書が五種、③百科事典などの鳥の部が四種ということになる。その他に付け加えるとすれば、④博物学的な意味で鳥の詳細な姿を観察し記録した本や図譜（図鑑）である「鳥の博物誌」も含めねばならないだろう。

まず①の分野では、『喚子鳥』、『諸禽万益集』（左馬介・源止竜、一七一七年）、『唐鳥秘伝百千鳥』（城西山人、一七七三年）、『百千鳥』、『飼鳥必要』（比野勘六、一八〇〇年頃）、『鳥賞案子』（比野勘六、一八〇二年）、『飼籠鳥《かいこどり》』（佐藤成裕《せいゆう》、一八〇八年）、『鳥名便覧』（島津重豪、一八三〇年）と、多数が挙げられる。いずれも鳥に関する古典的著作である。②の分野では、『鶉書《うずらしょ》』（蘇生堂主人、一六四九年）、『養鶯辨《ようおうべん》』（秋元万蔵、一八一八年）、『春鳥談《しゅんちょうだん》』（隅田舎《すみだのや》主人、一八四五年）、『鶯飼様口伝書』（鼓腹堂山人、一八四九年）、『鶯菊頂時鳥飼様秘伝《うぐいすきくいただきほととぎすかいよう》』（著者、成立年不詳）がある。①、②は、主に鳥屋・鳥飼が執筆したもので、自分たちが蓄積してきた経験と他の人々との情報交換で得た知識が書き込まれている。さらに鳥の飼育にかかわってきた武士（御鳥方など）も書き手には含まれている。むしろ、初期の頃は武士の方が多かったかもしれない。下々の者に教え諭すのに慣れ、本を書き出版することに抵抗がなかったからである。

③の分野では、『本朝食鑑』（人見《ひとみ》必大《ひつだい》、一六九七年）、『大和本草』（貝原益軒、一七〇九年）、『和漢三才図会』（寺島良安、一七一三年）、『本草綱目啓蒙』（小野蘭山、一八〇三〜〇六年）があり、

④では『訓蒙図彙』（中村惕斎、一六六六年）、『衆禽画譜』（松平頼恭、成立年不詳）、『観文禽譜』（堀田正敦、一七九四年）、『模写並写生帖』（佐竹義敦、一七八六年）、『百鳥図』（増山雪斎、一八〇〇年頃）、『蘭山禽譜』『諸鳥譜』（ともに小野蘭山、成立年不詳）、『水谷禽譜』（水谷豊文、一八一〇年）、『禽鏡』（滝沢馬琴・渥見《あつみ》覚重、一八三四年）、『両羽禽類図譜』（松森胤保、一八九二年）、『梅園禽譜』（毛利梅園、一八三九年）がある。③と④は主に武士階級の本草学者（および専属の絵師）が執筆・採図したもので、鳥の姿・形・習性など「科学」的側面も含めた記述とともに、名前の由来や文化史や利用のされ方などにも言及しており、まさに「博物誌」的観点からの記載となっている。ここには「科学」の萌芽《ほうが》がいっぱい隠れていると言えそうである。

むろん、ここから漏れたものの方が多いくらいだろうが、それだけ多くの鳥に関する書物が刊行されたのである。

〈江戸の鳥ブームがもたらしたもの〉

鳴き声の美しい鳥を飼うようになったのは平安時代の貴族で、以来日本人は鳥の囀りを愛してきたらしい。江戸時代になると、こうした鳥の飼育は庶民にまで広がっていった。高度な囀りで有名であったのがウグイス・オオルリ・ホオジロで、高価で売買された。『百千鳥』では飼鳥の上品なものとして「ウグイス、コマドリ、ルリ（翠鳥《すいちょう》）」の三つを、「本朝三鳥」と称して日本の名鳥だと評している。先に少し言及したが、日本では、上手に歌わせるために優れた囀りの鳥を若い鳥のそばにおいて囀りを覚えさせるという方法を採用した。これを「付子」と言う。そのために優れた囀りの鳥は引っ張りだこで、特に高値になったらしい。

多くの鳥は成長のある決まった段階でしか囀りを学習できないが、カナリアには長い期間にわたって囀りを教え込むことが可能で、飼いやすく丈夫であることから人気になった。江戸時代には「白カナリア」が作出された。また、コシジロキンパラを改良して野生に存在しないジュウシマツ（十姉妹）が生み出されたが、その後の改良で極めて複雑な歌が歌えるようになり、先祖を遥かに上回る能力を身に付けた。その理由は、近年の研究によれば、野生のものと比べると脳の構造が大きく変化したことにあるという。飼鳥が歌う能力を新たに開発したのである。ただし、すらっとした立ち姿の「細カナリア」や全身の羽毛が巻いている「巻毛カナリア」は明治になって作出されたものである。誤解なきよう。

平安時代から人間に馴れる鳥としてはスズメがよく知られ、「手乗り鳥」として人々に親しまれてきた。スズメは人間を個体識別する能力を持ち、家の中で好きな人間と好きではない人間を区別できるのである。江戸時代に輸入され繁殖に成功したブンチョウ（文鳥）は、単独で飼われ、人の手で餌を与えられて育った個体ならば、人の手を恐れず、手の上で寛《くつろ》いだり眠ったりする性質があり、「手乗り文鳥」として親しまれるようになった。また、江戸時代にはヤマガラが籠の中で吊《つ》るした丸い輪を通り抜ける「輪くぐり」や、紐《ひも》の先にくくり付けられた餌を足で手繰り寄せて食べる「つるべ上げ」という芸があった。鳥の習性に応じて芸を覚えさせ、見世物にしたのである。

小鳥の囀りの美しさを競ったのが「小鳥合わせ」で、ウグイスとウズラが主役であった。ウズラは、最初は庶民が流行の中心で、『鶉書』が発刊されるくらい人気になり、その後明和・安永年間（一七六四〜八一）には武士も加わって再びブームとなった。この時は「金銀を鏤《ちりば》め、唐木象牙螺鈿高蒔絵《らでんたかまきえ》」の鳥籠で飼育されていたらしい。ウグイスには鳴き方を教え込むことができるが、ウズラの鳴き方の良し悪しはほとんど遺伝で決まることが、当時すでに知られていた。従って、「小鳥合わせ」でよい成績を収めたウズラの親を確保してその血統を保つことが重要になったわけで、そのような番いに卵を産ませ、雛から育てるのが商売になったらしい。

商売で小鳥の繁殖を系統的に手掛けるようになると、たまに突然変異によって羽色が異なった雛が生まれることがある。それは珍しいというので、その形質を持った子孫を残し、さらには安定的に生み出すように努力する。その結果、品種改良や新品種の作出に繋がったのは、さまざまな変化アサガオを作り出したのと同じ発想である。動物の場合はもっと意図的に、異なる種を交配させて新しい品種を生み出そうという「科学的」発想も生まれた。現代では、同じ科に属していないと新品種は生まれず、たとえ生まれても子孫ができない不妊性となることがわかっている。それを知らない江戸の人たちはさんざん「異種交配実験」を繰り返したのであろう。その唯一の成功例が、同じカエデチョウ科に属するジュウシマツとブンチョウの親から生まれた「ジュウブンチョウ（十文鳥）」であった。

〈**鳥飼育の指南書**〉

①の鳥全般に関する代表的飼育書として掲げた『喚子鳥』と『百千鳥』、そして、②の特定の鳥であるウズラについて書かれた『鶉書』の内容を紹介しておこう。いずれも江戸の鳥ブームを支えた、経験知が詰まった著作である。

『**喚子鳥**』

「**さまざまな鳥の餌飼《えかい》の作り方**」

すり餌：はや・雑魚を焼き乾し、米と糠《ぬか》をいれた粉を青葉の汁でこねたもの。さらに鳥によっては生餌・はったい粉・くるみ入りとする。

生餌：はや・雑魚に鮒《ふな》を混ぜ、その他川魚をいろいろ交える。

はったい粉：玄米一升・糠一升五合をいれて挽《ひ》いて粉としたものをふるいにかけ、はったい粉としたもので、どの鳥にもよい。

青味：せり・ダイコンの葉・菜の葉・ほうきぎでよい。
くるみ：火で温めるのがよい。
つみ餌：あわ、ひえ、きび、米、エゴマ、くるみなどをそのまま鳥にやる。
白餌：すり餌に青味をいれずに、生餌とはったい粉とくるみの三つをいれたもの。

「**小鳥が患った場合の良薬**」

餌を食べなくなった時：唐辛子を刻み水につけて、赤くなった水を飲ませる。また、茹でた卵の黄身・棒振り虫・細いミミズ・蠅《はえ》を餌に混ぜる、あるいは餌の上において食べさせる。
足を痛めた時：足が腫れて痛む、あるいは腰が抜けた時は、大鷹の糞または鷹の爪草の葉を摺って付けるのがよい。弟切草《おとぎりそう》・よもぎ草も足によい。
足を患い、口を患い、腰を抜かした時：いかなる病気も付子鉄漿《ふしかね》・歯黒の汁で溶き付ける。
虫が湧いた時：尾を逆向きにして、タバコの煙を吹きかける。
糞詰まりの時：紅粉を溶き、餌に混ぜて食べさせる。

「**籠の内の掃除**」

止まり木を洗い、下側も洗い、とかく籠の内はきれいにするのが鳥のためによい。
水浴び用のため、タライに下から二分ほど昇るくらい水をいれ、水籠に止まり木を一本さし、鳥の気が済むまで浴びさせるのがよい。水を好く鳥も嫌う鳥もあるが、いずれも浴びさせてよい。ウズラ・ヒバリの類は砂で飼い、水はよくない。

「その他」

鳥の餌は鳥を数多く飼う人の家でこしらえてもらい、難しい時は鳥屋から合粉でも生餌・はったい粉・つみ餌でも取り寄せるのがよい。雀に紅粉を多く使うと毛色が赤く見事になるそうだ。

以上、鳥の餌や病気についてこまごまと詳しく書いて丁寧だが、実は、ここまでしか一般的な飼育法についての記述はない。目次には「飼っているうちに毛色が変わること」、「小鳥の餌飼をかげんすること」以下、「小鳥の芸の付け方はいろいろあること」まで、一二項目が予定されているが具体的な記述はない。そして、以降は総計一二四種の小鳥についての個別の解説と餌の作り方が記されていて、むしろこちらに力点がおかれているとも言える。

例えば、最初に登場する「**杜鵑**《ほととぎす》」**の項**では、

餌飼：生餌一匁《もんめ》、五分くるみ一つ、粉一匁、しばらくは白餌よし。

大きさは鳩くらいで、鷹の斑に似ている。荒鳥《あらどり》は飼鳥《かいどり》になりにくい。子飼いはともに飼

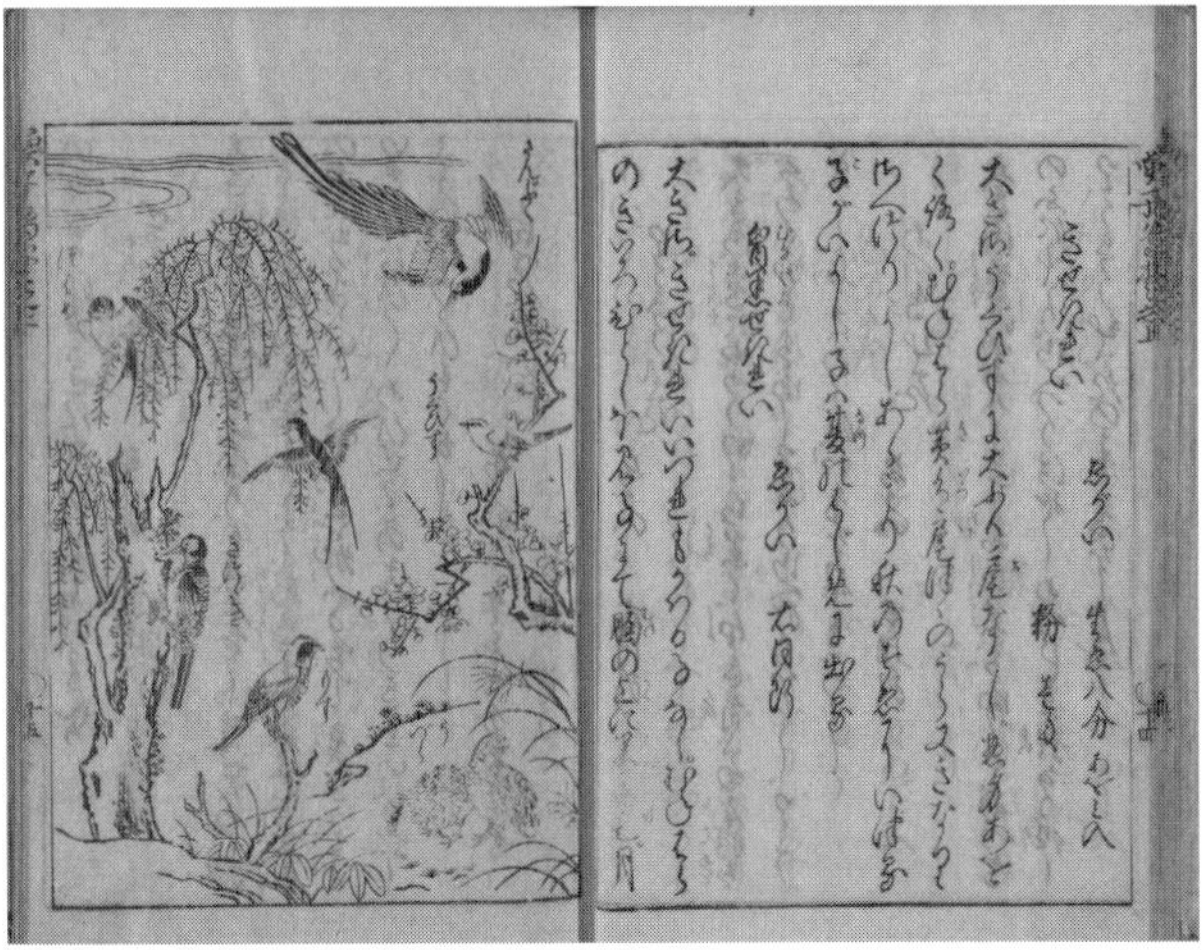

蘇生堂主人『喚子鳥』。絵も交えながら、鳥の飼育方法を解説している。
（国立国会図書館デジタルコレクションより）

い難い種類である。夏の間に巣から出る子を飼うのがよい。ホトトギスの子に似た鳥がいる。オオムシクイまたはカッコウで、これらの種類はとてもよく似ている。色が浅く、口の中が紅のように赤いのがホトトギスである。指はどれも二本ずつで、前後に踏み分けて止まる。寒気に傷むとその年は越え難い。

などといった情報が書かれている。また、次の「**鶯**《うぐいす》」の項では、

餌飼：生餌七分、青味入り、粉一匁。
　大きさは雀に似て、毛色黒青く、きれいな鳥である。荒鳥を藪鳥《やぶとり》と言

い、秋の末より春の初めまで出る。巣子は夏の初めに出る。囀りが大きいのに善悪《よしあし》あり。上品を三光引き鳥と言い、中品を三光つぶまたはむじと言い、下品は藪鳥野ごえである。付子を行う。巣子を取り、よき三光引き鳥を聞かせることである。聞き習うと三光を熱心に行うものである。三光には善悪品々があり、入り乾し、乾し抜け、おかな、などの癖もあり、詳しくは書き尽くせない。

というふうに、実に細かな注意を与えている。これが一二四種もの鳥について書かれているのである。読者は、前半の一般的記述を参照した後、後半の自分が飼おうとしている鳥についての具体的な飼育法を知ったのであろう。当時すでにこんなにも多種類の小鳥を飼うようになっていたわけで、驚く他ない。

『百千鳥』

この書の「序」において、面白いことが述べられている。

私は、壮年の頃から小鳥を好んで常の楽しみにしてきた。ところが、ある人が非難して、「野鳥は空中で羽を広げて心のままに飛び回り、花に宿り林に遊ぶ。ところがなんだ、籠に閉じ込めて人の心は楽しいのだろうか。鳥の心はそうではあるまい。孫明府が白鷳《はっかん》を放した故事も、このような鳥の心を思いやってのことだろう。籠の中で囀る声は苦しみ声に違いない。鳥がまさに死ぬ時に鳴くことの悲しさを知らないのか。無益な殺生であるぞ」と言った。

そこで、私が答えたのは、「野鳥は霜雪に寒さを被り、風雨にもまれ、餌や水に困り、鷲や鷹に襲われることもある。籠の中にいると寒暑の苦しみがない。飼鳥の徳と言うは、朝起きて食べ物があり、昼間の退屈には気を紛らせ、役に立たぬ昼寝をしなくなり、生き方が自然に強いられない。詩歌の種となるような囀りを聞き、清らかな羽根ぶりで中風の病がなくなる。しかし、あなたの言葉とは鶍《いすか》の嘴《くちばし》のように、食い違うこともある。飼鳥も下手に飼われると命を縮めるが、これを救うことを願って一冊を綴《つづ》ったのだ。この書が、餌飼の方法を正し、病鳥の養育法を書き記し、よき人の一助となされるよう『百千鳥』と題した。桜木にとまって囀ることを願う」ということであった。

つまり、籠にいれて鳥を飼うことは、本当に鳥にとって幸せなのだろうか？と、この作者は自らに問いかけ、それを正直に書いているのである。また、鳥は下手に飼われると命を縮めるとも書いており、飼い主の自覚・責任を促している。さらに、野鳥のまま自然の厳しさの故に短命であっていいのか、籠にいれられ人間に守られて自由を失っても長命がいいのか、鳥の身にならない限りわからないというわけだ。小鳥（一般に動物）の飼育を単なる遊びに留めておかず、何が幸福なのだろうかと自らに問いかけているのだ。そこで、飼育するにおいては最善を尽くさねばならない、というわけである。そして以降では具体的な飼育についてのアドバイスをしていく。ここでは、特殊用語が出てくるところと、作者が特に力点をおいたと思われるところのみを抜粋しておこう。

「**トヤのこと**」：鳥は七月末から八、九月にかけて羽が抜け替わって新たに羽が生じる。これを「トヤ」と言う。ウグイスやコマドリは、トヤの時には四、五度はえびづる虫（葡萄蔓虫）を喰《く》わせるべきである。

「**ハバキの取り方**」：脛《すね》に皮を重ねて、脛が太くなって足の痛みとなることを「ハバキ」という。水を浴びせ、竹のへらを脛の皮に差し入れてゆっくり剝《は》がしてやることだ。

「**足腫《あしけ》のこと**」：止まり木に摺餌がこびりついていると、その上に鳥が止まるためアシケが出る。折々に止まり木を掛け変えること。

「**糞詰まり**」：尻尾を上げて振る時は糞詰まりで、牡蠣《かき》の貝殻を粉にして水にかき混ぜて飲ますとよい。これを「ボレイ」という。

「**わくも虫**」：「ワクモ」という小さい羽虫のような虫がいて、一夜で増えて、だんだんと羽の根から食い尽くす。アサガオの葉を煎じて洗うとすぐに取り除ける。その煎じ汁で籠まで残らず洗うべし。

「**怪我の場合**」：籠の目などで怪我した場合、傷口から腫れるから、竹のへらで突き破ってやる。足腫痛にはオハグロを沸かし、附子《ふし》の粉をいれて冷まし、痛む足に付ける。それでも治らない場合は、松草を煎じて洗うのがよい。何となく腫れて元気がない時はニンジンを煎じて飲ます。モグラの黒焼きを水とよくかき混ぜて用いるのもよい。足が折れた場合には、黄柏の粉を塗り、柳の皮で巻く。羽虫が多い場合、鳥の頭だけを穴を開けた紙袋から外に出した状態で、紙袋の中をタバコの煙で三、四度燻《いぶ》す。

「**ボウフラ**（**子々虫**）」：小鳥にはボウフラが第一の薬である。鳥の餌付けや病気の鳥によい。赤い虫ではなく、天水桶やどぶに生じる黒いボウフラがよい。蚊になる虫である。

「**蝗**」：イナゴという虫は稲から湧く。熱湯で殺し、干して使う。紙袋にいれて陰干しにするのもよい。足と羽根を取り去って使うこと。鳥の餌付けや病気の鳥に使ってもよい。

「**羽変わり**」：羽変わりの時には白くなったり柿色になったりする。初め、頭の羽から少しずつ白くなり、嘴が次第に白くなり、爪も白くなる時は本当の羽変わりで、やがて全体が白く変わる。風切り羽または背中・尻尾から白くなることがあるが、これは「痛羽」で、体の痛みから羽が抜け変わる場合である。

「鶯の子の仕立（養成）」：ウグイスは、羽色は美しくないが声がよく、囀るのを聞いて詩歌に詠われたので「歌詠み鳥」とも、「法華経《ほけきよう》」と囀るから「経読み鳥」とも、「人起こし鳥」とも呼ぶ。良い親鳥を選んで子どもにその囀りを聴かせるようにする。一番子は、二月末から三月初めに生まれるから、親鳥の声を聴くことが長く、その上丈夫だから声が大きい。ウグイスの子は飼い難いように思えるが弱いわけではない。毎日、朝昼夜の三度霧水を吹きかけるのがよい。こうすると全部が達者に育つ。霧水のことは秘事であるが、皆さんのために公開するものである。

「付子」：子を籠や箱にいれて親鳥の周りに並べることである。日数を少しおいて親鳥を高い場所に移し、子の声を聴かせると親鳥はよく鳴くものである。上方では、三尺四方くらいの箱を揃《そろ》え、箱の中に口が細い壺《つぼ》をいれ、箱の蓋に丸く穴を開け、その箱の上に同じ大きさの穴を開けた籠をおいて中に親鳥をいれておく。声の響きが箱の中の壺に響いて格別によく聞こえるためだ。親鳥の音が入るまでそばにおき、冬至頃から毎夜に時を決め、初めの四、五日は夜五つ頃（午後八時頃）まで夜飼いすべし。それから後は、四つ頃（午後一〇時頃）まで二回りほど行灯《あんどん》の明かりを明るくし、箱の中に明かりが差すようにする。明かりを消さなければ鳥は眠らない。こうするうちに、徐々に鳴き出すものである。

「**夜飼い**」：冬の間に日を長く感じさせて春の季節と思わせることである。夜飼いの間は、常より下餌二分を増やす。冬至頃から親鳥を夜飼いして声を出させて、それへ子を付けるのがよい。これを「押し付け」という。ウグイスにはいろいろあるが、「むじ鳥」といって「法華経」と鳴くのを良しとする。昔は笛を吹いて教えたものだが、今は「笛付き」といって、子の間から口笛で教えるとよく覚える。しかし、笛付きの鳥は口笛の音が抜けず、その鳥より三代経ても口笛の音が抜け難くなる。また、月日星と鳴く「三光」というのがある。他に「ツブ」というのもある。これは「法華経」というところを「ケチョケン」と鳴く場合だ。さらに、「こけ藤」というのもある。三光、ツブ、こけ藤、皆鳴き損ないの鳥である。

「**馴れない鶯の餌付け方**」：秋八月頃に生まれたウグイスは「飛鳴き」といい、梢《こずえ》を渡る。これを捕まえて餌をやるのを「割り餌入り」という。下餌は、はや七分、粉一匁を青味をいれずに白餌にして、餌の上にクモか蝿をおく。捕らえたウグイスを手早く籠にいれ、半時ほど過ぎて他の籠に移す時に口を割らせて摺餌を喰わせる。そして、紙張りの籠桶か風呂敷をかけておけば、虫を喰い、水を飲む。その時、餌の上に墨でポチポチと点を打っておくと、虫と思って喰いつくものである。摺餌の中に摺った鰹《かつお》節《ぶし》を少し掻《か》き入れておけば、野肉に引けをとることがない。これは口伝である。どんな鳥でも馴れていない間は暗いところへいれておき、割り餌にすれば餌付けできる。ウグイスは時に鳴くのを止めることがある。これにはタニシから殻を取ってよく潰し、水に浸してから飲ませるのがよい。

以上のように、ウグイスの飼い方について非常に詳しく書いており、「秘事」とか「口伝」と称して、いかにも秘密めかしているところが面白い。いずれもさまざまな経験の上に見出《みいだ》した飼育法で、夜に行灯で明るくしてウグイスに春が来たと錯覚させて、正月に鳴き合わせをさせていたことがわかる。現代流に言えば、鳥のバイオリズムを狂わせる方法で、江戸流の「科学」の片鱗《へんりん》が窺える。

これらの飼育法に続いて、『百千鳥』では八八種の小鳥名を挙げ、『喚子鳥』と同様に餌から習性、特別な育て方に至るまで解説を行っている。ただ、『百千鳥』ではシギ類やスズメ・ツバメ・ムクドリなど身近な鳥を省いている。あえて書く必要を認めなかったのだろう。『喚子鳥』から九〇年ほど経《た》った後の『百千鳥』までの飼育法の変遷を見れば、その間に得られた小鳥に関する知識が豊富になったことがわかる。

さらに、「唐鳥を庭籠にいれて雛を生じる部」を設けており、唐鳥(外来の鳥)ですでに子どもを産ませたものとして孔雀《くじやく》・タンチョウ・ブンチョウ・カナリア・ジュウシマツなど一八種、「庭籠にいれて子どもを産まない部」としてダチョウ・オウム・ハッカチョウなど二二種を列挙している。外来鳥が数多く入ってきており、飼育したり、卵を産ませたり、雛を育てたりしていることまで記述しているのである。単なる鳥愛好家の書ではないと言うべきだろう。

『鶉書』

この本の著者は蘇生堂主人となっていて『喚子鳥』の著者と同名である。同一人物だとすれば六一年の間をおいて二冊を執筆したことになるが、当時は寿命が短かったことを考えると、とても同一人物とは思えない。しかし、それ以上の詳細はわかっていない。

そもそも鶉は、冬はアジアの南方、夏は北日本を行き来していた渡り鳥であった。日本では鎌倉時代に野生の鶉を捕らえて飼い始め、江戸時代に繁殖させて雛から育てた。最初は武士が、やがて町人が、鶉の鳴き声を競い合ったが、これを「鶉合わせ」という。雄は繁殖期になると、聞き方によって「グワックルルル」とか「ゴキッチョー」と聞こえる大きな声を張り上げて、朝早くに鳴く。だから鶉合わせは早朝に行われた。江戸の鳥好きが早朝に起き出して、鶉を籠で運んで声の美しさを競い合ったのである。この鶉合わせで勝つと高値で取引されたので、飼育にも熱心になったのだ。

ここに紹介する『鶉書』は問答形式という、飼育書にしては変わったスタイルで書かれている。作者の蘇生堂主人が上野の東叡山《とうえいざん》寛永寺で、老人が一服していたところに話しかけると、実に博識であるのに驚いたという「まえがき」がある。そこで、最近では鶉を飼うのが大流行していると水を向けると、老人は鶉のことについて知識が豊富で、いろいろ尋ねたという次第で鶉問答が始まった、との筋立てとなっている（以下、現代語訳に際して『日本農書全集60』を参照した）。

最初の「**鶉の声の優劣について**」という項目では、まず「鶉のよい体形とはどんなものか」との質問から始まる。答えは「頭が大きく、嘴の付け根がくびれず、首が長く、胸が出て肩が張り、口が広く、胴の長いのがよい」とし、「色は頬から胸までが柿色で赤みがあるのがよく」「手にとってみた時の鳥の体がやわらかなのが上等」と、非常に具体的で実践的である。そして「上等の声とは、胴から大声を出し、第一に調子がよく、『いろ（音色）』と『におい（声の張り）』がよく、後の方へと声を張り上げて長く引くもの」と言う。いかにも説得力がある。

この対話では、「強音」「細音」「引き鳥」「ひこえ」「ふける」「さび」「本音」「からむ」「筋」「ころばす」「こかす」「さける」「しわ」「つける」「はずれる」「ひら音」「とや」など、多くの特殊な用語が出てきて、隠語のやり取りのような感がある。鶉を飼い慣れた人間を読者として想定しているのだろう。また野生の鶉の声の聞き方で優劣を判断する方法を問うと、「風を避けたところで『いろ』や『調子』を聞き、その後風下で『におい』を聞くと優劣がわかる」と答えるのだが、あまり具体的ではない。

もっと詳しく尋ねると、「『いろ』は音の動きをいい、動きを『こかす』のも『ころばす』のも『いろ』である」というが、要領を得ない。もっと聞《き》き質《ただ》すと、「『ころばす』というのは浅瀬などにさざ波が立つような細かい動き、『こかす』は海原の波が大きくうねるようなもの」と解説する。また「『におい』は身近に聞こえるもの、勢いによるもの」だというわけで、相変わらず要領を得ない問答であるが、これで鶉を飼う人にはわかったのだろうか。

続いて「**鶉の病気と手当て、その他**」と、病気の鶉に対する具体的・実践的な飼鳥法の問答に移る。胸が痛い鳥には三七草の根を刻んで水入れにいれ、時々裸虫（羽根のない虫）を食べさせるべしと、これは具体的である。以下、胴を打った鳥、肘を捩《ね》じった鳥、腿《もも》を捩じった鳥、体の不自由な鳥、脚の折れた鳥、痩せて毛色の悪い鳥、糞詰まりの鳥、羽の根元を痛めた鳥、翼の関節を痛めた鳥、脂肪の付き過ぎた鳥、膨れてうずくまる鳥、下痢をしている鳥、羽虱《はじらみ》の付いている鳥、嘴の付け根に瘤《こぶ》ができている鳥、眼《め》が腫れあがった鳥、鼠に喰いつかれた鳥、脚に糞などが付いて厚ぼったくなっている鳥、夜動き回る鳥など、鶉だけでなく鳥一般が罹《かか》る病気や怪我について、その症状とともにどのような手当てをすべきかを述べていて「鳥の病気百科」の感がある。そこまで鳥に関する詳細な知識が累積されてきたのであろう。

さらに、なかなか鳴き始めない若鳥対策、鳴かなくなった時の対処法、換羽の時の餌や爪・嘴の身ごしらえ、春と夏の飼養法などについても細かく注意を与えている。まさに江戸時代に到達した、経験的飼鳥法の極致と言える。最後に、鶉の見方の口伝として「舌の付け根と顎《あご》が大事」だが、「秘中の秘」なのでそれ以上は秘密だとしている。

『鶉書』は、当時の飼鳥ブームを総括しており、江戸の「科学」の一つの到達点と言える。経験知として、行きつくところまで行きついているからだ。

虫

子どもたちは虫が好きである。というより、動く虫がいれば捕まえてみたくなり、手の上で遊ばせ、互いに競わせてみたりする。小さな図体のくせに、せかせかと動き回り、空を飛ぶことができる昆虫に憧れを持つのだ。虫籠にいれてキュウリやキャベツを餌にして飼うこともあるが、たいていは長生きしない。しかし、野外にはたくさんいるからあまり虫の生死は気にせず、採集に夢中になる。同じ昆虫の仲間でも少しずつ変わったものもいるので、それらを集めて並べてみたくもなる。好奇心旺盛な子どもにとって、虫は遊びの相手として最高で、それはどの時代でも変わらない。

これに対して大人は、光る虫とか、美しい音を聞かせてくれる虫に心を惹《ひ》かれる。目や耳を楽しませ、幻想の世界に誘《いざな》ってくれる虫を愛《め》でるのだ。『万葉集』には多くの昆虫が登場して、人の心の機微を表す役を果たした。例えばコオロギ（蟋蟀）は鳴く虫の代表として秋の訪れを告げてくれる。平安時代の清少納言は『枕草子』第四三段で、「虫は、すずむし（今のマツムシ)。ひぐらし。てふ。松虫(今のスズムシ)。きりぎりす(今のコオロギ)。はたおり(今のキリギリス)。われから(割殻、海藻に着く虫)。ひをむし(今のカゲロウ)。蛍。」と近しい虫の名を多く挙げている。しかし、文学的にはすぐ後ろに続く、みのむし、ぬかづき虫(米つき虫)、蝿、夏虫(灯火に集まる虫、火取虫)、蟻《あり》の方に興味が強かったようだ。一方の紫式部は『源氏物語』の「鈴虫」で、鈴虫(今のマツムシ)と松虫(今のスズムシ)の鳴く音の比較をしており、その各々に込めた思いが偲《しの》ばれようというものである。物言わぬ虫に仮託して人生の一端を語ろうとしたのであった。

〈江戸の虫ブーム〉

虫にかかわる言葉も、鳴く虫を採集し、宮中に献上する「虫選び」、竹筒を用いた虫採集法である「虫吹き」、虫の声を聴き分ける「虫聞き」、虫の鳴き声の優劣を競う「虫合わせ」、捕った虫を好みの場所に放つ「虫放ち」など、実にいろいろある。かつては虫を飼うのは高い階級の人間の趣味であったが、江戸時代に入ると庶民が虫を飼い、誰もがその音を楽しむようになったのである。

虫売り

寛政の頃（一七八九～一八〇一）、神田のおでん屋の忠蔵が野外で捕ってきたスズムシを売っていたが、思いの外に繁盛したのでおでん屋を廃業し、ついに「虫売り」に転業して本格的に「虫屋」になったという。スズムシの声を楽しむために飼う人が増えたのだ。彼は顧客と協力して、甕《かめ》の中に土をいれてスズムシに産卵させ、それを室内におき冬のさ中に部屋を暖めて孵化《ふか》させ、野生のスズムシより早く成虫にして高値で売り出し大儲けしたそうである。虫のバイオリズムを狂わせる養殖を行ったのだ（これには養蚕で開発された技術が応用されたようで、養蚕技術についてはすぐ後に述べる）。さらに、ホタルやタマムシなど見た目に映える虫から、カンタン・マツムシ・クツワムシなど鳴く虫まで養殖するようになって、虫の演奏を楽しんだのである。こうなると、春五月からお盆の終わる秋まで虫売りの商売ができる。そんな努力もあって虫売りの業者が増え、その数を三六人に制限するという法令が出されたほどである。幕府は何事にも口を挟んで、アレコレ指図したがったのだ。この制限令は水野忠邦（一七九四～一八五一）の天保の改革の際に廃止されている。

虫の標本

鳴く虫だけでなく、姿の美しいチョウやトンボ、さらに多くの昆虫を採集し観察して、その姿を図譜として残すことは多くの博物学者たちが試みている。例えば、細川重賢の『昆虫胥化《しょか》図《ず》』（一七五八～七二年）、『虫類生写《いきうつし》』（一七五八～六六年）、佐竹義敦の『龍亀昆虫写生帖』（一七七八～七九年）、栗本丹洲の『千虫譜《せんちゅうふ》』（一八一一年）、飯室楽圃《いいむろらくほ》（一七八九～一八五九年）の『虫譜図説』（一八五六年）、水谷豊文の『虫豸《ちゅうち》写真』、川原慶賀の『昆虫図譜』、大窪昌章《おおくぼまさあき》（一八〇二～四二）の『虫類図譜』、吉田雀巣庵《じゃくそうあん》（一八〇五～五九）の『雀巣庵虫譜』（『蜻蛉《とんぼ》譜』、『蜂譜』）、松森胤保の『両羽飛虫図譜』などである。

武蔵石寿は虫の標本を盃《さかずき》形のガラス皿にいれて綿を詰め、その底に和紙を糊《のり》付けして密閉している。天保年間（一八三〇～四四）に作成したものだが現存しているそうだ。また、天保・弘化年間（一八三〇～四八）に讃岐《さぬき》の金毘羅《こんぴら》に住んでいた絵師の合葉文山《あいばぶんざん》（一七九七～一八五七）が集めた蝶と蛾の標本は、紙片を薬包紙のように折ってその中に虫をいれていて、現在も保存されている。二〇〇年近くを経た虫の標本であるだけに貴重である。

蚤《のみ》合わせ

このような高尚な趣味だけではなく、「蚤合わせ」も行われたようだ。蚤を飼う趣味（?）を持つ人たちがそれぞれ自慢の蚤を持ち寄り、虫眼鏡で蚤の色や艶や形を詳しく見比べ、さらにジャンプ力を競わせたのである。男たちが密かに寄り合って蚤の姿をしげしげと観察し、跳んだ距離や高さを記録して勝ち負けを決める姿を想像すると、なんとも滑稽で思わず笑ってしまう。飼い主たちは、飼い蚤に自分の腕の血を吸わせて健康に育て、思う存分飛び跳ねられるよう小型の蚊帳《かや》の中で鍛えたという。愛蚤になんとも涙ぐましい丁重な扱いをしたのである。フランスには「蚤のサーカス」という見世物があって、蚤に荷を引かせたり、ボールを蹴らせたり、ダンスを踊らせたり、ジャンプさせて輪をくぐらせたりしたそうである。日本ではそこまで芸を仕込んではいなかったが、小さな蚤に翻弄されながら、その動きに興じる姿、江戸の人々の無意味だが生き物と楽しむ姿が何か羨《うらや》ましくもなる。

蜜蜂

実用的な価値がある虫はミツバチと蚕だろう。日本で養蜂が盛んになったのは江戸時代に入ってからである。木村蒹葭堂は『日本山海名産図会』（一七九九年）を著しているが、その蜂蜜の項でミツバチ社会の分業体制や巣分かれについて、紀州熊野において観察した結果を併記している。小野蘭山は『本草綱目啓蒙』（一八〇三〜〇六年）に、「蜂蜜は各地で生産されているが、すべて熊野蜜の名で薬店で売られている」と書いているから、熊野は蜂蜜の最大の産地であったのだろう。また、栗本丹洲は昆虫の図譜である『千虫譜』をまとめているが、その本の最初でミツバチが巣を作れるように米俵に土をいれた養蜂巣箱を図示し、そこに多数のミツバチが群がって巣に出入りする様子も描いている。大蔵永常は農家に対して、穀物のみに固執しない多角経営を推奨したが、その一つとしてミツバチの蜂蜜や密蠟の恵みをいただくことを『広益国産考』（一八四四年）に書いている。同書では、秋がくれば巣箱の蓋を叩《たた》くとミツバチは巣の後方に移るので、そのすきに巣の三分の二を切り取って蜂蜜を取り出したとある。残り三分の一を残しておけば蜂自身が泥を運んできて復元するのだと言っている。

ミツバチは自由奔放に飛んで蜜のありかを見つけ、仲間にダンスでそれを伝えて集団で蜜の採取をするという習性をカール・フォン・フリッシュ（一八八六〜一九八二）が発見した。ミツバチはただ無意味に飛び回っているのではなく、チームを組んだ社会性の動物なのだ。江戸時代にはミツバチを飼って蜂蜜を採取する人々がいて、蜂蜜は医薬品あるいは甘味料として重宝され、貴重品扱いであった。

蚕

蚕は、虫の部には入るが、音色や美しさを愛でたのではなく、もっぱら実用目的で飼われ、研究された長い歴史があるので別項として述べることにしよう。

最初、蚕が脱皮を繰り返して作る繭《まゆ》の中の蛹《さなぎ》を人々は栄養源として食べていた。やがて、繭から生糸をとって絹布を織り、衣料として使うようになった。絹布は高価で取引されたから、生産性を上げようと人間は長い年月をかけて蚕の家畜化に精を出した。その結果、蚕は野性を失って、飛ぶことも桑の木に登ることもできなくなり、人間が供給する桑の葉を食べるだけとなった。要するに、人間の手で飼われなければ生きていけなくなってしまったのである。やがて蚕の繭から作った生糸や絹布を交易に使うための養蚕技術が中国から西域諸国へ、そしてヨーロッパへと伝わった。その見返りとして西欧の文化や産物が中国に移入されたことを考えると、蚕は東西文明の架け橋となったのだ。まさに「シルクロード」の名の通りである。

日本には四〜五世紀頃には、渡来人によって養蚕と機織りの技術がもたらされたことが『古事記』や『日本書紀』などからわかり、歴代の天皇は養蚕・機織りを保護奨励してきた。その結果、平安時代には五〇以上の地域で蚕糸業が営まれていたという。しかし室町時代から江戸時代初期までは、戦乱や禁絹令の乱発もあって養蚕業は衰退した。その後、一六〇二年にポルトガル船が多量の生糸を持ち込み、それがきっかけとなって生糸の輸入を統制する糸割符《いとわっぷ》制度ができた。生糸の輸入によって金銀が海外に流出することを恐れた江戸幕府は輸入制限をし、他方では自前で生糸を生産すべく国内の養蚕業を奨励するようになった。その結果、元禄時代頃から生糸や絹織物を自前で生産できるまでに成長したのであった。

〈蚕の一生〉

ここで蚕の一生を簡単に解説しておこう。どのように変態するか、その間どれくらい手がかかるか、そしてどれほど工夫を要するかを見るためだ。まさに「科学」の出番なのである。

蚕の卵は植物の種子に似ているので「蚕種《さんしゅ》」と呼ばれ、蚕卵紙と呼ばれる厚紙に産みつけさせる。この蚕種は卵の状態のまま休眠を続けるから、卵が産みつけられた台紙をもっぱら売買する「蚕種業」という仕事があった。やがて暖かくなると、この卵が孵化して幼虫（毛蚕《けご》）が出てくる。この時、多数の卵を人為的に一斉に孵化させ（「催青《さいせい》」という）、それらが蛾になるまでの発育の速度が揃うよう温度を調節する必要がある。卵から孵ったばかりでは体長が約三ミリ程度、体重は二〇〇〇分の一グラムくらいである。これらを蚕卵紙から掃き集めて（掃き立て）、柔らかい桑の葉を刻んで与える。そのうちに桑の葉を食べなくなり（眠《みん》に入る）、脱皮して二齢蚕になる。脱皮が済むと眠から起きるので起蚕《きさん》と言う。起蚕すると桑をもりもり食べ、また眠に入って脱皮する。これを普通の蚕は四回繰り返して五齢になり、その時にはもう体長は約七センチ、体重は約六グラムにもなっている。毛蚕から五齢蚕までの間に体重は一万倍以上にもなり、当然この間に食べる桑の量は半端ではない。桑以外のものを食べない蚕だから、併せて桑を育てる技術も必須である。

五齢蚕はそのうちに桑を食べなくなり、体が透き通ってきて、糸を吐き始めて繭を作る。一頭の蚕は一三〇〇～一五〇〇メートルもの長さの糸を吐き、繭の中で最後の脱皮をして蛹になり、やがて蛾になって繭の外に出てくる。出てきた雄蛾は雌蛾が出すフェロモンに惹かれて雌に近づいて交尾する。雌蛾は平均五〇〇粒の卵を産んで、数日のうちに死んでしまう。これが蚕のライフサイクルである。

〈蚕の飼育書〉

日本で最初の養蚕の技術書は、野本道玄（一六五五～一七一四）が著した『蚕飼養法記』（一七〇二年）とされており、桑の木の仕立て方から繭の取扱い方法まで三七ヵ条にわたって書かれている。養蚕は大変手がかかる作業が必要とされるため、この頃から江戸時代末期までの約一七〇年の間に、一〇〇冊もの養蚕に関する本が出版されている。日本人の養蚕技術の研究熱心さは類を見ない。養蚕家は、例えば孵化の時期を桑の葉の発育状態に合わせるため、温度・湿度の条件をいろいろ変えて卵を一斉に孵化させ、また蛾になるまでの発育時期を揃えるようさまざまな工夫をしてきた。さらに養蚕過程では、繭の収量を上げ、よい絹糸を手にいれ、優れた織物とするために努力した。まさに蚕との付き合い一切が「科学」の対象となったのである。塚田与右衛門（一七一五～一八一〇）が著した『新撰《しんせん》養蚕秘書』（一七五七年）では、火鉢を用いた「温暖成育」と自然の温度に任せた「天然成育」との比較試験を行うという実験を試みている。それだけでなく、ここには繭を煮て（煮繭）糸を取り出し、それを揃えて長い糸にする（繰糸）過程が丁寧に解説されていて便利である。

この蚕の飼育から絹織物が出来上がるまでを錦絵で描いたのが勝川《かつかわ》春章《しゅんしょう》（一七二六〜九二）と北尾重政（一七三九〜一八二〇）による『画《え》本《ほん》宝能《たからの》縷《いとすじ》（かゐこやしなひ草）』（一七八六年）である。春章と重政が各々六枚ずつの錦絵を担当しており、桑摘み・毛蚕の掃き立て・桑刻み・繭かきなどを経て、蚕種取り・蚕蛾・糸繰り・機織りなどの過程が描かれている。絹織物がどのように作られるかを人々に知らせているのである。さらに、これと同様の錦絵が多く描かれていて、東京農工大学科学博物館のデジタルアーカイブに「蚕織錦絵コレクション」が公開されている。蚕から絹ができる過程は人々にとって驚きの世界であり、「科学的」な関心を大いにそそられたのではないだろうか。

これから紹介するのは、養蚕にかかわる技術の全般を論じた上垣《うえがき》守國（一七五三?〜一八〇八?）による『養蚕秘録』（一八〇三年）と、成田重兵衛（生没年不詳）による『蚕《こ》飼《がい》絹《きぬ》篩《ぶるい》大成』（一八一三年頃）である。前者の上垣は、和漢の農書や蚕書を読み込み養蚕技術をやさしく解説するとともに、随所に挿絵をいれて誰にもわかりやすく書いており、『養蚕秘録』は一八四八年にフランス語に翻訳されて出版され、好評であった。続く成田は俗説や過去の説にとらわれず、自己の経験・実験に基づいて合理的に判断しており、風土性も意識していて「科学的」発想に近づいている。

また、養蚕のための補助道具として温度計を作った中村善右衛門（一八一〇?〜八〇）の『蚕当計秘訣』（一八四九年）と、乾湿計を工夫した清水金左衛門（一八二三〜八八）についても触れておこう。養蚕において特に重要なのは温度と湿度の管理で、中村善右衛門は体温計の出現に刺激されて養蚕用の温度計（蚕当計と呼んだ）を作った。清水金左衛門は明治に入ってからだが、茅《かや》の穂を利用した乾湿計を発明している。中村が奥州を拠点とした養蚕家であったのに対し、清水は信州上田で蚕種業を営んでいたことから、それぞれの気候の差異が温度と湿度の重要性への着眼のきっかけとなり、二つの技術開発に繋がったのである。まさに「風土の『科学』」として「必要は発明の母」であることがわかる。

清水が著した『養蚕教弘録』（一八四七年）もフランス語に翻訳されて好評であった。当時の日本の養蚕技術は世界一流のレベルに達していたのである。なお、一八五〇年代には、絹織物で有名であったフランス（やイタリア）ではノゼマと呼ばれた伝染病のために蚕が壊滅状態になった。それを聞きつけた一四代将軍の徳川家茂《いえもち》（一八四六〜六六、在職一八五八〜六六）が、一八六五年に蚕種の台紙をナポレオン三世に進呈したことが知られている。苦境にあったフランスの養蚕業の復興のために、日本人の経験と知恵が大きな貢献をしたのである。同じ年、ルイ・パスツール（一八二二〜九五）はこの伝染病の原因の追究を依頼され、一八七〇年に原生生物の感染であると突き止め、伝染防止の方法を考案している。

『養蚕秘録』

著者の上垣守國は但馬《たじま》に生まれ、蚕種を奥州や近江に出かけて仕入れては山陰・山陽に販売する蚕種仲買人であったが、やがて但馬の気多《けた》郡内で自ら蚕種を製造するようになった。その間に、各地の養蚕技術を実地で調査するとともに、和漢の古典や農書を読み込んで養蚕の学理に精通し、その普及に努めた。これもまた江戸の「科学」の一つの典型であろう。『養蚕秘録』は、「蚕種」、「栽桑」、「養蚕」、「繭加工」、「製糸」という養蚕の一連の過程についての詳しい解説とともに、蚕や桑の「伝承・儀礼・起源・故事来歴」まで体系立ててまとめている。上中下三巻にわたって詳しく情報が書き込まれているが、文字が読めない農民も多くいたこともあって、果たして農民層に広く読まれたかどうかは疑わしい。しかし、数多くの図版を使って各作業を丁寧に描いているので、それを見るだけである程度は理解できたのではないか。

上巻では、養蚕の起源や蚕の種類についての話から始まり、桑の木の育て方を教授する。特に、蚕種について蘊蓄を傾けており、蚕にかかわる周辺知識も解説している。中巻では養蚕の諸作業について詳細に語っていて、養蚕家にとって必読の部分である（以下、現代語訳に際して『日本農書全集35』を参照した）。養蚕は四〇～五〇日ほどの間、昼も夜も細心の注意を払うことが求められる。とりわけ、暑さ（温度）と湿気（湿度）の調節に気を配るべきことを諄《くど》いほど何度も述べている。そして、紙で包んで、天井に高く吊るす、その包みを何度か広げて新鮮な空気に触れさせる、というような蚕種の温度管理の細かな方法を伝授している。以後、重要なのは桑の葉の与え方や食べかすの処分の方法で、「蚕が孵化した後、七、八日から一五、六日までの間は、蚕を世話する婦人は蚕のそばから離れることなく、室温の具合など万事に気を配ること」と女性に厳しい労働を要求している。蚕の飼育は室内作業であることもあり、桑を幼木から育て、毎日桑の葉を採取する以外は、もっぱら女性の仕事とされていたからだ。実際、描かれている図の登場人物もほとんど女性である。

曰《いわ》く、「蚕というものは人間と同じように情を持っている霊虫で一般の虫とは違う」ことをよく心得よと言う。「桑の葉を求めてあちこち歩きまわって餌をあさるような育ちの卑《いや》しい虫ではない」ことを頭にいれておかねばならない。また、収量の差は天がつけるのではなく、人の努力の差から来るものである。そのため、たとえ作物が凶作の年であっても、努力に見合って繭がとれると宣言する。努力次第で天災も乗り越えられると力づけるのである。そして温度と湿気の管理のために、蚕棚や蚕室の通風に気をつけるべきことを繰り返し述べている。これもある種の「科学的」所見と言えよう。

蚕に繭を作らせる工程では、繭を作らせる方法は地域によって異なることから、「その土地

『養蚕秘録』より、丹波・丹後・但馬地方で、繭から生糸を取る際の様子を描いた図（国立国会図書館デジタルコレクションより）

のやり方に従ってふさわしい方法を用いたらよい」としている。風土に応じた技術という発想があったのかもしれない。とにかく、こうあらねばならないと強制しないのである。また、繭からの糸の取り方についても土地によってさまざまであるとして、それぞれが自分に適した方法を採用すればいいと言う。江戸の「科学」は柔軟なのである。さらに、繭から糸を取り出して絹織物に仕立てるのが養蚕の主目的なのだが、糸が取りにくい繭も存在する。そのような場合、せっかく繊維を作ってくれているのだから利用しない手はない。その活用法が「真綿」（くず繭を引き延ばして綿のようにしたもの）で、決して蚕の産物をムダにしてはいけないと説く。絹糸も真綿も蚕の産物であり大事に使うべきというわけだ。

下巻では、中国に伝わるさまざまな故事が数多く披露され、中国や日本の衣服や木綿についての蘊蓄が語られる。ここで播州飾磨《ばんしゅうしかま》の「かちん染め」のことが短く出てくるが、私の故郷の播磨《はりま》の話までも集めていることに驚く。そして、養蚕や蚕業についての歴史的な逸話が語られる。同書は養蚕に関するいわば百科全書的な著作で、多くの歴史的資料を集約するとともに、日本各地で行われている養蚕の作業を観察して、これほど大部の本としてまとめたことに脱帽する。江戸の「科学」はやわなものではなかったという側面を体現しているのである。

『蚕飼絹篩大成』

この本の著者である成田重兵衛は合理的に物事を考えるタイプの人間のようで、養蚕用具の使い方、風土による蚕の成育の違い、繭をつくらない蚕の病名と特徴など、個々の項目について自ら試しながら適切な対処法を展開するという書き方で徹底している（以下、現代語訳に際しては『日本農書全集35』を参照した。また原文にない見出しについても、同書をもとに補った）。

特に、養蚕を新しく始めようとする農民への教則本として書かれているためであろうか、最初に示すのは「**五つの戒め——五禁**」で、「この戒めをよく理解して守るなら、一〇年に一度も繭が不作となることはあり得ない」と自信満々である。その「五禁」とは、①熱が籠もっている桑や莚《むしろ》、蒸し暑い蚕室や蚕を火で温めるなど、「ほ（火）めく」（熱を帯びる）のは蚕の毒である、②蚕が小さい時は薄飼い（数を少なくして飼う）し、大きくなってから厚飼い（数を多くして飼う）にする、③蚕の糞や食べ残し（蚕沙《さんさ》）の湿気を溜めずきれいに掃除する、④タバコの葉の強い臭気や畑にまく人糞尿の悪臭が風に乗って沁み込んだ「タバコ桑」や「糞桑」は大毒、⑤成熟した蚕を「まぶし」（蚕が繭を作る場所）に移して棚に詰める時、ぎっしり詰めると繭が悪くなる、という内容である。要するに、熱気と湿気が蚕の大敵であることを強調しているのであり、「五禁の一つでも犯すと、一〇年に一度も上作となることはない」と厳しいが、実に単純明快な教訓と言うべきだろう。

　続いて、「**養蚕の諸作業**」として「覚えやすいものから覚えにくいものまで」を並べているのも入門者に親切である。それも、「桑摘み二年」、「養蚕一代」、「糸取り三日」、「真綿むき（繭を煮て引き延ばす作業）一年」、「蚕紙（卵を産みつけた紙）の製一日」、「真綿引き一月」、「真綿つみ半年」、「しけ糸（繭の上皮からとった粗末な糸）紬一日」、「機で絹織り習い半月」、「糸繰分け（糸を太さで分ける）三月」と、各作業を習得するまでの期間を示しているので作業の難易がわかり、なかなか合理的である。そして「**養蚕惣論**」と題して、春蚕と夏蚕の成育過程のおおよその日数を示して、どのような段取りで進むかの目安を与えている。

その次に掲げているのが「**養蚕の経営見積もり**」で、「養蚕の収益」と「桑畑の良し悪しによる収益の差」を細かく計算し、「養蚕の経済的有利性」と「養蚕経営の収益計算」を詳細に示す。そして「**農耕と養蚕の両立**」という項で、中国では「農桑の業」と呼ばれているように、農業と養蚕は一対で「衣食」を体現していると言う。このように、養蚕を始める人への経済的助言を行っており、単なる養蚕手引書ではない。江戸時代後期において、農業に貨幣経済が深く浸透し、養蚕は農家にとっての重要な現金収入源として多くの人々が携わるようになったことの反映であろう。実際、成田は「生産を上げ、他国から金銀が流入するようとりはからって国を富ませる」という養蚕の社会的役割を強調しつつ、上巻の結びで「養蚕とは婦人が楽しみながら働いて富を得る仕事」であると推奨している。以上が、上巻の主な内容だが、ここでは養蚕の細かな作業については、数多く使っている図版に任せて本文では深入りせず、養蚕の経済的効用に力点を絞って書き込んでいることが特徴的である。

一方、下巻では養蚕技術について詳しく解説している。特にスペースを割いているのは「**蚕の病気一覧**」である。「蚕には感情があるから、その本性に反して『五禁』に触れると、『一癖ずつの屑《くず》（それぞれの疾患）』のついた病気になる。養蚕をする人は、病気の原因と結果を知っておれば助けとなるだろう」と、多くの蚕の病状を解説するのだが、実はそのほとんどについて処方箋はなく、当事者としては諦めるしかなかった。

これらは今で言う、ウイルス、細菌、原生生物、微粒子、胞子などが原因で、当時の人々にとっては病気になった個体をいち早く取り除いて、周囲に伝染しないようにするしかなかったのだ。作者は、病気に罹った蚕に呼びかける口調で、「ヌギサゲの蚕よ、おまえは一人で死に臨んでも誰も恨むべきではない」とか、「おまえはいったい何を足れりとして自らを『タリコ』などと称し、大きな態度で威張っているのだ」というふうに悪罵を投げつけ、養蚕家が気落ちしないようユーモアを交えて病気の蚕を糾弾している。これらを読むと、養蚕家も仕方がないかと諦めるしかない。

最後に「**糸の取引について**」に立ち戻り、生糸の取引による金銀の動きについて詳細に計算してみせる。そして養蚕の本場である奥州から糸問屋のある京都や近江までの輸送の代金を勘定に加えても採算が合うと述べている。また福島あたりでは「養蚕をする家では一軒で絹糸や真綿の収益を金三〇〇両ほどもあげることも珍しくない」と言い、その隆盛ぶりを誇っている。養蚕による収益が「百姓家の女の仕事として生み出される」ことを強調することも忘れない。

この本は、養蚕の「科学」というより、「経世済民」の書と言うべきだろう。養蚕は単なる趣味ではなく、生活がかかった仕事であるだけに、生業として虫を育てるという生き方がこの頃には定着してきたことが窺える。

〈蚕当計の発明〉

蚕の飼育のためには温度と湿度の管理が最重要である。人体による暑さ寒さの判断は、時と場所、そして人によって異なり、湿気の多少にも大きく影響される。先に触れた『蚕飼絹篩大成』の「養蚕惣論」によれば（以下、日付は旧暦）、春蚕の場合、八十八夜の四月三日に卵が孵化してから後、およそ五〇日後の五月二一日頃に繭の糸取りを開始する。三寒四温を経て気温が上がるとともに湿気も増える時節である。一方、夏蚕は六月一一日頃に卵が孵化し、およそ三〇日後の七月一二日頃に糸取りを開始する。こちらは暑い盛りであり、また湿度が高くなるから通風に気をつけねばならない。

さらに、毛蚕（孵化したばかりの蚕）から二回脱皮をした三齢までは比較的暖かい気候を好んで寒さや湿気を嫌うのに対し、三〜四回脱皮後の四齢から五齢までは涼しい気候を好み、糸を吐いて繭を作る頃には再び暖かい気候を好む。蚕の性質はこうなのだが、春蚕では蚕が小さい間はまだ寒く、五齢の頃には暑くなる。自然に任せて蚕を飼育するとよい蚕には育たない。そのために温度・湿度などの環境を程よく調節する工夫が必要になるのである。

そこで奥州岩代国伊達郡梁川村（現在の福島県伊達市梁川町《やながわまち》）で、代々蚕種製造・販売を行ってきた中村善右衛門（三代目）が「蚕当計（寒暖計のこと）」を発明し、数年間にわたって蚕のそれぞれの飼育過程での適正温度を計測して「標準飼育法」を完成させた。まさに「経験科学」から「計測科学」への第一歩である。彼は『蚕当計秘訣』を一八四九年に出版し、以後何年もかけて適正温度の改定を行っている。蚕飼育のためのより適正な温度管理へと精密化しているのである。

当時、蚕が小さい間は部屋を暖めれば蚕が早く育つことに人々は気づいており、炭火を焚《た》いて室内を温める方法が採用されていた。しかし、いかんせんどのような温度が最適であるかがわかっていなかった。この『蚕当計秘訣』では、華氏表示で飼育に適する温度・適さない温度を示しているのである。その概要は以下となっている（適正温度は改版のたびに更新されたが、ここでは初版によった）。なお、中村善右衛門が温度を華氏で表示しているのは、摂氏より華氏の方が細かく温度が指定できるためで、そこまで精密であろうと努めているのである。

まず好ましくない気温として、華氏六五度以下では蚕は桑を食べないし、八五度にもなると暑さに負けて繭を作らなくなるとする。蚕の飼育法には三種類あるとしていて、それぞれの温度管理は以下のように実に精密である。①「中蚕」は平均的な飼い方で、一齢期は七七度、二齢期は七六度、三齢期は七五度、四齢期は七四度、五齢期は七二度で、最後は七三度に保つ。これで飼育日数はほぼ三二日である。②「急蚕」は初めから終わりまで七九度を標準にする。温度が高いから飼育日数は二七日に短縮される。この方法だと繭の層が薄く、糸の量が少ないという欠点がある。③「緩蚕」は、一～二齢期は七三度、三齢期は七二度、四齢期は七一度、五齢期は六九度と、比較的低温でゆっくり育てるので飼育日数は三七日となる。糸の量が多く、世話がしやすく、病気が少なくて飼いやすい。

そしてそれぞれの土地の気候に合わせて、どの育て方がよいか選べば、毎年よい収穫が得られると保証している。最後には、養蚕家にとって「蚕当計」は、これさえあれば絶対安全という計器であると自信を持って推奨するのである。

〈養蚕乾湿計の発明〉

蚕の大敵にはもう一つ、湿気がある。夏の蒸し暑さは、湿度が高い故に体表面から汗の蒸発が進まないためである。同じ気温であっても湿度の大小によって、暑さの感じが大きく異なるのだ。蚕は湿気についても敏感である。では、その湿気を測ることはできないだろうか。このことに挑戦したのが、信州上田の蚕種生産家である清水金左衛門である。彼は養蚕飼育の技術を『養蚕教弘録』としてまとめていることからわかるように、「科学的」養蚕を志した一人であった（以下は、しみずたか『蚕都物語』を参考にした）。

金左衛門は、江戸末期に、メカルガヤという大きな茅の尖《とが》った穂先（「のぎ」と言う）が、ふだんは向かって左に捻《ねじ》れているのに対し、雨に打たれて水分を吸収すると、逆に右に捻れるという性質があることに気が付いた。そして晴れると「のぎ」の右への捻れは消えて元に戻るのである。実験してみると、息を吹きかけるだけで「のぎ」は数十度回転し、水に浸すと一八〇度も回転する。

そこでメカルガヤの茎をしっかり固定し、どの方向からも風が均等に当たるようにして、「のぎ」に金箔を張った指針を付け、円形に目盛りを振った表示窓の中心に指針の先が向かうようにした。そして、「中心の○のところに針先があれば蚕にとってよい状態であり、丸より針が右に寄れば湿気が多く、左に寄れば湿気が少なく乾燥し過ぎ」との注釈を加え、これを「養蚕乾湿計」と呼ぶことにした（完成は一八七五年）。

むろん、蚕の成育状態に応じて湿気にも最適状態がある。そこで、①毛蚕の時は一〇日ごとに右へ指針を一度ずつずらす、②八十八夜が過ぎて孵化が始まったら指針を中心に戻し、右へ一、二度が最もよい状態として通風を調整する、③右へ五度指針が傾いた時は火を焚いて湿気を追い払って、指針を中心に戻す、④左へ四、五度となった時は窓を一斉に開いて湿気をいれる、という標準的処方箋を与えている。このような合理的な湿度管理を可能にしたのである。「養蚕乾湿計」の特許が最終的に認められたのは一八八八年のことであった。

実は、このような相対的な湿度計は、すでに一六六〇年代、イギリスのロバート・フック（一六三五〜一七〇三）が、オートムギの殻にある毛が湿度によってカールする度合いが異なることを利用して作成している。これが歴史に残る最初の機械式湿度計であったらしい。またスイスのオラス・ベネディクト・ド・ソシュール（一七四〇〜九九）は一七八三年に、人間の髪の毛が湿度によって伸縮するという性質を使って相対湿度計を考案している。清水金左衛門の発明は世界初というわけではないが、まだ「科学」の世界各地との交流がなかった時代の発案であり、江戸に発した「科学」の極致と言えるのではないか。

第五章 技術

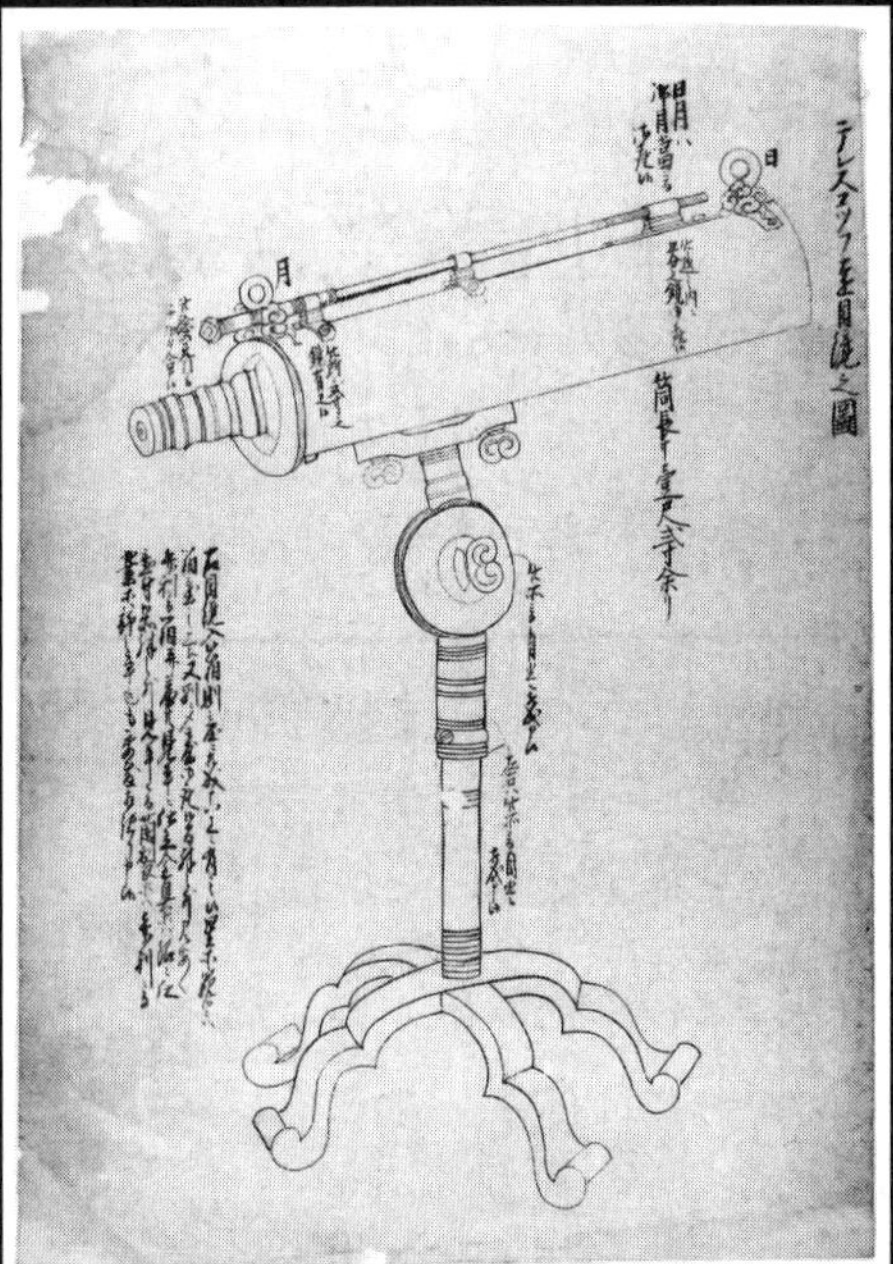

国友一貫斎関係資料より「テレスコツフ遠目鏡之図」。一貫斎が製作した反射望遠鏡の仕組みや使い方を自ら説明したスケッチ。

（提供：長浜城歴史博物館）

長い鎖国の時代を経て幕末・明治を迎えた日本は、西洋が開拓した近代的な科学技術を目の当たりにして驚愕《きょうがく》し、御雇い外国人の助けを得て大急ぎで知識の吸収に努めた。その結果、一九一〇年頃には日本流の産業革命を達成していたと推定されている。開国して五〇年ほどの間に近代化を成し遂げたのである。

それが可能であった理由として、江戸時代に日本人が持っていた技術は、基本的には手工業を中心とするレベルの低いものではあったが、手先の器用さとさまざまな工夫と教育レベルの高さが相まって、近代技術に触れればそれを直ちに受容して取り込み、一気に開花させられる状態にあった、とする説が唱えられてきた。要するに、江戸時代の科学技術は見かけ上遅れていただけで、技術開発のポテンシャル（潜在力）は高く侮ったものではない、というわけだ。そうであろうとは思うが、近代化が遅れた中国や朝鮮と比べて、いかにも日本は優秀な国であると自己評価しているかのようなきらいがあって、私はこの立場をあまり強調したくない。むしろ私は、江戸時代の人々は、好奇心が旺盛で、遊び好きで、凝ると損得を忘れて夢中になる、そんな気質が横溢《おういつ》していたことが、明治の開化時代の科学技術の吸収に寄与したのではないかと思っている。

その具体例として、第三章で植物（園芸・栽培）、第四章で動物（飼育・育種）と、庶民たちが手塩にかけてきた生物を取り上げたのだが、本章では工学的技術について一覧してみたい。生物の栽培や飼育については一般庶民が精を出して行ったのに対し、工学的技術は誰もが手を出せるわけではなく、専門の職人が門外不出の技量を身に付けて継承してきた。その意味で、これはギルド性に守られて技能を磨きあげた手練《てだれ》の者（職人）の仕事だから、必ずしも一般の江戸人の営みを代表しているわけではない。また、工学的技術は使用目的が必ずあり、その結果は合目的でなければならないから遊び半分でやれるものでもない。

しかし、彼ら職人は技術第一主義の世界に入り込んで難問に直面すると、簡単に諦めず、妥協せず、夢中になってトコトンいれあげた。また、その技術から派生する新たな課題に直面すると、それに挑戦して思わぬ方向へ進んで行ってしまう場合もあった。技術は独り歩きしていくものなのである。このようにして彼らが開拓した技術的な新工夫は、まさに江戸の好奇心の発露とも言い得る。当時の職人は、一般に好奇心旺盛で遊び好きであり、損得を抜きにして無意味なことに対しても夢中になるという意味では、やはり典型的な江戸人なのである。唯一の問題は、技術は門外不出であり、誰にでも自由に伝授できたわけではないことだ。それがさまざまな軋轢《あつれき》も生んだのだが、結果的に技術の保存に寄与したことも事実であろう。それらの技術の社会的動態についても目配りしたい。

本章で取り上げるのは、西洋との接触によって移入された技術である鉄砲・火薬・望遠鏡・眼鏡・時計・からくり人形である。いずれも、一五四三年のポルトガル人の種子島《たねがしま》漂着をきっかけに始まり、その後のヨーロッパ人の日本への来訪によってもたらされた製品とその背景をなす技術が、日本人を刺激して日本独自の技術へと発展したものである。それぞれに日本的発展があり盛衰があった。技術は目的が明確であるだけに、人々の必要性（あるいは欲望）とマッチすれば大きく広がっていくが、必要性が薄く、その技術なしでも済ませられる場合には廃れてしまう。「必要は発明の母」ならぬ「発明は必要の母」となっている現代の商業主義からは想像できないが、江戸時代の人々は技術を必要以上に求めなかったため、不必要な発明品は淘汰《とうた》されたのである。江戸人は欲望の趣くままに技術の成果を手にいれたがる現代人とは異なった精神構造の持ち主であったと考えられる。

その意味では、一面においては江戸の技術は禁欲的で合理的で健全な側面もあったと言える。例えば、戦争の時代が終わって鉄砲の必要がなくなると、そこで培った鉄を加工する技術は日用品（針・鋏《はさみ》・錠前・鍋・釜など）や農具（鍬《くわ》・鎌・鋤《すき》・備中鍬・千歯扱《せんばこ》きなど）の開発へと向かった。あるいは、江戸人は時計によって可視化された単一時間（定時法）に支配されることを好まず、移り行く自然の時間（不定時法）のままに生活することを選んだ。技術との付き合い方において、そのような健全性が江戸の一つの重要な特徴であったのだ。

このことを、英米文学者のノエル・ペリン氏はその著書『鉄砲を捨てた日本人』において、「十七世紀から十九世紀の初期にかけての日本の技術変化は、西洋に比べると、まことにゆるやかに起こっていた。それは人間の精神によりふさわしい速度で生じていた、と言ってさしつかえないであろう」と表現している。つまり、「技術の進歩それ自体は生みだされて」いて、「徳川期日本の全体をみわたせば、そこには健全な生命力が息づいていたことが知られる」という捉え方なのであり、私もこれに同意する。そのような「身の丈に合った」江戸の技術の展開についてまとめてみよう。

鉄砲・花火

〈鉄砲から鍋・鎌へ〉

「鉄砲」生産という軍事技術は、戦争のない江戸時代のかなり早い段階で「鍋・鎌」という民生技術に転じた。この節を象徴的に「鉄砲から鍋・鎌へ」という表題としたのは、軍事技術が民生技術にとって代わられたことを述べたいがためである。生活に密着した「鍋」と農業生産に欠かせない「鎌」で民生技術を象徴したのだ。製鉄技術が洗練されるにつれ、鉄を素材とする道具がさまざまな方面で広がっていったのだが、それは鉄砲の栄枯盛衰と切っても切れない関係があったのである。

鉄砲伝来の経緯については、通常は南浦文之《なんぽぶんし》（一五五五～一六二〇）が書いた『鉄炮記』（一六〇六年）が、問題はあるもののほぼ信用できる文献とされている。それによれば、一五四三年に明《みん》（中国）の船が日本に漂着した際に、乗り合わせたポルトガル及び中国の商人から、火縄銃を種子島時尭《ときたか》（一五二八～七九）が二〇〇〇両で購入したことになっている。鉄砲は、銃そのものとともに弾丸と火薬が揃《そろ》わなければならないから、倭寇《わこう》が火薬の原料である禁制品の硝石・硫黄《いおう》と鉄砲をセットとして売り込んだのではないかとの説もある。いずれにせよ、時尭が火薬づくりを家臣の篠川小四郎に、鉄砲の製造を刀鍛冶の八板金兵衛（？～一五七〇）に命じ、まずその技術が紀州（和歌山県）の根来《ねごろ》と大坂の堺に広がったらしい。その後、鉄砲の威力を高く買った武士が大いに興味を持って、やがて全国に広がった。以後の日本における鉄砲の技術的推移を、エピソードを交えながら、私なりの観点から簡単にまとめる。技術は公開されて、多数の目に触れてこそより多様に展開するのだが、そもそも鉄砲は武器であったためその製造技術は極秘にされてきた。ただし、日本において鉄砲が武器として使われた時代は比較的短く、技術そのものが門外不出であったから、そう大きく発展をしなかったとも言える。

第一期　鉄砲伝来（一五四三年）から鉄砲製造の揺籃《ようらん》期（一五七〇年）

鉄砲は伝来するや、その兵器としての有効性が認識されて瞬く間に全国に広まり、やがて身軽に新しい事業へと挑戦する自由都市の堺や数多くの僧兵など武装集団を抱えた紀州雑賀《さいか》、そして近江の刀鍛冶の伝統を持つ国友村が鉄砲製造地としてのしあがっていった。そこでは、鉄砲の仕様、火薬の調合・製法、弾丸の開発など基本的な鉄砲技術が発達し、ギルド的組織によって技術のノウハウを秘伝として伝達・継承した。むろん、その背景には戦乱が続く時代にあって鉄砲の重要性が認識されたことがあり、生産・使用体制が急速に広がったのである。

火縄銃は、銃身を鍛冶師が、銃床を台師が、そして機関部の部品を金具師が担当する分業体制で製造された。一番苦労したのはネジの製作で、尾栓部の雄ネジは比較的簡単に作ることができたのだが、それと結合する銃身部の雌ネジをどう作り出すかで大きな壁にぶち当たった。その時、次郎助という鉄匠が、たまたま刃先の欠けた小刀でダイコンをえぐったところ、刃の欠けたとおりに凸凹の道がついたので「捻子《ねじ》」ができたという。あるいは、こんな悲話も伝わっている。鉄砲の製造を命じられた刀鍛冶の八板金兵衛は、銃身の底を塞ぐ方法を考えあぐねて、数ヶ月後に到着したポルトガル船の船長に自分の一七歳になる娘を嫁がせ、その見返りに船中にいた鉄匠からネジの仕組みを教えてもらったというのだ。もう一つの工夫は、機関部でのバネの使用であった。このようなごく小さな部品が非常に重要な役目を果たして製品が完成する。その解決法を見つけて発明するのは技術者にとっての醍醐《だいごみ》味であろう。

フランシスコ・ザビエル（一五〇六～五二）は山口を二度目に訪問した一五五一年に、領主の大内義隆（一五〇七～五一）にいろいろな珍しい贈物（後述する時計や眼鏡）を献上しているが、その中に、「三つの砲身を有する高価な燧石銃《すいせきじゅう》」が含まれている。先に日本に伝来していたのは先込め（筒先から弾丸を入れる）火縄銃で、火が付いた火縄から火薬に点火する最も初期のタイプがそのままずっと受け継がれてきた。もっぱら標的を定めて撃つことに鉄砲が使われたため、一発必中で命中精度が高い火縄銃から離れられなかったのであろう。しかし次々に弾丸を発射できない、雨が降ると使えなくなる、夜には火種が見えるので敵に発見されやすい、というような欠点があったため、ヨーロッパでは歯輪銃《しりんじゅう》（黄鉄鉱と鋼鉄の打撃で発火）や燧石銃（燧《ひうち》石《いし》と鋼鉄の打撃で発火）が発明された。それらも日本に持ち込まれたようなのだが、日本では採用されなかった。日本は鉄砲技術に関しては保守的であったのだ。

また、豊後の領主であった大友宗麟《そうりん》（一五三〇～八七）は一五五三年から六〇年の間に四度、守護職の獲得に絡んで将軍足利義輝《あしかがよしてる》（一五三六～六五）に鉄砲を献上している。そのうち二回はポルトガル船から輸入した「南蛮筒」であった。これに限らず、九州地方の大名たちは戦乱の時代を生き抜くために、手っ取り早く鉄砲と弾薬をヨーロッパ船から輸入したようである。まだ国内における鉄砲の製造が軌道に乗っておらず、鉄砲を入手しようと思えば、外国から買い入れるしかなかったのだ。西国大名がキリスト教の布教に寛大であり、大名自ら切支丹《きりしたん》に改宗したのも、その動機として銃器や火薬の原料である硝石の輸入で便宜を得ようとしたのではないかという説もある。

第二期　一五七〇年以後、一六一五年に大坂夏の陣が終結して徳川安定政権が出現するまで

一五五〇年には織田信長が国友鍛冶に命じて五〇〇挺《ちょう》の銃の製作をさせたことになっているが、これはいかに信長が鉄砲の重要性に目をつけていたかを示すための誇張話だとされている。しかし、この頃から戦争において鉄砲の有力さが具体的に見え、鉄砲の必要性が大きく認識されるようになったのは事実であろう。鉄砲火力の差が戦いの帰趨《きすう》を決したことで著名なのが、一五七五年の武田軍と織田・徳川連合軍との間で生じた長篠の合戦であった。信長は鉄砲・火薬を扱う堺職人を服属させて大量の鉄砲（三〇〇〇挺と言われる）の入手を可能として、見事に勝利した。その後、大筒・大砲（石火矢）・鉄砲（手火矢）を新たに製造して戦力が大幅にアップし、秀吉の朝鮮出兵では、これらの武器が大いに威力を発揮した。これら大型の銃砲は日本人が開発したものだが、仏郎機《フランキ》と呼ばれるヨーロッパから中国経由でもたらされた大型火器を真似《まね》たとされている。

信長時代に刀鍛冶の技術集団があった江州国友は、鉄砲鍛冶に重心を移して秀吉の時代を迎え、やがて徳川家康との結びつきを強めることに成功した。一六〇七年には家康が国友鉄砲鍛冶の「年寄」四名を駿府《すんぷ》城に招き、大小の鉄砲を注文するとともに四人を代官に任命した。そして、鉄砲鍛冶を管理する定書をつくり、幕府が国友の技術を独占することにしたのである。これにより、鉄砲細工・鉄砲薬調合・玉込め・玉割りなどは一切秘密とされ、鉄砲職分の者は他国へ出ることが禁じられた。こうして、国友鉄砲鍛冶が徳川の専属の鉄砲製造工場となった。一六一五年には国友の鉄砲鍛冶が七三軒、鉄匠が五〇〇人いたという記録が残されている。一方、堺は諸侯からの注文を請けることとして役割分担をしている。

松本清張が、戦国末期から江戸時代初期にかけて活躍した砲術家の稲富一夢《いなとみいちむ》（一五五二～一六一二）を主人公に据えた短編小説『特技』と長編小説『火の縄』を書いている。一夢は銃のさまざまな撃ち方を伝授した砲術の秘伝書『一流一辺之書』を著した人物である。一六〇四年に家康に召し抱えられたのだが、それは大坂の陣に備えて火器の充実を図るためであった。これらの小説で、稲富一夢という稀代《きだい》の鉄砲術師を主人公に据えたことについて、「特殊技術者は政治的立場を越えて誰からも重用せられるために、彼自身は足が地につかなかったともいえる。政治的に一種の〝国籍不明〟である。現在の科学者が似たような立場にあることが、これを書く動機となった」と清張自身が語っている（『松本清張全集35』あとがき）。鉄砲という秘密が付きまとう武器の技術者であったが故に生じた、複雑な人間関係がテーマとなっているわけだ。さすが清張である。軍事技術が孕《はら》む技術者の政治的側面に注目したのだから。鉄砲鍛冶や鉄砲師範に付きまとった特有の難題があったのだ。

平戸・長崎の貿易品目から硝石が姿を消すのが一六〇〇年前後で、この頃に硝石を自前で作成できるようになったことがわかる。それに先立つ秀吉の朝鮮侵略の際に、捕虜とした朝鮮人、あるいは明軍の火薬技術者から生産法を聞き出したとされている。それが硝石の人工的生産法である「土硝法」で、これによって日本国内でも独自に硝石を作ることができるようになった。「土硝法」とは、家畜小屋や鶏舎や牧場などで、家畜の排泄物が多く浸透したためにアンモニア分を豊富に含んだ土を集めて硝化バクテリアを作用させ、これに石灰や木炭を加えて沸騰させた後、濃縮・冷却して硝石を合成する方法のことである。

江戸時代を通じて、加賀藩の硝石製造を秘密裏に受け持っていたのが五箇山《ごかやま》集落である。同地の住民は硝石を加賀藩に納めるかわりに米作が免除されており、ここで作られた硝石は当時の日本で最も優れた品質であったという。その製法だが、よもぎなどの雑草・ナスやダイコンの茎と葉・サトイモの葉などを積み重ね、人尿をかけて蚕の糞《ふん》でまぶして厩肥《きゅうひ》とし、人家の縁の下から掘った土を混ぜるという方法であった。この土硝法では、最初は七年以上も土を寝かす必要があるが、その準備ができれば翌年から毎年硝石の産出が可能になるという。加賀硝石の幕府への上納は一六〇三年に始まっているから、一五九五年頃には仕込みが始まっていたことになる。五箇山は山奥深いから下界から隔絶しており、冬は大雪に閉ざされて交通が途絶するため秘密を保持しやすく、さらに住民の出入りも完全に禁止されていたらしい。

もう一つ、鉄砲製造に関して重要なことは、鉄砲鍛冶に使う鉄をどのようにして手にいれたか、という問題である。刀鍛冶に使われた銑鉄・鋼鉄はいずれも砂鉄を原料として、小規模な「たたら製鉄」で作られており、西洋との貿易が始まって以後は輸入鉄（南蛮鉄と呼んだ）を手にいれていた。日本刀・火縄銃・灯籠などには南蛮鉄が使われたのだった。火縄銃の大量生産も南蛮鉄があってこそ可能になったのである。それ以降、鉄山を持つ各藩が財政強化のために産鉄業に参入し始めてから、和鉄・和綱の生産が盛んになった。やがて、一六一〇年代前半には日本の鉄はイギリスのものに比べて品質優良・価格低廉であると評判になったらしい。製鉄の技法（たたら製鉄法）に変革が起き、自前で岩鉄から製鉄できるようになったのである。

第三期　一六一五年から幕末に近い一八一〇年頃まで

やがて鉄砲が全国にひと通り行き渡って、一六四〇年頃には生産のピークを迎えた。一六三七年に勃発して四ヶ月ほど続いた島原の乱では、キリシタンや農民が立て籠もった城に向けて追討軍が海上から大砲で砲撃したが、砲弾は城まで届かなかった。制圧した後で、幕府はオランダ人の技術援助により射角の大きい近距離用の臼砲を装備したそうである。この乱以後、鉄砲の注文は徐々に減少する一方、大鉄砲・大筒・石火矢（いわゆる大砲）などが製造され配備されるようになった。しかし、その後は戦争そのものが起こらなくなったので、このような大型砲も無用の長物になってしまった。

この間、幕府の鉄砲は国友村が請け負い、諸藩の鉄砲は堺の職人集団が引き受けていた。鉄砲鍛冶の仕事は、備蓄されている鉄砲の整備・修理・補塡が主となったため、せっかくの技術を活《い》かすことがなくなってしまったのだ。やがて、抱え打ち火矢筒と呼ばれる砲弾を撃たない大筒が主流となり、花火の射技とか武芸としての砲術・火矢術が一般的となって、鉄砲鍛冶の存在意義がなくなるという状況に遭遇するようになったのである。

このような時期に国友鉄砲鍛冶の一貫斎《いっかんさい》藤兵衛（一七七八〜一八四〇）が松平定信の求めに応じて提出したのが、砲術の秘伝書『大小御鉄炮張立《はりたて》製作』（一八一八年）である。優れた頭脳と卓越した技量を持ち、時代の先を読むことに長《た》けていた一貫斎は、鉄砲鍛冶に未来はないと悟ったのだろう、それまで秘匿されてきた技術のノウハウを公開したのであった。彼は元々、鉄砲の製造法で不定な部分を取り除き、規格を統一して大量生産を行うことを念願していたらしい。経験知と伝承に基づいた門外不出の技能の世界を、鉄砲鍛冶として標準規格化し、誰もが訓練によって技術を習得できるようにする、という開かれた技術思想を持っていたのだ。組合の利益とか個人の利得は眼中になく、製造法の合理化と技術水準の向上を考えて鉄砲製造法を詳しく公開し、解説したのだと思われる。なお、国友一貫斎のその後の活躍については、次の望遠鏡についての節で詳述する。

しかし、期待したほどには彼の思想は広まらなかった。理由の一つは、砲術と鉄砲製作の技術がもはや沈滞しており、彼の提案を受けて改革を試みる人間がいなかったことである。鉄砲は時代に置き去りにされつつあって、誰もがわざわざその技術的向上を図ろうとはしなくなっていたのだ。もう一つの理由としては、幕府が鉄砲についての知識や技術が広く知れ渡ると公儀の妨げになると恐れ、彼の著作を伝えるのを忌避したこともある。一貫斎自身もそのことを恐れていたようで、彼の秘伝書は限られた藩にしか公開されていない。

幕府や各藩に備蓄されている鉄砲の整備・修繕・補充を行う以外に仕事がなくなった鉄砲鍛冶は、転職を考えるようになった。せっかくの鉄を扱う技量を活かして、苦しくなった生活を救おうと考えたのである。むろん、雀や獣を威《おど》すための筒とか猟師のための鉄砲など、民間用の銃や砲の注文に応じてはいたが、それも少数である。結局、鉄砲以外の内職仕事として農業用具（鎌・鍬・鋤・備中鍬など）、台所道具（包丁・剃刀《かみそり》・鍋・釜・茶釜・火鉢・火箸など）、大工道具（釘《くぎ》・金槌《かなづち》・釘抜・鋸《のこぎり》・鉋《かんな》・鑿《のみ》・鑢《やすり》・鉞《まさかり》・鉄槌《てつつい》・曲尺《かねじやく》・錐《きり》など）、日用金具（鋏・針・小刀・錠前・火打ち道具・楔《くさび》など）の製造に重点を移していった。

むろん、これらの金物は、すでに承平年間（九三一～三八）に書かれた『和名類聚抄《わみようるいじゆしよう》』にも記されているようで、昔から使われてきた鉄製品である。実は、ここにある品目名というのは一七一三年の『和漢三才図会』に載っている金物とも同じで、江戸時代になってから、ただ一つ鉄砲が加わっているだけであった。つまり平安時代から江戸時代まで、金具（鉄製品）では特に新たな製品が加わったわけではなかったのである。結局、鉄砲鍛冶が転職したことで、たたら製鉄が広がったこともあり、貴重品としての鉄金具が広く行き渡って人々の生活を便利にするのに寄与したのであった。江戸時代の金物としては、堺の包丁、越前武生《たけふ》の鎌、越後三条と播州三木の大工道具・刃物、尾道の船用具、美濃関《みのせき》の小刀などが有名で、現在までその伝統が受け継がれているものも多い。

面白いのは、タバコ栽培が全国に普及したためにタバコを刻む包丁の需要が増えたことにより、鉄砲鍛冶で栄えた堺が鉄砲技術をタバコ包丁の製造に転用して、同分野で独占的な地位を占めたことだ。これが堺の打刃物（錬鉄に何度も鍛錬した玉綱を付刃したもの）の始まりとされている。武器よりも平和的な民生品の方が儲《もう》かったのである。

現在ではもはや使われなくなったが、鉄の爪を並べ、そこに米の穂を通して稲を扱く「千歯扱き」を量産したのが伯耆《ほうき》（現在の鳥取県中部・西部）の倉吉《くらよし》であった。鉄砲鍛冶になろうと堺に出てきた佐平という人が、鉄砲より農具の方が有利だと考え直して稲扱きの製作技術を学び、倉吉に広めたのが発端とされる。最盛時には二十数軒の千歯鍛冶が店を構えたそうだ。なお、鉄の爪が使われる以前は竹の大釘を並べた「千歯扱き」が使われていて、これを「後家倒し」

と呼んだそうだ。それまで寡婦の仕事であった稲扱きが、「千歯扱き」の出現で取って代わられたためにこう呼ばれたらしい。

藩のお抱えで茶釜を造る釜師や仏像・灯籠《とうろう》・梵鐘《ぼんしょう》などを鋳《い》る鋳物師が、茶の道具として使われる釜や鉄瓶を造るようになったことも、鉄砲鍛冶の転職に一役買った。今日でも名産品として知られる南部鉄瓶の製作は明和・安永年間（一七六四〜八一）に始まったそうで、盛岡藩内で砂鉄の産出が多かったためもあるが、時期的には鉄砲の衰退期にあたる。また、埼玉県の川口は鋳物で有名だが、良質の鋳物砂が豊富に得られたことから、幕末になって幕命によって砲身・弾丸などを鋳造していた設備と技術が鋳物に活かされたそうだ。

このように、基本的な技術を身に付けさえすれば、後は工夫次第で製品開拓を行って全国展開できる、そんな貨幣経済の広がりが鉄砲鍛冶の転職を助けたのであろう。こうして、江戸時代後期の技術者は、それまでに培った技術の蓄積を活かして新たな製品づくりに熱中したのである。江戸の好奇心はさまざまに応用可能であったのだ。

第四期　一八一〇年以降から明治維新に至るまで

一八〇〇年頃から、ロシアなどの列強が日本を訪れるようになり、対外危機が強まってきた。さらに大塩平八郎の乱が起こり（一八三七年）、国の内外が落ち着かない状況になっていた。このような時期には、必ず武力による内外の敵の制圧論が強まるもので、鉄砲（大砲）などの戦術が復活した。まず、さまざまな鉄砲術の流派が出現し、その中で高島秋帆《しゅうはん》（一七九八〜一八六六）のような人物が西洋流砲術を学び、自ら大砲を製作して諸藩を指導し、海岸の防備を行うようになった。そうした状況下で、諸外国の軍事力のレベルを知って決定的に思い知らされたのは、もはや火縄銃の時代ではないということであった。この頃には幕府の統制が利かなくなり、各藩はそれぞれの思惑で軍備増強に勤《いそ》しんでいった。ただし、このあたりの経緯は、もはや「江戸の好奇心」の範疇《はんちゅう》から外れるので、これ以上論評しない。

〈火薬から花火へ〉

硝石製造法

鉄砲が伝来すると、有力な武器として瞬く間に全国に広がり、日本はいったん世界一と言われるくらい鉄砲が普及した国となった。当然、鉄砲に使われる火薬も併せて製造されたのだが、そこで苦労したのが火薬の最も重要な原料である硝石をいかに手にいれるかであった。最初は、中国やヨーロッパから硝石を大量に買い付けていたのだが、やがて自前で供給できるようになったことはすでに述べた。とはいえ、硝石を製造する方法は門外不出の機密であったため、詳細を記述した文書はほとんど残されていない。

一七六六年に青木安左衛門が書いた『塩本記』では、「築年数四、五〇年になる古家の床下の土を取って味わってみると、塩硝を含む土は、初めは少し甘く、やがて辛く感じる」と、その見分け方を述べている。便所・台所・馬小屋などの床下からかき集めた土には多くの硝石が含まれており、それを水に溶かし、灰汁《あく》を加え、上澄みを取って煮詰めると、不純ながら硝石が手に入る。これを「床下古土法」という。第三章で、貧乏武士たちが家の床下の土を掘って売り、小遣い稼ぎをしたという話を紹介したが、硝石作りのために古い土壌を集めて売り《う》捌《さば》くルートがあったのである。

さらに時代が進んで、一八三七年に江川太郎左衛門（一八〇一〜五五）が幕府に提出した意見書には、「フランス人が考案した硝石培養場では、魚のはらわたや動物の糞などを腐らせて、土と石灰を混ぜた田を使えば二、三年で硝石を採取できる」と書かれている。フランス革命の時に考案された「硝石丘法」と呼ばれた方法で、ナポレオン戦争での火薬供給に大きな役割を果たしたそうで、それが日本に伝来したらしい。いずれも、動物性タンパク質中の窒素と糞尿中のアンモニアが硝化バクテリアの作用で亜硝酸をつくり、それが酸化されて硝酸になり、土中のカルシウムと結合して硝酸カルシウムに変わり、これに灰汁に含まれる炭酸カリウムが作用して硝石となる、という反応系列である。

花火の登場

一五五九年に越後（新潟県）の上杉謙信（一五三〇～七八）は、豊後の大友宗麟が将軍足利義輝に献上した鉄砲と火薬製造法の秘伝書である「鉄放薬方《くすりかた》並《ならびに》調合次第」を、義輝から受け取っている。ここには黒色火薬の材料である「ゑんせう（焔硝）」「すみ（木炭）」「いわう（硫黄）」の調合と細かな作成手順が書かれている。こうした基本的なノウハウが伝わり、硝石の造り方とそれからの火薬の製造法が確立したことで、日本でもすべて自前の材料で火薬を造ることができるようになったのである。ところが、そのうちに鉄砲の需要が減って火薬製造の職人たちの商売が上がったりとなり、鉄砲以外の火薬の活用法を考えねばならなくなった。そこに見出《みいだ》されたのが平和的産業である花火で、空をよぎって飛ぶ火玉が人々の好奇心を惹《ひ》きつけたのである。

日本で最初に花火を見た権力者は徳川家康らしい。一六一三年に、東洋との貿易を求めてはるばる平戸までやってきたイギリス軍艦「クローブ号」の司令官ジョン・セーリスは、イギリス国王の国書とともに数多くの贈物を携えて、わざわざ駿府にまで家康を訪ねてきた。むろん、家康の歓心を買って貿易交渉をスムーズに行おうとの魂胆があったのだろう。セーリスの『日本渡航記』の八月三日の項には、「皇帝大御所様（家康）への贈物　鍍金《ときん》の鉢と水差し、猩々緋《しょうじょうひ》（赤い毛織物）ケルシー一巻、上等天竺《てんじく》木綿五反」などとともに、「銀台鍍金の筒入望遠鏡一個、海上においてつくった弩《ど》（大型の弓）一挺、虫眼鏡一個」などが用意されたと記されている。実際に家康と対面して、イギリス国王の書翰《しょかん》と贈物を献上したのは九月八日であった。

同じセーリスの家康との会見を記録している文献に、一七四〇年頃に成立した『武徳編年集成』と『宮中秘策』『駿府政事録』がある。セーリスの本には書かれていないが日本側の文献に書かれているのが花火の記録で、『武徳編年集成』の八月三日の項に「明の商人が花火師を連れて長崎から駿府に来て、イギリス人とともに家康に謁見した。イギリス人は、猩々緋一〇間、弩一挺、火砲二挺（象嵌《ぞうがん》あり）、及び遠眼鏡（六里〈約二四キロメートル〉先まで見えるという）を献上した」とある。そして、八月六日の項において、「夕暮れ時、二の丸で神君（家康）と三人の子息が明人の花火を見給う」と付け加えている。

一方、『宮中秘策』では、「この年の八月に蛮人が花火師を長崎から駿府に連れてきて、三日に引見して猩々緋一〇間、弩一挺、象嵌鉄砲二挺、長さ一丈（約三メートル）で六里先まで見える眼鏡を献上し、六日には大公（家康）が花火を観《み》る」とある。また、『駿府政事録』にも、「八月三日、本日に中国の花火師を連れてきて、六日の夜に花火を見ることができると言う。イギリス人は、今日殿中に伺候《しこう》して猩々緋一〇間、弩一挺、象嵌入りの鉄砲二挺、長さ一間

（約一・八メートル）ほどの六里先を見ることができる遠目鏡を献上した」とある。そして、約束通り六日の項には「昏黒（日没）になって花火師の唐人が二の丸で立花火を行って、大御所・宰相・少将が見物になった」と書かれている。

なお、セーリスの手記と日本の文献で日付が異なっているのは、イギリスは太陽暦（ユリウス暦）を使用していたが、日本は太陰太陽暦であったためである。

家康が見物した「立花火」は、節を抜いた竹筒に黒色火薬を詰め込んで上から点火し、火の粉を吹き出させるという単純なものであったと考えられる。当時はまだ発色剤を加えて多彩な色を出す技術は開発されていなかったから、ただ茫々《ぼうぼう》と火薬筒から火が勢いよく噴き出すさまを見ただけであったろう。しかし躍動する火の動きに、家康や子どもたちは思わず見入ったに違いない。七二歳を迎えていた家康も、童心に戻って感動したのではなかろうか。

実は、家康の花火見物以前に、豊橋の吉田神社で今川義元（一五一九～六〇）の時代に「手筒花火」が催されていたという言い伝えがある。節を抜いた竹の筒に火薬を詰めて点火すると火柱が噴き出すので、それを仁王立ちの人間が抱えて火が消えるまで立ち尽くしたらしい。現在でも吉田神社で行われている「手筒花火」と同じである。なんとも勇壮で、危険な火をコントロールしているとの誇らしい気分が伝わって来る。

以後、手に持って飛び散る火花を楽しむ線香花火のようなチリチリと火が飛ぶ花火や、小さな輪に点火すると鼠《ねずみ》のように走り回ってから破裂する鼠花火など、玩具の花火が多数作られて売り出され、庶民が夢中になったらしい。というのは、一六四八年のお触れに「町中で鼠火やりうせい（流星）その他の花火をしてはいけない。ただし、河口では構わない」とか、「町中で花火を作って売ることは固く禁じられている。たまたま武家より依頼されてあつらえる時は、町中においてはしないこと。御屋敷に行って花火をこしらえることは構わない」というような、町中での花火禁止令が出ているからだ。こんな禁止令が出るということは、花火が大いに人気になって、あちこちの町角で行われていたのであろうことを物語っている。

当時の江戸の町家は草葺《ぶ》きの屋根であり、障子や襖《ふすま》など紙に囲まれた長屋が多かったから、火事を恐れて町中の花火を禁止にしたのだ。なにしろ江戸は火事を最も警戒していた町であった。一方、広い敷地に点在する武家屋敷は瓦葺きであるため、お触れにもわざわざ「武家屋敷は例外」とあるように花火が許されていた。町人だけでなく武家も花火に夢中になったのである。火の魅力の故であろう。その後、何度も同様のお触れが出ていることを見れば、禁を破ってまで町中で花火を楽しむ町人が後を絶たなかったことがわかる。明暦の大火（一六五七年）で江戸城が炎上する事件を一七歳の時に経験した四代将軍家綱は、一六六九年に二の丸で二回にわたり花火を上覧したらしい。特に、二回目は二時間も花火見物をしたそうで、よほど魅了されたのだろう。

〈江戸の花火ブーム〉

このような花火への人気の高まりを受けて、大和の篠原村から弥兵衛という人間が一六五九年に江戸に出てきて玩具花火を売り出した。葦《あし》の管に火薬を小さな玉にして詰めたもので、火を点《つ》けると勢いよく炎が飛び出す仕掛けになっていて、彼はそれを「火の花」「花の火」「花火」と称して売り出し人々を喜ばせた。これが人気を呼んでよく売れたことから、弥兵衛は花火の店を構え、その年に「御本丸御用達《ごようたし》」となった。これが今日まで続く「鍵屋」の由来である。火薬を平和産業である花火に活かして江戸で商売を起《た》ち上げた弥兵衛の才覚は高く買うべきだろう。

同じ一六五九年に大川（隅田川）に初めて大橋（後の両国橋）が架《か》けられて、大川端は納涼に来る人々で賑《にぎ》わい、屋台も出て活気を呈するようになった。旧暦の五月二八日から八月二八日までの三ヶ月間、大川端に店を出すことが許可されたのである。その最初の日を「川開き」と言った。町中での花火はお触れで禁じられていたが、川べりでは許されていたから花火をする人が絶えなかった。川端のあちこちで花火を楽しむ人々が集まって来るので夜店が出て、水茶屋が客引きをし、金持ちは納涼船を出して夕涼みを楽しんだのである。川風に吹かれながら冷たいものを食べ、一杯飲んで散策する、時代とともに人々にそんな余裕が出てきたのだ。文化の広がりと進展には暇と遊びが不可欠であり、その中で好奇心も開花するというわけである。『和漢三才図会』には、「花火」は「狼煙《のろし》に代えることのできるものである。また、夏月に川辺の遊興とす」とあって、当時はまだ木の筒から火と煙が噴出するだけのものだったから、花火と言うより狼煙と呼ぶ方が似つかわしかった。事実、ここには「狼煙花火」という項が別に設けられ、「大竹の筒を用いて薬末を盛り、中に絹の切れ端をいれて鉄砲で打ち上げる。炎天に上り、絹もまた飄々《ひょうひょう》として飛ぶ。これを昼狼煙と言う。また流星のように、その尾の光を大きく長く延ばしたものを夜の狼煙と言う」とある。この「昼狼煙」が後に打ち上げ花火となったと推定されている（ずっと後の一八五六〜五八年にかけて歌川広重〈一七九七〜一八五八〉が制作した「名所江戸百景」にある「両国花火」でも、まだこの狼煙花火の光跡が鮮やかに描かれている）。

一七三二年には飢饉とコレラによって多くの犠牲者が出たことから、死者を弔い悪疫退散を祈って、吉宗が両国の大川で水神祭を執り行ったという。その際、両岸の水茶屋もこの祭りに協賛して、川開きの日には川施餓鬼《かわせがき》（水死者の霊を川で弔う供養）を行って死者を追善供養したとされる。翌三三年には、前年の水神祭と川施餓鬼に因《ちな》んで川開きの五月二八日に大花火を打ち上げることになったという。これが両国川開きの花火が年中行事となった最初とする説があるが、否定する論も出されている。ともかく、この時の花火師は鍵屋六代目弥兵衛で、花火の数は二〇発程度であったと言われている。なお、それ以前にも、舟遊びの客が土堤で行われる花火を見物したり、大川沿いに屋敷を持つ大名たちが花火師を呼んで狼煙花火を打ち上げさせたりしていたらしい。

そんなふうに花火の人気が上がってくると、当然花火師や花火屋は人々を楽しませるために、空中に上がる火のさまざまな造型を試みようとした。といっても、江戸時代を通じて噴き出す火の強さや継続時間を変化させるだけで、現代のような多様な色を出す方法は知らなかった。

歌川広重「名所江戸百景」より「両国花火」。打ち上げられた「狼煙花火」が描かれている。（国立国会図書館デジタルコレクションより）

「立火」（筒に火薬を詰めて点火して火の粉を吹き出させる）や「仕掛け花火」（地上に仕掛けをしていろんな形や文字が現れる花火）が主であって、打ち上げた玉が上空で破裂する「打ち上げ花火」が本格的に登場するのは一八〇〇年頃らしい。両国の花火といっても、かつてはそれほど華麗ではなかったのだ。

一八〇七年頃に鍵屋の手代だった清吉が暖簾《のれんわ》分けして玉屋市郎兵衛となり、両国橋を挟んで上流側を「玉屋」が、下流側を「鍵屋」が分担して川開きの際に共演（競演）することになった。見物にきた観客たちが、それぞれが花火を打ち上げた際に、屋号を叫んで称賛した。こうして花火人気がいっそう盛り上がり、江戸っ子はこぞって花火見物に出かけたのである。そもそも鍵屋初代の弥兵衛がお稲荷さんを深く信仰しており、お稲荷さんの使いである狐《きつね》の像の一方が鍵を持っていたので「鍵屋」と名づけ、もう一方の狐が玉を持っていたので「玉屋」とした、ということが店の名の由来らしい。これが今日でも、花火の際にときどき叫ばれる「かぎや」「たまや」という掛け声の由来である。

玉屋・鍵屋の競演もあって、その後はさまざまな花火が開発されて魅力的な名前が付けられている。一八三六年刊行の『江戸名物詩』には「流星虎尾入雲鳴　十二挑灯照水明　両国年年大花火　満城喚噺玉屋声」という七言絶句がある。「流星」は光跡を残すタイプ、「虎尾」は虎の尻尾のような火の流れのものである。中村子寅の『花火の記』では、「有金簾・臓竜・白玉・玉火・二光・三光・弄珠竜・玉峰・水鼬・赤熊・虎尾・千条金之属」など、火薬の力で一発を真上に打ち上げる「流星」型の花火に対する命名だけでも十数あると言っている。また、張った線上に火鼠を縛って火を伝わせていくタイプでは、空から花が乱れ落ちるように見え、これらにも有玉簾・金散・一層蓋・二層蓋・十二灯・紫藤架・大山桜・祇園会・千隻鶴・鼓瀑・千里虎・武野月などの名が付いている。そして、「竹筒に火薬を込めた玉をいれ、空間にほどよく配置し、導火線によって火を通し、点火して次々爆発させて噴射し激射する」と、花火の機構（からくり・仕組み）について書いている。

また、平戸藩主であった松浦静山が書いた『甲子夜話《かっし》』には、一八〇四年のこととして、ある人が花火の番付をしており、「一番柳火、二番群光星、三番武蔵野、四番蜂巣立、五番金傘、六番銀河星、七番粟散星、八番子持乱虫、九番村雨星……」など七〇番まで続いているとある。実にさまざまな花火が打ち上げられていたことがわかる。ここには「流星」とともに、「打出し」という従来の立花火、「鋼火移し」という鋼のように幅広く火が伝わるものも挙げられている。さらに一二番以降に四つ「打揚」があって、火薬玉を打ち上げて空中で破裂させる打ち上げ花火の最も古い記録のようである。

玉屋・鍵屋の競演は三〇年以上続いたが、一八四三年四月、一二代将軍家慶《いえよし》（一七九三〜一八五三、在職一八三七〜五三）が日光参拝に出発する前日に玉屋は失火事件を起こし、付近の町並みを全焼させてしまった。江戸における失火は大罪であり、しかも将軍が日光へ出立する前日ということもあって、玉屋は江戸払いとなってしまう。結局、玉屋は一代のみで終焉《しゅうえん》を迎えることになったのだ。「橋の上　玉屋玉屋の声ばかり　なぜに鍵屋と言わぬ　情《じょう》（錠）なし」という狂歌がある。なぜ「たまや」の掛け声が多かったのだろうか？　玉屋の方が花火の実力が上であったとか、「たまや」が言いやすかったとか、一代で店が潰れたことへの同情、などが理由として挙げられている。この狂歌は、「かぎや」の掛け声がないのは、錠前（鍵）がないので口が開かないからだとの洒落《しゃれ》である。

花火は江戸っ子にふさわしい遊びであった。暗い夜空に描く、ほとんど一瞬の、そして突然のクライマックスに思いを寄せる営みだからだ。歌舞伎の名舞台を見て、大向こうから声をかけるのに似て、思わず「たまや〜」と叫んでしまう。花火の光跡に哲学的な永遠と無限を感じ取るとともに、限りある寿命をも思い浮かべる。そして、終わった後にただ暗闇のみが広がっていることも感傷を誘う。まさに花火は無償の行為、瞬間の芸術である。

花火は江戸だけでなく、尾張の牛頭《ごず》天王祭の時に稚川《おさながわ》の両岸で、大坂では天神祭の船渡御《ふなとぎょ》の際に、それぞれ花火を打ち上げるというふうに、全国へも広がっていった。一八四二年には玉屋・鍵屋など一三もの花火メーカーが腕を競い合ったようで、花火の人気がいかに高かったかがわかる。

火薬の爆発的エネルギーの利用法は二つある。一つは、多量の火薬の同時爆発による巨大なエネルギー放出で、山をくりぬいてトンネルを穿《うが》つような作業に使われるが、多くは戦争での人間の殺傷と建造物の破壊に使われる。いわば、火薬が持つ巨大な破壊力の軍事的利用である。もう一つは、火薬の爆発のエネルギーを小出しにして、じわじわと火を噴き出させ、夜空をよぎる光芒《こうぼう》に変える花火のような平和的利用である。江戸時代は、鉄砲の火薬を花火に置き換えて爆発エネルギーの平和利用に徹した時代であったとも言える。そこには何らの打算や物質的欲得が伴わない、ある意味で馬鹿らしい消費なのだが、それこそが江戸人が求めたものではないだろうか。

江戸時代においては、これ以上の化学的な知識がなく、秘伝で職人たちの間でしか花火の技術が踏襲されなかったこともあって、花火についてさらに奥深く研究するに至らなかった。だから、当時の花火は、ただ彗星《すいせい》のように光の尾が夜空に引かれていく光芒を生み出すものが主で、現代の華麗な花火と比べるとみすぼらしいが、そういうものだと受け取って人々は花火を楽しんだのである。

望遠鏡・眼鏡

〈望遠鏡伝来史〉

望遠鏡の日本への渡来は先の花火と同じく、一六一三年、ジョン・セーリスが家康に献上した「銀台鍍金の筒入望遠鏡」が嚆矢《こうし》で、六里先まで見えることが売り物であった。元々雨天が多く、湿気（水蒸気）の多い日本では星空をぼんやりと見て楽しむことはあっても、月や星を詳しく観察して星空を究めるという発想は乏しく、その後も天体望遠鏡としては使われず、もっぱら海岸縁で外国船を監視するのに重宝された。

この望遠鏡とは別に、家康の九男で尾張藩の創始者である徳川義直《よしなお》（一六〇〇～五〇）から二代目藩主の光友《みつとも》への遺贈品の一つとして、「御譲遠御目鏡」と書かれた箱に納められていた「義直公望遠鏡」が、現在保存されている日本最古の望遠鏡である。五段式で折り畳んだ長さは四一センチ、伸展すると全長は一一九センチ、対物レンズの直径は四〇ミリ、接眼レンズの有効口径は一一ミリで倍率は三・九倍、四枚の凸レンズから成っており、これはいわゆる「シルレ型望遠鏡」（フランシスコ会の修道士シルレが考案した仕組みのもの）である。といっても、ヨーロッパでシルレ型望遠鏡が手にいれられるようになったのは一六四九年以降のことで、一六五〇年に亡くなった義直の手に入るはずがない。どうやら、ヨーロッパ人宣教師が中国で考案し、中国南部か長崎で中国人が貴人向けに製作したものではないかと考えられている。

この望遠鏡は、対物レンズの絞りの部分に鼈甲《べっこう》のリングが用いられ、眼当《めあ》ての部分の素材が象牙で、鏡筒部分に金箔を用いた文様が入っているなど、高級な寄贈品としての出来栄えで、「一閑張り」と呼ばれる手法で鏡筒や蓋の部分が製作されている。因みに、一閑張りとは、中国から来日した飛来一閑《ひらいいっかん》（一五七八～一六五七）が漆器の素地に紙を貼って漆塗りにした細工物のことで、この点からも中国人の手が入った望遠鏡であることがわかる。この義直公望遠鏡は、倍率が四倍以下で玩具のようなものだから、月に向けても肉眼で見るのとさして変わらないため、天体を観察する望遠鏡ではない。

当時、異国船監視のために、一六三八年に長崎港口の遠見番所に三本の望遠鏡が、さらに一六八八年には古瀬戸番所ができて新たに三本の望遠鏡が備えられたが、いずれも外国製品であった。番所では怪しい外国船を見つけると、直ちに狼煙を揚げてこれを伝えた。後には合図の信号旗を掲げ、これをリレーするという手順になった。オランダ船の入港二日前にはすでに帆影を捉えていたという。このように番所の役人は国防に必死に取り組んでいたのだが、港を監視・警備する他藩からの応援の役人については、ほとんど何事も起こらないので警護要員を減らしていった。その虚をついて、偽装してオランダ国旗を掲げたイギリス軍艦が長崎港に入港してきたのがフェートン号侵入事件（一八〇八年）で、出迎えに行ったオランダ商館員二名が捕虜となった。四六時中望遠鏡で船を確認する作業も大変で、ほとんど異変が起こらないのに、一日中緊張して待機するのは馬鹿らしいと手抜きした結果の事件であった。

一七世紀後半から、西洋製や中国製の望遠鏡がかなりの数、日本にもたらされた。それとともに日本でも製作されるようになったようだ。『和漢三才図会』には「遠眼鏡　三重筒に作り伸縮す。各の口に玉を嵌《は》める。この本玉は老眼鏡のごとし。中と末とは壮眼鏡のごとし。ただし、本朝作るところは、三里以上を視《み》る能《あた》わざるなり」とある。すでに老眼鏡や双眼鏡（ガリレオ式の双眼鏡）が出現しており、それらに使われるレンズの知識があったことがわかる。また「本朝作るところは」とあるように、望遠鏡にはすでに国産品が現れていたようだが、「三里以上を見ることができない」とあって性能が悪かったようだ。日本にはまだよいレンズがなかったのである。

八代将軍吉宗が天文暦学に強い関心を持ったのは、「地上の最高権力者は『観象授時』（天体を観測して、人民に正しい暦を授けること）を行うのが責務との思想」を実行しようとしたためらしい。いかにも大げさだが、吉宗は著名な和算家の建部賢弘を顧問にして「日本総図」の作成を命じ、建部の弟子であった中根元圭《げんけい》（一六六二〜一七三三）に、貞享暦《じょうきょうれき》（渋川春海《はるみ》〈一六三九〜一七一五〉が日本人として初めて作成した暦）の精粗を確かめるための天文観測を行わせた。貞享暦の限界から、改暦の必要を感じていたのである。また自身も、江戸城内で自ら工夫した天文儀器を使って実際に夜空を観測したそうだ。そして、西洋の天文学が、それまで日本が依拠してきた中国の天文学よりも遥《はる》かに勝っていることを知って、キリスト教に関連しない西洋の文献を輸入することを許可したのである。

さらに吉宗は高性能の望遠鏡を得るため、長崎の眼鏡師である森仁左衛門正勝（一六七三〜一七五四）に天文観測用の大望遠鏡の製作を命じている。『寛政暦書　巻二十二』には長崎の工人森仁左衛門が、測午表儀、子午儀、象限儀、制測器付き遠眼鏡などを作ったとある。天文観測機器の製作に優れていたのだろう。それにしても、吉宗は天文観測の重要性をどこで学んだのであろうか？

岩橋善兵衛

望遠鏡についてはまず、「本邦製遠鏡中之巨擘《きよはく》」（『寛政暦書　巻二十四』）と呼ばれた望遠鏡を製作した、泉州貝塚出身の岩橋善兵衛（一七五六〜一八一一）のことを述べておかねばならない。『江戸時代の科学』では、彼は魚屋の息子であったが、早い段階で眼鏡の玉を磨いて販売する仕事に就いたとある。また、同書は「寛政五年（一七九三年）に望遠鏡を製作し、その後木張り、一閑張り、竹筒のもの等種々の望遠鏡を製作した。寛政八年には伊能忠敬のために望遠鏡を製作したことがある」として、竹筒望遠鏡三本と一閑張り望遠鏡一本を列挙している（一部写真付き）。いずれも屈折望遠鏡である。

寛政五年作の望遠鏡は、板で作った八稜《りようかく》角の鏡筒にレンズを嵌めた「窺天鏡《きてんきよう》」と呼ぶもので、彼が書いた『平天儀図解（天文捷径《しようけい》）』（一八〇二年）に記載されている望遠鏡がそれであろう。さらに同書では、太陽・太陽出没・太陰（月）・太白星（金星）・辰星（水星）・熒惑星《けいこく》（火星）・歳星（木星）・鎮星（土星）のスケッチも採録していて、自らの望遠鏡の威力を誇るかのようである。彼はその望遠鏡を、近代医学の先駆者と呼ばれる橘南谿《たちばななんけい》（一七五三〜一八〇五）の別宅「黄華堂」に持参し、一七九三年七月二〇日に一二人の文化人を集めて天体観望会を催している。この時の観察記録が南谿による『望遠鏡観諸曜記』（漢文）であり、その書き下し文が伴蒿蹊《ばんこうけい》（一七三三〜一八〇六）の『閑田次筆《かんでんじひつ》』（一八〇六年）に収録されている。『閑田次筆』では望遠鏡について、「政府の司天台に蛮製のものを蔵《おさ》めているようだが、その他に聞いたことがないから、（日本では）善兵衛が製作したのが最初であろう。岩橋善兵衛の奇工（巧みな細工）、実に稀代《きだい》（世にも珍しい）のことである」と書いている。また、「諸天体を見ると、肉眼では見えないところまでよく見え、蛮人のいうこととよく一致している」とあって、蘭学の正しさを確認している。このような観望会は何度も開かれていたようで、「先日もまた見ると、太陽表面に黒点が五つあって大小あり、善兵衛の言うには黒点十余日かかって太陽面を動く」とも記しており、太陽黒点の動きをその目で確かめて感激した面持ちである。

南谿は、先の『平天儀図解』の跋《ばつ》（あとがき）に、「月星窺《うかが》う鏡をわが邦にて初めて造り出し、その名を高めて公の天文台の器などを数々造ってきた。優れた器を得て月星の真の形を見て、遠き国の文など詳しいものを信読することができるようになった」と書いており、善兵衛の望遠鏡製作を褒め（「わが邦にて初めて」は褒め過ぎだが）、さらに蘭学への信頼を高めることになったと記している。

特筆すべきなのは、このように善兵衛が望遠鏡造りのみならず、月星の観測そのものに興味を広げ、広く天文学へと一歩踏み込んでいることである。善兵衛の手解きを得た南谿の観測記録である『望遠鏡観諸曜記』には、例えば、銀漢（天の川銀河）の中に見える「『尾宿（さそり座の一部）』の左方にある白気が靄《もや》のように見えるのは、小さな星が集まったものであり、『奎宿《けいしゅく》（アンドロメダ座の一部とうお座の一部）』の白気其実皆白気（星に分解できない光の固まり）だ」と述べている。これは自らの観測結果をありのままに書いたものであろう。蒿蹊も『閑田次筆』で「銀河の中の真白き塊を見れば、小さな星が数十百千も集まって、砂袋に蛍が群れているようだ」と感激している。こうなると、天体物理学的な観点が生まれ始めていると言えそうである。善兵衛の望遠鏡は性能が高く、伊能忠敬を始め数多くの者から所望されて造られた。

かの天才画家の司馬江漢が『天地理譚《てんちりだん》』（一八一六年）において、わざわざ「望遠鏡製作」のことを述べているのは、望遠鏡に関する知識を求める需要が増大したためと思われる。江漢は「泉州貝塚というところの岩橋善兵衛という人がこれを製作して、今死せり」と書き、さらに「大坂高麗橋《こうらいばし》筋二丁目小林喜左衛門がこれを作り、医者の麻田氏（麻田剛立のこと）もまたよくできた」と回顧している。さらに江漢は、目と望遠鏡や顕微鏡などの働きの解説としてピンホールカメラの原理を説明し、望遠鏡もそれと同じで「眼中に物を視る際、水晶膜（眸《ひとみ》）が凸のため光が穴に入って転倒した像を作る。これを凸の硝子で再び転倒させ、正立した物が見える」と絵入りで仕組みを説明している。江漢は「科学的」にメカニズムを説明しようともがいていたのである。

国内の望遠鏡製作は、浜田弥兵衛（生没年不詳）の伝統もあって西洋との貿易港であった長崎が進んでおり、「長崎レンズ」と呼ばれていた。一方、江漢の文に大坂の小林喜左衛門や麻田剛立の名が出てきたように、大坂でも望遠鏡製作が盛んに行われるようになっていた。剛立が一七九九年に亡くなると、彼の弟子であった間重富は翌年、剛立の長兄の子（つまり剛立の甥《おい》）で剛立の嗣子となっていた病弱な麻田直（立達、一七七一～一八二七）にレンズの研磨を勧めた。その後、早くも一八〇二年には「よき遠眼鏡もでき、（木星の）四小星の大小を見分けることができる」と褒めているから、腕はよかったのだろう。とはいえ、江漢が「この類の望遠鏡はイギリスの都であるロンドン製である」と書いているように、日本製の望遠鏡は外国製に比べて性能が劣っていた。豪商升屋《ますや》の主人である升屋平右衛門重芳《しげよし》（山片蟠桃《やまがたばんとう》の雇い主、一七六四～一八三六）が所蔵していた望遠鏡は、オランダ製二本、イギリス製五本、フランス製一本、不明二本で、圧倒的に値段が高い外国製ばかりである。そのような時期だったからこそ、岩橋善兵衛の精密な望遠鏡製作は高く評価されるべきだろう。なお彼は、望遠鏡製作の技術を活かして、日時計・晴雨計・エレキテルなどの製作・研究にも手を出している。好奇心旺盛な技術者として、さまざまなことに挑戦したくなったのだろう。

少し話が逸《そ》れるが、江戸時代に技術が門外不出であったことを示すエピソードを紹介しておこう。岩橋善兵衛の孫で当時岩橋家の当主であった源兵衛が一八六四年に、沢屋藤兵衛と粉屋久兵衛を相手取って「誓約違反」で代官所に訴え出た事件である。岩橋家ではレンズ研磨は秘伝で、弟子に技術を教えても独立営業は認めず、自家で働く以外には仕事を請けないとの誓約書を取って営業していた。ところが、源兵衛の親である作兵衛の弟子であった藤兵衛が自分の弟子に研磨の技術を伝授し、二人で独立営業を始めようとしたのである。その上、岩橋家に出入りしていた久兵衛を研磨職人として引き抜き、独立営業をさせようとしたのであった。

このことを知った源兵衛は、藤兵衛に思いとどまるよう説得したが聞き入れない。そこで、彼らの振る舞いを差し止め、レンズ研磨をするなら岩橋家の下で行うよう命令して欲しい、と代官所に訴えたのである。その結果は、藤兵衛は岩橋家の営業を妨げない範囲で開業を認めるが一代限りであり、久兵衛は独立禁止で岩橋家の職人として働くことを誓約すべきとの判決であった。藤兵衛は父作兵衛の弟子であり、久兵衛は源兵衛の弟子であるとの差異から、二人への拘束性が異なっている。

この判決に対して、明文化された特許法がなかった時代の技術保護という観点から、門外不出という慣習法的な（私的な）特権が認められていたとの解釈がある。そのような慣習法がなければ技術が立ち消えになったかもしれないという理屈である。これに対し、学問や技術が一子相伝とか家伝とか秘伝というふうに限られた人間にしか伝授されないと、その技術は特権化して閉ざされたものになってしまい、発展性を失っていくという負の側面を考えねばならないとの反論もある。江戸期の技術の継承と公開性についての葛藤というべきものが存在したことを示す一例として、ここに紹介した。

国友一貫斎

ここで再び国友一貫斎藤兵衛に登場を願おう。彼は国友鉄砲鍛冶の担い手として重要な人物であるとともに、これから述べるように、豊かで自由な発想によってさまざまな技術開発に挑戦した稀有《けう》な人であった。彼が門外不出であった火縄銃製作の秘伝を、『大小御鉄炮張立製作』において公開したことは先に述べた。例えば「張立」に関する技術がある。マキシノと呼ばれる棒に鉄板を巻いて銃身の筒を造る作業のことで、その強度を高めるためにリボン状の鉄板を包帯を巻くように筒に巻いていく。高級品には鉄板を二重に巻いた「二重巻張」が使われたそうで、これが国友鉄砲の秘伝の一つであった。

一八一一年に「彦根事件」が起きた。彦根藩が直接一貫斎に大筒を発注したのだが、これに対して国友鉄砲鍛冶の年寄たちが反発した。本来、鉄砲の受注は年寄を介して行われる規則なのに、年寄脇でしかない一貫斎への直接発注はルール違反だと彦根藩に抗議したのであった。

彦根藩はこの抗議を無視するのみならず、逆に国友鉄砲鍛冶が領内に立ち入ることを禁止した。そのため、国友で生産した鉄砲が彦根藩を通過できなくなるというようなトラブルが頻々と起きたのである。そこで一八一三年に国友の年寄たちが、幕府に「彦根藩による領内通行禁止命令を解除する」よう訴え出たのであった。

この訴訟は証拠調べなどで長引き、一八一六年には一貫斎が当事者として江戸に呼び出されることになった。年寄側は「諸藩からの鉄砲の直接受注を制限してほしい」と主張したのに対し、一貫斎側の平鍛冶代表は「年寄側の陰謀による権威振り」と非難して平行線のままであった。結局、一八一七年に年寄代表を処罰することで本件は決着し、これによって年寄の権威が大きく失墜した。つまり、この事件は国友鉄砲鍛冶の旧体制を崩す作用として働いたのである。これを契機として一貫斎は鉄砲鍛冶の秘伝を公開したのだが、事件は同時に彼が鉄砲製作よりも新技術の展開への道を歩む契機となったのではないかと思われる。

一貫斎は、一八一六年から二一年にかけての五年間江戸に在住しており、花火・金工（鋳物蠟法《ろうほう》）・砥石《といし》・焼き付け細工など、さまざまな領域の職人と交流して知識や技術を吸収している。また、彼は「幕府御用達鉄砲鍛冶」という肩書きを利用して全国の大名家に出入りし、彼らが有する外国からの輸入器物を実見して自分で製作し受注するようになった。

彼がまず手掛けたのは「空気銃（気砲）」で、山田大円という蘭方医と知り合って気砲の模型を造り、また江戸で実作して丹後峯山《みねやま》藩主の京極高備《たかまさ》（一七五七〜一八三五）に納入している。併せて『気砲記』を著し、その使い方を解説して売り込んでいる。その後、諸大名から注文を受けて多数納品しているが、中には一挺三五両もしたものもある。当時、空気銃は「風砲」と呼ばれたが、一貫斎は空気を圧縮して閉じ込め、その圧力で弾《たま》が飛び出すことから「気砲」と名づけるべきと主張した。実際、彼はポンプで空気を込めていくに従い重さが増していくこと、つまり空気に重さがあることを示した最初の日本人であった。

以後一貫斎は、一八一八年にはオランダ製の高度測定器オクタント（八分儀）を見て距離測定器、一八二四年には錫《すず》と銅の合金による曇らない鏡面として国友日吉神社へ奉納した神鏡（魔鏡：表面に光を当てると裏面の模様が浮かび上がる鏡）、一八二六年には鋼製弩弓（現在のアーチェリー）、一八二八年には懐中筆（現在の筆ペン）、玉灯（灯油用灯火具の改良）など、数多くの発明をしている。

ここで彼が日本最初のグレゴリー式反射望遠鏡を製作したことに触れないわけにはいかない。グレゴリー式反射望遠鏡は一六六三年にスコットランドのジェームス・グレゴリーが発案して原理を公開し、一七二三年にジョン・ハドリーが口径一五センチ、焦点距離一・六メートルで回転放物面の主鏡を造ることで二三〇倍まで倍率を上げられるように改良した。それが中国を経て日本に到着したのは一八〇〇年頃と推定される。一貫斎は一八一八年頃に江戸でそれを見て製作を思い立ったという。金属鏡の直径は六二ミリで、銅六五パーセント・錫三五パーセントの合金で、彼はこれを「テレスコッフ遠鏡」と呼んでいる。『ラランデ暦書管見』（一七七三年蘭訳）は高橋至時が翻訳に励んだので有名だが、そこに反射望遠鏡の詳細図が載っており、一貫斎もこの図を参考にして製作したのではないかと推測されている。

彼が実際に望遠鏡の製作に取り掛かったのは一八三二年で、①反射鏡の鋳込み、②鏡の研磨、③ガラス製レンズの研磨、という三点が特に難しい技術的要素であった。彼は銅と錫の合金による曇らない鏡を工夫し、太陽観測用のゾングラスを開発してガラス技術を向上させている。翌年には望遠鏡の第一号が完成して月と木星の観測を行い、『テレスコッフ遠鏡月木星試』と名づけた写生図が残されている。本格的な連続観測を行ったのは一八三五年正月からで、『日月星業試留《ためしとめ》』という観測記録を残している。太陽黒点に関しては翌年の二月まで一五八日に及ぶ長期のスケッチを残しているのが注目される。「この頃は、毎日観測を楽しみ居り候」との書翰を彼は残しており、自ら開発した機器で観測をする醍醐味を味わったのだろう。

一八三六年の惑星の観測では、「戌亥《いぬい》の方へ出る」と書かれた太白星（金星）が三日月状に描写されている。そして、「太白星の下少し北寄りに出る」と書かれた木星は四つの衛星を従えており、三本の帯状の縞模様が描かれている。また「南の方に出る」と書かれた土星には環《わ》と一つの衛星（タイタン）が見える。環の下にはわざわざ「両方黒く」と記している。これら

築地善交『竹斎老宝山吹色』より。医者が望遠鏡を使って、患者の腹の中を診ようとしている様子が描かれている。
（国立国会図書館デジタルコレクションより）

は、一貫斎の観察力の鋭さと望遠鏡の威力を如実に表していると言えよう（以上、一貫斎にかかわる話題は『江戸時代の科学技術』を参考にした）。

望遠鏡の意外な利用法？

天文観測や海域の警備用というような場面で、遠くの小さな物をクローズアップして大きく見せる望遠鏡だが、その特性をいかにも有効に活かすかのごとく、創作物の中で「内視鏡」代わりに使う場面が描かれたことがあった。思いがけない望遠鏡の使用法である（『いのちの文化史』）。築地善交《つきじのぜんこう》（森島中良《ちゅうりょう》〈一七五四？〜一八一〇〉の戯号）作の黄表紙『竹斎老《ちくさいろう》宝山吹色《たからのやまぶきいろ》』（一七九四年）に北尾重政が絵を描いたものでは、江戸の医者が望遠鏡を病人の臍《へそ》に当てて腹の中を見る姿が描かれているのである。その詞書《ことばがき》には「駒形の眼鏡屋にあつらえて遠眼鏡をこしらえ」とあり、「上焦（胸部）の病は口から覗《のぞ》き、中焦（上腹部）の病は臍から覗き、下焦（下腹部）の病は尻の穴から覗き見るに、ありありと見え」とある。望遠鏡で体の内部を透視して見ることができるということで、まさに現代の胃カメラや腸の内視鏡代わりに使っているのだ。むろん、望遠鏡で内臓が見えるはずがないのだが、遠くの米粒でも望遠鏡を使えば大きく見えることを人々に体験させれば、体の中でも見ることができると思わせることができたのだろう。

この黄表紙には二つの種本があり、一つは、当時大評判となった富山道冶（一五八四〜一六三四）作の仮名草子『竹斎』で、やぶ医者の竹斎が諸国を珍道中して当意即妙の治療を行っていく物語である。もう一つは林生作の『黄金山福蔵実記《こがねのやま》』（一七七八年）という黄表紙で、主人公の福蔵がオランダ人の父親譲りのレンズ付き器具を使い、病人の腹の中を見て大儲けしたという物語である。その際のパフォーマンスとして、姫君の臍に器具（望遠鏡）を当てて腹の中を覗く場面がある。その姿を鳥居清経《きよつね》（生没年不詳）が描いていて、いかにも本当らしく思わせた。この絵を下敷きにして、先に述べた築地善交が新版の竹斎物語をでっち上げたと推定されている。

さらに、式亭三馬《しきていさんば》（一七七六〜一八二二）の『腹之内戯作種本《はらのうちけさくのたねほん》』（一八一一年）という洒落本でも、望遠鏡を自分の臍に当てて「腹の内を見せる」という趣向を楽しんでいる。黄表紙や洒落本に書かれるくらいであったから、江戸の人々は星よりは人間の内臓の方に強い好奇心があり、望遠鏡の意外な、あらぬ利用法を考え出したのである。

〈眼鏡の技術〉

望遠鏡の重要な技術は、玉（レンズ）または鏡の研磨にあり、その技術は当然眼鏡（目鏡）の製作に強く絡んでいる。というより、望遠鏡は主として幕府や大名などが使うもので、庶民には縁が遠く（月や星を観測する人間はよほどの物好きだけであった）、近視や老眼など目の不調に悩む庶民にとっては眼鏡を求める需要の方が圧倒的に多い。そのため、交易を望む外国人が来訪した時には、遠眼鏡は見栄えのする麗々しい贈物として使われたが、他方で嵩張《かさば》らず、値段もそう高くない眼鏡も気軽な献上品として重宝されたのである。

例えば、一五五一年にフランシスコ・ザビエルが用意した大内義隆への贈物に結晶硝子《ガラス》（ビードロ）・鏡・眼鏡があった（この時点では望遠鏡はまだ発明されていなかった）。受け手側の『大内義隆記』（一五五一年）には、「老眼の鮮やかに見える鏡」とか「程遠けれど曇りなき鏡」と書かれており、とても貴重なものを手にした思いが綴《つづ》られている。ヨーロッパで老眼鏡が発明されたのは一三世紀後半、近視用レンズが発明されたのは一六世紀で、当時ようやく庶民レベルまで眼鏡が広がりつつあった。日本にやってきたザビエルは近視用眼鏡をかけていたようで、彼に接した民衆は目が四つあると驚いたらしい。実際、一五九三〜一六〇〇年頃に狩野光信《かのう》（一五六一／六五〜一六〇八）が描いたとされる南蛮屏風《びょうぶ》には鼻眼鏡をかけた（しかし逆さまである）宣教師が描かれている。狩野内膳《ないぜん》（一五七〇〜一六一六）の署名のある屏風には南蛮人の行列が、狩野山楽《さんらく》（一五五九〜一六三五）作とされる屏風には刀をさして貴人と交渉する南蛮人が描かれ、いずれも屋外で鼻眼鏡を使っているので近視用だと推定される。

鎖国令が出るまではポルトガルとの貿易が盛んに行われており、一六三六年には鼻眼鏡一万九四三五個、三七年には三万八四二一個、三八年には四〇五個（三九年にポルトガル船来航禁止令）が輸入されたという記録がある。これだけ大量に輸入されていたことから、鼻眼鏡は特権階級のみならず広く一般にも普及していたと思われる。鎖国以後の日蘭貿易での眼鏡の正確な輸入数はわからないが、左右二つレンズの、蔓《つる》なしの鼻眼鏡（老眼鏡）や読書用の虫眼鏡がかなり輸入されていたようだ。初めは「虱《しらみ》のめがね」と呼ばれたらしい。実際には、鎖国後は中国（広東《カントン》）の眼鏡技術が日本を上回っていて、中国からの輸入の方が重要になっている。数少ないデータから言えることは、鎖国後の眼鏡輸入のピークは一八世紀半ばで、一七六八年には一万一六九九個も輸入されているが、一八世紀後半になると輸入が減少していることだ。国内における眼鏡の製造が発展して需要を賄うことができるようになったためだろう。

江戸時代における眼鏡造りの技術について辿《たど》ってみよう。その最初の文献は、一六九〇年に上方で出版された『人倫訓蒙図彙《きんもうずい》』（著者不詳、絵は蒔絵師《まきえし》源三郎）であろう。もっとも、ここには「珠摺《たますり》」として、玉細工師が水晶を金剛砂で研磨してレンズに仕上げると書かれているのみである。眼鏡（靉靆《あいたい》）について最初に本格的にまとめたのは、『和漢三才図会』であろう。「靉靆（眼鏡）は、老人の視力が衰えて細かい字が読めない時、これで目を覆えば精神は散ぜず、文字の筆画がはっきり見える」とあり、水晶を金剛砂で磨くとされているのは先と同じである。続いて「老人と壮年とでは違いがある。老眼の場合は微凸にし、壮眼の場合は表裏真《ま》っ直《す》ぐで、中老の場合は表は平らで裏がわずかに窪《くぼ》んで（凹）いる」と、用途に応じてレンズが異なっていることを述べている。さらに、「近眼鏡（表はわずかに凹で裏はわずかに凸《なかだか》）、遠眼鏡（元にいれる玉は老眼鏡に似て、中と末にいれる玉は壮眼鏡のよう）、虫眼鏡（玉は厚く表は凸で裏は平ら）、数眼鏡（表は平らで裏は鼈甲のよう、近年では硝子でこれを造る）」と、各眼鏡に用いられるレンズの形を的確に書いている。むろん、その理由まではわかっていないが、レンズの差異に注目しているのはなかなか慧眼《けいがん》である。さらに、水晶に代わって硝子が使われ始めたことから、国産眼鏡が作られるようになったことがわかる。

西川如見《じょけん》（一六四八〜一七二四）の『長崎夜話草』（一七二〇年）の巻五・付録には「長崎土産物」として、「眼鏡細工　鼻眼鏡、遠眼鏡、虫眼鏡、数眼鏡、磯《いそ》眼鏡、透間眼鏡、近視眼鏡《ちかめ》」

とあり、望遠鏡（遠眼鏡）と並んで数々の眼鏡が長崎土産として販売されていたことがわかる。「数眼鏡」は一つの被写体が五つにも六つにも見える眼鏡、「磯眼鏡」は海辺でかける眼鏡（紫外線を吸収する）、「透間眼鏡」は非常に小さなひび割れや穴を見つけるための虫眼鏡であろうか。用途ごとに特化した眼鏡を工夫している。この本では、「長崎の住人の浜田弥兵衛が若い頃に外国へ行って眼鏡の作り方を習い、生島藤七という人間に教えて作らせて以来、ここに伝わっているのである」と書いていて由緒ありげである。

三宅也来《みやけやらい》という人が一七三二年に刊行したとされる『万金産業袋《ばんきんすぎわいぶくろ》』には、当時のさまざまな細工物（印判・硯石《すずりいし》・刀の鞘《さや》や鍔《つば》・印籠・織物・醤油《しょうゆ》など）の詳細について書かれており、職人の技術一覧の趣があって楽しい本である。その巻三に、「目鏡類」があり、「丸目鏡・靉靆《めがね》これ常に用いている目鏡で、若年・中年・老年の区別がある」としていて、「若年は玉薄く、みな硝子《びいどろ》なり。中年より段々と老年に至るほど玉厚く、本水晶を用いる」とある。そして、「近目鏡　盛り玉として玉の表に少し膨らみつけ、裏をまんろく（平ら）にする」とあって、近視用・老眼用の眼鏡の差異を解説している。また、「遠眼鏡　内にいれる玉の数は、本末に二枚、それより三枚四枚、大きいものでは八枚まで用いるものがある。手元の玉の内を膨らませ、外はろく（平ら）にする」としており、「鏡の面の上がふくれていると物を小さく、遠くにあるように見せ、凹であれば物を広大に見せるから、髭鏡に使われる。遠眼鏡もこの道理を使って工夫したものである」と書いていて詳しい。さらに、四枚の玉を使った四つ継ぎの「筒入り廿里《にじゆうり》」という、二〇里まで見える望遠鏡の分解図を示し、「科学的」に望遠鏡の原理を語ろうと努めている。もっとも、ここでも「日本での製作はあるが、唐からやってきたものがよい」と、国産の製品は中国製に比べて劣ると繰り返し言っているのは正直である。

この『万金産業袋』に列挙されている眼鏡としては、先の近目鏡以外に、瑕《きず》目かね（小さな傷をクローズアップする眼鏡）、月めかね（月を近くに見せる眼鏡）、日目鏡（太陽の光を遮るサングラス）、日取《ひとり》目鏡（ただし眼鏡ではなく、日光を集めて火を取る器）、月取目鏡（満月の光を集める眼鏡）、五色目鏡（玉の上を三角にして日光を五色に分けるプリズム眼鏡）、七つ目鏡（玉を六角や七角に切り、物の姿を六つや七つに見せる眼鏡）、横三つ目鏡（一つの物が横に三つ並んで見える眼鏡）、逆目かね（物が逆さまに見える眼鏡）、八方目鏡（上下左右東西南北より来る人をすべて写す広眼鏡）、日蝕目かね（日食を見る時に使う目がまぶしくない眼鏡）といったものがあって、さまざまな眼鏡を工夫し細工していたことがわかる。江戸の人間の旺盛な好奇心を感じさせるではないか。

以上のように、さまざまな種類の眼鏡が売られていることから、一八世紀前半には眼鏡産業が力を付けてきていたと考えられる。その背景には、硝子細工や研磨の技術が向上したことがあるのは確実だが、むろん多くの人々が眼鏡を必要とするようになって消費が増えたこともあるだろう。

その第一として、職人が細かな手仕事をする際には物の詳細をよく見なければならないから、目が悪い人には眼鏡が必要になる。『和国諸職絵尽《えつくし》』(一六八五年)では蒔絵師、『人倫訓蒙図彙』では表紙屋(製本業)、『絵本御伽品鏡《おとぎしなかがみ》』(一七三〇年)では扇屋の主人や帳面屋の客が眼鏡を用いている。

文化・文政年間(一八〇四〜三〇)は職人尽くし絵(さまざまな職業を挙げ、携わる人たちの風俗や生活を描いたもの)が数多く描かれた時期で、むろん眼鏡をかけた職人も数多く登場する。『職人尽絵詞《しょくにんづくしえことば》』(一八〇六年)には、呉服屋の店頭風景、仏像を製作する仏師、縫い取り師(縫物または刺繡《ししゅう》をする人)と仕立て師、版木に字を彫って木版印刷する版木師など、眼鏡を必要としたいろんな職人の姿が丁寧に描かれている。また、十返舎一九《じっぺんしゃいっく》(一七六五〜一八三一)作・歌川広重画の『宝船《たからぶね》 桂帆柱《かつらのほばしら》』(一八二七年)では刀拵師(刀師のこと：刀鍛冶が作った刀身に切羽・鍔などを揃える仕事)と版木師が描かれている。いずれも眼鏡を紐《ひも》で耳にかけており、細かな手仕事を行う業種では紐付き眼鏡が必須だったのだろう。

黄表紙の挿絵にも眼鏡をかけた人物が登場する。山東京伝《さんとうきょうでん》(一七六一〜一八一六)作・画の『孔子縞于時藍染《こうしじまときにあいぞめ》』(一七八九年)では、眼鏡を外して耳から垂らして、息子の言い分を聞いている父親が描かれている。商業が活発になって市民文化が繁栄し、眼鏡が一般大衆にまで普及したことがわかる。喜多川歌麿《うたまろ》(一七五三〜一八〇六)の浮世絵「教訓・親の目鑑《めがね》」は一二枚シリーズで、紐付きで鼻当て式の眼鏡を描き、左右のレンズの部分に「教訓」「親の目鑑」と書き込んだ面白い趣向の絵である。また「千話鏡月の村雲」という画題で、やはり一二枚シリーズで、恋人同士の若い二人に年寄の無粋な第三者（「月の村雲」）を絡ませた漫画調の浮世絵がある。その一枚がお染・久松の若い男女二人と、そのそばで眼鏡をかけて手紙を読んでいるいかにも無粋な老人、という図柄で思わず笑ってしまう。老眼鏡も相当行き渡っていたのだろう。

文人にとっては眼鏡は必須で、大枝流芳《りゅうほう》（生没年不詳）という文人が書いた『雅遊漫録』（一七六三年）の「靉靆」の項に、「眼鏡は眼の悪い人、老人などが書を読むに重宝の器である。若年の人もこれをかければ、眼力を養い助けて、老後の眼力が強くなると言われている」とある。志賀理斎《りさい》（一七六二〜一八四〇）の『理斎随筆』（一八三八年）でも、「年を取ってから眼鏡を使うのは手遅れである。若い時から眼鏡を使うと、老年になっても目の力が衰えることがない」と書いている。眼鏡をかければ眼力が強くなり、年を取っても眼力が維持できると考えていたらしい。

滝沢馬琴《ばきん》は、一八三〇年頃に右目に異常を感じ始め、一八三四年には病勢が悪化して完全に失明してしまった。彼は『著作堂雑記』の一八四〇年二月二九日の項に目が悪くなった経緯を正直に書いている。「文政一三年（一八三〇年）の秋、朝起きた時に右の眼が見えなくなった。その時、これは長年、冬になると背の高い火鉢を机の右側においていたため、右の眼が乾いて見えなくなったのだろうと決めつけて、不便であったが薬を使わずに左の眼だけで日夜著述を続けた」とあり、最初に異変を感じた時は火鉢のせいであると思っていたことを明かす。ところが、「天保九年（一八三八年）の頃より、眼気がはなはだしく衰えて書を見ることができなくなり、眼鏡が合わないためと思っていろいろ高い値段の眼鏡を買い求めたが、一つも合うものがなかった。そのため、眼鏡が原因ではなく眼気が衰えてしまったのだとわかった」と実際に目が悪くなったことを自覚した。

翌一八三九年になると、左目も完全に曇って見えなくなり、著述も思い通りできなくなってしまった。「考えてみると、八年ほど前に右目が悪くなったのは、数十年来細かい字を綴ってきた疲れで瞳が裂けたのであろう、その頃に、今のように気が付いていれば、夜は休んで左目をいたわって大事にしていたのに。思いが浅くて、長年火鉢の火気を受けたため右目が悪くなったと思い込んだのは愚かなことであった」と続けている。反省しているが、もう手遅れであったのだ。

時計

〈定時法と不定時法〉

古来、人々は一日の時の移ろいの中で太陽の高さや位置が変わっていることに気づき、垂直に立てた棒の影の位置や長さの変化として時を認識していた。ノーモン（グノモン）、つまり日時計である。ゆく川の流れのように、私たちとは独立して一定の速さで進み、誰にも共通する客観的な時間という指標があると気づいたのだ。そして具体的に時間をこの手で捉えるために、太陽の運行を使い、やがて振り子の振動を使うようになった。それらが示す指標を共通の尺度とすれば、誰もが一致して行動することができるようになるからだ。

逆に、人々への命令手段として時間を支配しようとした権力者は、時間を独占して決定し、それによって人々の生活を律する尺度としようとしてきた。時間を正確に測って人々に知らせ、時間に沿って行動させるのだ。そのために時間を精度よく決定できる時計が発明され、改良されてきた。西洋では、例えば時計が示す時間に従って教会が打ち鳴らす鐘の音を合図にして農作業を終えるというように、決められた客観的な時間に人々が従うのが当然とされた。

これと似て、江戸時代の日本においても寺が打つ鐘の音で時間を知らせたのだが、その時間は太陽の位置と高さのような、季節や昼夜によって変化する自然そのものが指標になっていた。権力者も庶民も自然の時間に合わせて生きていたのである。西洋から流入してきた、ひたすら正確さを目指した時計に対し、江戸時代においては時間の異なった概念から、人々は独自の対応をした。それが日本独特の「和時計」である。

ここに江戸の人々の時間観念の特殊性を読み取ることができる。西洋では、時計の進みによって客観的に時間が決まる「定時法」が採用され、場所にも季節にも依存しない時間を生きるようになった。ところが、江戸時代の日本では、太陽の位置と高さで時間を決めたから、場所や季節によって変化するローカルな時間に基づく「不定時法」を当然とした。言い換えれば、西洋は中央集権（国家などの公権力が時間を決定する、いわば国権主義）によって近代の道を歩み始めたのに対し、日本では地方分権（地域によって時間が異なる、いわば民権主義）のままの近世を過ごしたわけだ。このような時間論を通じて、江戸の人々の生き様を見直してみるのも興味深いのではないだろうか。

時計の技術について言えば、定時法は振り子の等時性（糸の長さが等しい振り子においては、重さや振れ幅によらず往復の周期が一定になるという性質）を利用すれば、時間はその振動回数の集積として、いつでもどこでも同一に定めることができる。極めて簡明で画一的な時間決定法である。それに対して、不定時法は太陽の動きに応じるために単位あたりの時間幅が季節によって異なる。それを受け入れ、時計という機械において表現しようとしたから、大いなる工夫を必要とした。つまり、江戸時代においては、西洋の一定のリズムで時を刻む単純な機械時計を採用せず、季節や昼夜で時間の歩みが異なるが故に複雑な時間調整を必要とする和時計を工夫して編み出したのである。とはいえ、あまり調整の手間をかけず、しかし正確に時刻を測りたい。そのためにさまざまな技術を開発したのであった。そうした努力はムダではなく、近代になって日本の時計産業が世界に雄飛することに繋《つな》がっているように私には思える。現代の技術は、極論すれば画一性を基礎にシンプルさを徹底しているだけなのだが、そこに和時計の対照的な技術の蓄積が活かされて豊かさを生み出したのではないだろうか。

時間の測り方

時間を測る最も簡単な方法は、二つの樽《たる》を用意し、一つを上において底の方に栓をして水を一杯にいれ、栓を抜いて流れ出た水を下の樽で受けて、どれくらい水が溜《た》まったかを測るというものである。ただ、この方法では、上の樽に残っている水の量によって穴から流れ出る水の速さが異なるから、水の量で測ると時間の長短がついてしまう。そこで、大きな樽を何個も用意して上から下へと順々に流れ落ちるようにすると、下の方の樽に落ちて来る水の量はほぼ一定になるから、決まった流速になり、それを基にして時間を測ることができる。これが「水時計」である。このような方式を「漏刻」と呼んだそうで、『日本書紀』には中大兄皇子《なかのおおえのおうじ》がこれを作らせた（六六〇年）と書かれている。人々の時間を支配したい権力者は、巨大な漏刻を作って時間を決めて布告したのであった。

もっとも、漏刻は経過時間がわかるだけで、時刻を決定することができない。そこで時間の起点を定め、その時から漏刻の水を落とし始め、経過時間を測って時刻を決定することになる。時間の起点は、例えば「日の出」であり、あるいは太陽が南中する「正午」であるから、いずれも太陽の動きから決める。そうして決めた時刻を、何らかの方法（鐘や太鼓）で人々に知らせていたのである。

江戸時代には、藩や寺院が太鼓や梵鐘《ぼんしょう》によって決められた時刻を人々に知らせ（時報）、人々と時間を共有するようになっていた。慶長の末年（一六一五年）までに存在していた梵鐘は確認されたものだけで一〇八五個もあるそうだ。さらに、江戸時代の寺院の数から推定すると梵鐘の数は三万から五万はあったのではないかという考察もある（角山栄『時計の社会史』）。むろん記録が失われたものも多くあるから、それよりずっと多くの梵鐘が存在していて、それぞれが各地で鳴らす時報が日本全土を覆っていたのではないだろうか。全国のどこを旅してもその土地の鐘の音で時間を共有できたのである。芭蕉の『奥の細道』の旅も、各地の鐘の音からそれぞれの地域の時刻を知ったのだろう。

さらに、時間を測る「時香盤」という器具が江戸時代以前に中国で発明され、日本にも伝わっていた。その最も単純なものが「線香時計」である。線香に火をつけるとゆっくり燃えていく。その燃える速さが一定であることを利用して時間を測ったのだ。花街で遊女と遊ぶ際の花代を「線香代」と呼んだそうだが、線香一本が燃え尽きるまでの時間だけ遊女を占有できたことに由来している。これと同様の原理で、「もぐさ」などゆっくり燃え進む物質を並べ、端に点火してからどれくらい燃えたかで時間を測ることができる。これが「火時計」である。燃え進む速さが速い物質と遅い物質を並べておいて同時に点火すれば、速い物質で何分経過したかを、遅い物質では何時間経《た》ったかを表示できるだろう。それぞれに時計の短針と長針の役目を果たさせることができるのだ。さてそんな時香盤を考えた人間はいなかったのだろうか。

定時法の時刻と当時の時刻を比較すると、

午後一一時～午前一時：子《ね》の刻、九つ
午前一時～午前三時：丑《うし》の刻、八つ　丑満時《うしみつどき》
午前三時～午前五時：寅《とら》の刻、七つ
午前五時～午前七時：卯《う》の刻、六つ　明け六つ（昼間の開始「薄明」）
午前七時～午前九時：辰《たつ》の刻、五つ

午前九時〜午前一一時：巳《み》の刻、四つ
午前一一時〜午後一時：午《うま》の刻、九つ　正午
午後一時〜午後三時：未《ひつじ》の刻、八つ　お八つ
午後三時〜午後五時：申《さる》の刻、七つ
午後五時〜午後七時：酉《とり》の刻、六つ　暮れ六つ（昼間の終わり「誰《た》そ彼時《がれどき》」）
午後七時〜午後九時：戌《いぬ》の刻、五つ
午後九時〜午後一一時：亥《い》の刻、四つ

と、一刻がおよそ二時間単位であった。時報は、通常「明け六つ」「正午」「暮れ六つ」の三度打ち出された。いずれも太陽の高さや明るさが時間の基準点を決める尺度である。藩によっては、さらに細かく一刻間隔で鐘を打つ場合もあったらしい。寺の鐘や太鼓で時刻が知らされると、その時点で時香盤に点火すれば、各自が時報からどれくらい時間が経ったのかがわかる。時香盤は時計の機能を果たしたのである。

ところで、昼の一刻と夜の一刻は時間の長さが異なる（これが同じになるのが春分および秋分の時である）。そのため、「日の出」から「日の入り」までの六刻と、「日の入り」から「日の出」までの六刻は、同じ一刻でも昼夜で長さが異なり、季節によっても異なる。その差は無視して、

すべて同じ一刻としたのが「不定時法」の融通無碍《むげ》なところである。日本人には、元来その程度の違い（誤差）はあっても気にしない鷹揚《おうよう》さがあったのである。

とはいえ、時香盤は常に一定の速さで燃え進むから、一刻の長さが昼夜や夏冬で異なっていることに人々は気づいたのではないか。例えば、「日の入り」から「日の出」まで、遊女を独占できる時間が線香で測る時間ではまだたっぷり残っているはずなのに、夏の間は早々と「日の出」になってしまうから女郎屋から追い出される。他方、冬の間は線香が燃え尽きたのになかなか「日の出」にならず、早く解放されたい遊女がやきもきする、というようなことがあったかもしれない。時香盤（線香）は画一的な時間を、日の出・日の入りは遅速のある時間を表すからだ。

ところで、時香盤で長い時間を測るには燃える素材を長い列として並べなければならないから、懐中にいれられるくらい小型にすることはできない。そこで懐中にいれられる手軽な時計が考案された。具体的には、蓋を開けると文字盤が出て、その真ん中に太陽に向けて四角い紙片を立てると、その影の方向から時間を推測できるという「日時計」が利用された。こうして、「水時計」、「火時計」、「日時計」と、大掛かりな装置から小型の道具までいろいろ工夫をして、大体の時間は推測できるようにしたのである。時間の正確度では大まかなのだが、おおよその時間はちゃんと把握しておく、という感覚だったのだろう。

梵鐘などで知らせる三つの時間（明け六つ、正午、暮れ六つ）の基準点は、場所によって異なり（ローカルタイム）、季節によっても異なる（季節変動）から、自然に密着した時間だと言える。地方分権的でばらつきがある上に、季節や昼夜によって一刻の長さが異なってくることになるが、その差異を問題にすることはなかったのだ。これが、江戸時代が終わるまで日本人が採用してきた「不定時法」の真髄である。機械時計の発明は、一定の速さで機械的に流れる時間である「定時法」を採用した西洋でなされたのだが、日本は機械時計が伝来してからも「不定時法」を使い続けた希少な国であった。寸刻に至るまで時間の正しさを追求する現在の日本人から考えれば、江戸の人々の時間感覚の鷹揚さが何か懐かしいような気がするのは私だけだろうか。

〈和時計の開発〉

日本に機械時計が流入したのは、西欧との交易が開始された鉄砲伝来の頃とされている。歴史に残っている記録としては、一五五一年にザビエルが大内義隆に献上した贈物の中に「自鳴《とけ》鐘《い》」と称する機械時計があったのが最初である。「一二時を司《つかさど》るに夜昼を違えず響鐘の声を発す」と言われたように（『大内義隆記』）、一定の速さで進む定時法であることに注目が向けられている。その後、ローマに派遣された少年使節団四名が帰国した時に、持ち帰った自鳴鐘を秀吉に献上した（一五九一年）という出来事もあったから、やはり時を刻み、鐘を鳴らす時計は珍しかったのであろう。他にも一五九八年以前に津田助左衛門政之（生没年不詳）が駿府に呼ばれて時計を修理し、他に新しい時計を献じたという言い伝えや、一六一一年にスペイン国王のフェリペ三世が家康にゼンマイ時計を贈ったという記録がある。時計は比較的手軽な製品だから、かなり頻繁に流入し、早い段階から日本では時計製作が始まっていたと想像される。ただ、不定時法を機械でどのように表現するかにあたっては、いろいろな工夫が必要であった。その試行錯誤の成果が「和時計」なのである。この難題は職人の好奇心を強く刺激し、実に精巧なものまで現れたのであった。

和時計を動かす基本的な仕組みは、①最初は錘《おもり》の位置エネルギー、やがてゼンマイに巻き込まれたバネのエネルギーの解放による駆動力を利用し、②その力をテンプ（調速機）でリズムを取りつつ、決められたスピードでエネルギーを解放する脱進器（行司輪）を通していくつかの歯車（輪）を回し、③それによって指針（最初は時針の一本のみ、やがて分針が加わる）を動かし、あるいは雪輪と呼ばれる歯車を通して決まった時刻に時を告げる、というものである。こうした和時計の内部の構造までわかりやすく解説したのが『機巧図彙《からくりずい》』（一七九六年）の「首巻」で、秘伝の要素は見られない。このように技術が公開されたこともあって、和時計は発達したと言える。もっとも、これに使われるさまざまな歯車の設計・製作・組み合わせのためには、並々ならぬ工夫と技量が求められただろう。

実際、技術の発展段階に応じて、和時計にはいくつもの変形版が現れている。まさに職人の知恵がいろいろ発揮されたのだ。①最初に登場したのは、落下する錘の位置を、後ろに貼った定規のように時間を表示した文字盤に重ねて見ることで時刻を見積もる方法のもので、歯車を必要としない簡易形である。これを「尺時計」という。この方式では、文字盤の一刻の間隔を広げたり狭めたりすることで昼夜の変動を吸収することができる（割駒式）。また、季節ごとに異なる時間間隔を表示した文字盤を用意して、節気（一五日）ごとに交換する方式も採用された。②続くのはテンプに工夫を施したもので、最初テンプは一つだったから、人間の手で昼夜のリズムを調整せねばならなかった。やがて昼用と夜用とでリズムが異なる二挺テンプ式とし、さらに自動的に昼用・夜用と切り替わる方式へと改良されて人力での調整が不要になった。しかし、季節変動を含めるためには節気ごとにテンプの速度を変えねばならず、さすがにこれは自動化できず人間の手に委ねられた。③次の段階で、文字盤が固定されていて針が回るものが生み出された。あるいは、逆に針は常に一二時の方向を指し、下の文字盤が回転する方式のものもあった。

『和漢三才図会』には「自鳴鐘（俗に時計という）」とあるから、当時、この機械が「時を告げる」道具（時鳴）から「時を計る」道具（時計）へと変貌しつつあったことがわかる。この本に名が挙がっているのは「楼《まくら》時計（鐘楼《しょうろう》に似て、上に自鳴鐘が取り付けられ機械は自旋して鳴る）」が筆頭で、他には「懐中時計」・「釣り時計（掛け時計だが、二つの錘が交互に上下する）」を紹介している。「どれも内部の仕掛けとしては、刻歯の多くついた車輪のようなもの（歯車のこと）が相接していて機転運旋《ぐるぐるとめぐりまわり》する。鉄で作ってあって世牟末伊《ぜんまい》と名づけている。これが仕掛けの根本である」と書かれている。時計の仕組みについてはあまり詳しく記されていないが、（おそらく輸入品に）鉄製のゼンマイが使われていることに気が付いているのは慧眼《けいがん》である。当時の日本は、クジラのヒゲをゼンマイ代わりに使っていたからだ。

時計の名称も、どんな用途に使われたかに応じて櫓《やぐら》時計・掛け時計・枕時計・置時計などと呼び分けられていた。面白いのは、旅行に出かける時には携帯用小型日時計を矢立て・刀の柄・根付などに仕込んで用意していたり、印籠時計・饅頭《まんじゆう》時計・卦算《けさん》時計（占いの算木に似た形、文鎮時計とも呼ばれた）と、その形に因んで名づけられた簡易時計を人々が所持していたりしたことだ。日本人の時間に関する律義さそのものは江戸時代以来、変わっていないことがわかる。

一七世紀半ばには、もうすでに機械時計の輸入が止まっているから、時計の生産は国内で行われるようになっていたようだ。もっとも、庶民にまで機械時計が普及したわけではなく、大名や領主や豪商などが自慢するために購入していたのがほとんどであった。和時計の最高傑作は、からくり儀右衛門と呼ばれた田中久重《ひさしげ》（一七九九〜一八八一）が製作した「万年自鳴鐘」（一八五一年作）であろう。当時の和時計の最高技術とスイス製時計の機構を組み合わせて造り上げたもので、時計の文字盤は六面あって、①不定時法の時刻、②二十四節気、③七曜、④十干十二支、⑤月の満ち欠け、⑥定時法の時刻がそれぞれの面で示されている。さらに、上部のガラスのドーム内には日本地図の上を太陽と月が運行する装置（プラネタリウム）が付属している。田中久重が全力を傾けて、当時の技術の粋を結集させたものである。

田中久重が製作した「万年自鳴鐘」。国立科学博物館常設展示（株式会社東芝寄託）。画像提供／国立科学博物館

　ローカルな不定時法を使っていた「鎖国の時間」から、グローバルな定時法による世界時間に乗り移るという「時間の開国」が行われたのは一八七二年（明治五年）であった。それによって和時計の技術は霧消し、ひたすら日本は正確な時間を追いかけることになっ

た。緩やかな時間管理の寺子屋や塾が、時間管理の厳しい学校へと変貌し、「遅刻が誕生した」わけである。以来、日本は世界に冠たる時間遵守国となり、ほんの三分だけでも電車が遅れようものなら駅員に抗議が殺到する状況である。しかし、このように時間に追いかけられてひたすら走り続ける生き方でいいのだろうか。まさに『鏡の国のアリス』に出てくる「赤の女王」のように、「その場に留《とど》まるためには全力で走り続けなければならない」かのごとく、時間を追いかけて生きている私たちである。

からくり

〈歯車からからくりへ〉

一六世紀後半、いくつかの機械部品を組み合わせることによって、鉄砲や望遠鏡や時計のような思いがけない製品を作り出した西洋の技術を目の当たりにして、日本の技術者（職人）たちが奮い立たなかったはずがない。それまではテコと滑車とバネ（クジラのヒゲ）を使ってさまざまな用具や調度品を作ってきたが、それだけでは精密な細工をすることは不可能であった。しかし、西洋から流入してきた鉄砲や自鳴鐘などを分解して、彼らはネジ（雌ネジの利用）・鉄のゼンマイ・歯車・カム（回転運動を直線運動に変換する）・クランク（往復運動と回転運動を互いに変換する）・調速機（テンプ）・脱進機（制御装置）などが使われていることを見出した。それぞれの製品の内部に機械を動かすための巧みな技術が詰まっていたのである。さっそく、時計職人たちがその技術を遊びのために活かそうとした。

からくり技術の出発

一六一八年に、先に紹介した尾張藩の初代・徳川義直が家康三回忌の祭礼として「東照宮祭」を催した。この祭礼は最初は小規模であったのだが、一六三〇年に人形を飾った山車《だし》が登場すると、以後は趣向を凝らしたものへと進化し、一七一〇年頃には、恵比寿と大黒の二福神・獅子《しし》と童子・橋弁慶のような「山車からくり」と言うにふさわしい出し物を競うようになった。からくり人形造りに機械時計の技術が投入されて「からくり技術」が誕生したのである。やがて、東照宮祭の出し物に刺激されて、尾張領内の各地で手の込んだ山車からくりが次々と製作されるようになり、この地域に「からくり文化」が広がっていくきっかけとなった。

そもそものからくり人形の発端は、一六六二年に大坂・道頓堀《どうとんぼり》で旗揚げした竹田近江（？～一七〇四）のからくり一座であった。竹田近江は優れた時計技術者であったという記録もあり、その技術から発達した人形芝居（「竹田からくり」）が大きな人気となったのだ。さらに彼は尾張の山車の飾り人形を動くようにして（「離れからくり」）呼び物にした。尾張には和時計の技術

（津田助左衛門）の伝統があり、それが竹田からくり人形とドッキングして、一歩進んだ「尾張からくり」へと発展したというわけである。

井原西鶴の『独吟百韻』（一六七五年）の一句に「茶をはこぶ人形の車はたらきて」がある。その自註では「江戸播磨、大坂の竹田、唐土人の智慧《ちえ》が積もって、ゼンマイの車細工」にした「茶くみ人形」を見て驚いた心情が綴られており、「さながら人間のごとし」と絶賛している。すでに自動人形が発明されていたのである。このような機械仕掛けの人形・見世物・自動玩具などを「機巧《からくり》」と言うようになった。からくり人形が江戸時代に大きな人気となった理由は、やはり遊びの精神が横溢する時代であったためだろう。技術者は、実用の道具を作り出すのが本業なのだが、遊びの中で自由で思うがままに自らの技術を工夫して実験し、溜《た》め込んでいたエネルギーを発散させたのではないだろうか。

竹田近江はからくり人形を流行させた第一人者であるが、この頃のからくり技術はまだ初歩的なものであった。京都の多賀谷環中仙《かんちゅうせん》（生没年不明）らが著した『璣訓蒙鑑草《からくりきんもうかがみぐさ》』（一七三〇年）は、当時開発され始めたからくり二七種とその種明かし、そして製作法まで図解している珍しい本である。ここに取り上げられているものをいくつか紹介しよう。

「唐人の人形、笛吹き、物言うからくり」：人形が笛を吹いて言葉をしゃべるというものだが、実は裏の隠れ部屋から人間が地中に通した管を使って笛の音や声を伝えるようになっている。これは全くのまがい物である。

「**小鍛冶のからくり**」：掛け声に合わせて二つの人形が鍛冶棒を振り上げ振り下ろすというもので、地中に隠したペダルを踏むと糸が引かれ、台の下で糸が引かれると人形が動き、糸を離して緩めるとクジラのヒゲを使ったバネで人形が元に戻るという仕組みになっている。クジラのヒゲをバネとして利用するだけ進歩している。

「**人形に文字を書かすからくり**」：書かせたい文字の形に穴を彫った板の先に人形の手首が繋がっていて、板の穴の中に糸を通し、糸をゼンマイで引くと人形の手が穴の形に添って動いて字を書く仕掛けで、ゼンマイを利用したなかなかの傑作である。

「**太鼓のからくり**」：人の手が触れないのに太鼓が鳴り、その上の鶏が時を告げるという凝ったからくりである。まず、手品と同じく太鼓の両側を開けて何も仕掛けがないことを皆に見せる。実際には、縁の下を通した糸で操る仕掛けで、中を開けた時にその仕掛けが見えないように作られている。一種の手品である。

「**陸船車**」：一日で四〇里以上走ることができるというからくりで、人間が大きな歯車を足で回し、それに接触している小さな歯車が高速で回転するので速く動くように見える。歯車を利用し始めた頃の作品で、以後歯車の利用が展開するだろうと予感させるからくりである。

「**三段返りかるわざ人形**」：段差のある台の上におくと、ひっくり返りながら下の台に移動するもので、人形の中にいれた水銀が動くことで重心が移動して人形が動く仕掛けである。現代でも自動的に階段を下りる人形に利用されている高級な仕掛けで、極めて素朴なものから少しずつ高度な技術的要素が開発されていることがわかる。

からくり技術の成熟

『璣訓蒙鑑草』が出てから六〇年以上経って出版されたのが、細川半蔵頼直（？〜一七九六）の著書『機巧図彙』である。この期間にさまざまな技術的挑戦がなされ、ゼンマイ・歯車・カムなどをどう組み合わせると和時計や自動人形に仕立てあげることができるかが研究されてきた。単なる手品は姿を消し、洗練された技術によって、あたかも「生けるがごとし」のからくり人形が生み出されるようになったのである。この『機巧図彙』には、先に触れた和時計とともに、以下に述べる九種類のからくり人形の構造・原理・製作法が詳細に図解されている。細川頼直は土佐藩の郷士で天文・暦学に詳しく、時計や観測機械を自作したという人で、正統派の科学者であり、技術開発にも興味を持っていたらしい。からくりは遊びなのだが、技術全般にとって有益なものであるとの信念を持っていたのである。遊びであればこそ、自由に想像力を発揮して創意工夫が重ねられ、そこで見つけた技術を洗練することで新しい局面が切り拓《ひら》か

（右）細川頼直『機巧図彙』に描かれた「茶運人形」の絵（国立国会図書館デジタルコレクションより）
（左）『機巧図彙』の記述を基に、立川昭二氏によって1967年に復元された「茶運人形」（『図説 からくり』より）

れるとの確信があったのだろう。以下、紹介されている九種類のものがどんなからくり人形であるかのみを簡単に解説しておこう。

「**茶運《ちゃくみ》人形**」：人形が持つ茶台の上に茶碗《ちゃわん》をおけば人形は動き出し、茶碗を取り去ると止まる。また茶碗をおくと、方向転換して元の場所に戻る自動人形である。

「**五段返り**」：台の上に載せると手を挙げて仰向けに反りかえり、後ろに手をついてでんぐり返りをして次の段に立つ。これを五段にわたって繰り返す。水銀の移動で重心の位置が変わることを、人形の上下方向の運動として利用したものである。

「**連理返り**（**比翼返り**）」：水銀が入った筒で繋がった二つの人形を上下二段に分けておくと、上の人形が下の人形の頭を越えて下の段に下り、次に上になった人形が同様に下になった人形の頭を越えて段を下りる。これを繰り返して何段も下りていく。これも人形間での水銀の移動によって重心が変わることを利用したものである。

「**龍門の滝**」：滝の下に鯉《こい》をおくと自然に滝を昇り、淵《ふち》に達すると鯉は龍に変化して雲が湧き、龍は天に昇るという物語仕掛けで、磁石を有効に使った作品である。

「**鼓笛児童**」：幼い子どもが鼓を打ち、笛を吹き、無心に遊ぶさまを表現した人形。歯車が回るに従って動かすために、クジラのヒゲの張力を利用している。

「**揺盃**《いようはい》」：二重底になっている盃で、上底はビードロ（ガラス）でその下に亀がいて、普通は動かないが、お酒を注ぐと頭と手足が動く仕掛けになっている。細かな細工と透明なビードロを使った工夫である。

「**闘鶏**」：子どもが二羽の鶏の間にさしいれた唐団扇《とうちわ》を上げると、鶏が蹴り合っては左右に開く動きを三、四度繰り返し、その後犬が飛び出してきて鶏が怖がって左右に遠ざかり、子どもも姿を消す、というストーリー性のある物語が展開する。鹿威《ししおど》し、クジラのヒゲの反発力、いくつかの歯車の連動した動きなど、複雑なからくりの組み合わせとなっていて、もはや小型機械と言える。

「魚釣り人形」：人形がゆっくり水面に釣り糸を垂れ、しばらくして釣竿を上げると魚が釣り針に喰いついて上がってくる。魚が釣り上げられるとそばの旗持ちが旗を掲げ、魚がかからなければ旗は上がらないという仕組みで、その判断も人形がしているかのように見える。これもなかなか手が込んだからくり人形である。

「品玉《しなだま》人形（奇術を行う人形）」：ゼンマイからくりで、台の後ろのネジを巻いておくと、人形が伏せてある升《ます》を取り上げて、その下から奇妙なものが現れ、升を置いてから再び取り上げると別の奇妙なものが現れる。人形が奇術を行うのである。内部にサイコロの形をした箱があって、その四面に「品玉」と名づけられたいろいろなものが仕込んであって、かわるがわる出現するようになっている。歯車は一の輪・二の輪・行司輪と三つが回っており、それらの回転の具合でどれかが選ばれる仕組みになっている。偶然で決まる要素もあって高級である。

〈からくり技術の達人たち〉

この『機巧図彙』が出たことが多くの職人・技術者への刺激となって、からくり技術に挑戦する人が増えたようである。遊びつつ新しい工夫をし、それによって人々を驚かせ称賛を浴びることで、いっそう技術の洗練に励んだのであろう。その中で、三人の職人について述べておこう。

からくり伊賀

常陸国《ひたちの》（茨城県）・矢田部の名主であった「からくり伊賀」という人物がいた。正式の名は飯塚伊賀七（一七六二～一八三六）で、彼が製作した木製の大時計が復元されており、人力飛行機を作ったとも伝えられている。また、矢田部付近の精度の高い地図や、「十間輪」と呼ばれる一定距離を進むと鐘が鳴る仕掛けの測量器具が現存している。からくり人形としては、「茶くみ人形」や「酒買い人形」製作の記録があり、「あらかじめ行路の遠近を測り、左折右曲が随意にできるよう装置を組み、徳利《とつくり》や茶碗を持たせると自然に動き、取り去ると止まった」と書かれている。人形に酒を買いに行かせ、店主が酒の量をごまかした時は動かなかった、というのは買い被りの伝説であろうか（鈴木一義『からくり人形』）。奇術ではなく技術で動く人形を製作したのである。

大野弁吉

一方、加賀の大野弁吉（一八〇一～七〇）のからくりには、魔術師的な要素があったとの逸話が伝えられている。一つは、加賀藩の藩主である前田公の前で弁吉が製作した茶運人形を披露した時、藩主が感嘆の余りに扇子を取って人形の頭を打ったところ、人形は前田公を睨《にら》んで腰の刀に手をかけて切りかかろうとした、というのだ。無礼に怒った前田公は、以後弁吉にお目通りを許さなかったそうである。もう一つは、足を紐で結んだ一羽の鶴を造って空に飛ばしたところ、鶴は大きく羽ばたいて高く低く飛んで本物と違わなかった、という逸話である。これは、鶴の腹の中に軽いガスを仕込んで軽気球のように飛ばしたのではないかと想像されている。

彼は京都で生まれ、二〇歳の頃に長崎に行って医術や理工学を修め、その後対馬から朝鮮に渡り、やがて紀伊に移って砲術・馬術・柔術・和算・暦学を学んだ後、京都に戻って中村屋ウタと結婚し、一八三一年頃にウタの郷里である加賀の大野に移り住んで一生そこで過ごした、というのがおおざっぱな経歴である。

弁吉は長崎在住の際に銭屋五兵衛（銭五）に通訳として雇われ、その後船舶設計や造船の腕を買われて銭五の片腕となった。一八五二年には銭五一家が河北潟埋め立て工事のいざこざで家財没収・一族皆殺しとなって、一切の記録が抹消されたのだが、どうやら銭五は密貿易をしていたようなのである。そのための密輸船の設計図と羅針盤・望遠鏡・船内ランプなどの機器を、弁吉が密《ひそ》かに製作し提供していたという噂《うわさ》があった。波乱万丈の「銭屋五兵衛」を描いた講談や演劇があるが、そこでは弁吉が銭五の顧問となって活躍しているからだ。しかし、彼は実際には表に出ることを好まず、裏方に徹しようとしていたらしい。スポンサーである銭五の機密保持に協力したためだろうか。

弁吉作として、物理学を応用した機械仕掛けで跳ぶ蛙《かえる》や、水上を煙を吐きながら走る汽船の模型、ゼンマイ仕掛けのからくり人形が残っているが、さして奇抜でも図抜けたものでもないらしい。彼は広い知識の持ち主であったようだが、自ら著作して技術を公開したわけではない。門弟たちが書いた業績や口述記録によって数多くの職人技が伝えられているのみである。弁吉は写真術にも興味を示したらしく、銭五と並んで撮った写真が遺《のこ》されている。また、象牙・木・竹・金・ガラスなどを材料にした精妙な細工物を多く残しているから、やはり新しい物好きで器用な人間ではあったのだろう。彼は明治三年（一八七〇年）まで生きたが、新時代には大きな影響を与えることがなかった。江戸時代最後のからくり師であったと言うべきだろう。

からくり儀右衛門（田中久重）

弁吉と対照的なのが、からくり儀右衛門こと田中久重である。彼は九州の久留米で鼈甲細工師の長男として生まれ、早くも二〇歳の頃には神社の祭礼などで自作のからくりによる見世物興行を打っていたという。その後、大坂や江戸に進出してからくり興行を行うとともに、各地を歩いて新しい技術や知識を身に付けた。五〇歳を過ぎてからは京都に「機巧堂《からくりどう》」という名の店を構え、本格的な商売を開始した。この時、蘭学者の広瀬元恭《げんきょう》（一八二一～七〇）と交流し、彼から最先端の科学知識について学び、それを利用したさまざまなからくり人形や便利な機器を造り出している。

この機巧堂の目玉商品が先に述べた万年自鳴鐘で、西洋の時計技術の上に和時計独特の技術を加えた超高級時計であった。むろん、これは機巧堂を宣伝するための見世物であり看板で、自身にこれほどの腕があることを広く知らしめようとしたのである。他に、各種の時計・ランプ（無尽灯）・消防ポンプ（商品名「雲竜水」）などの機械式近代機器も販売していたが、やはり店の主要商品はからくり人形・からくり玩具であった。本業はからくり、副業が近代機器という業態だったことが、まさに時代の変わり目を象徴している。

しかし五五歳の時、久重は佐賀藩精煉方に招かれ、欧米の最新の技術への挑戦者に変身した。鉄を溶かす反射炉や蒸気の力によって駆動する蒸気機関の製作に携わった。江戸時代にからくり人形を作った職人は、新時代を迎える中でエンジニアへと変貌したのである。職人はあくまで個人の才覚の範囲内で、暗黙知（勘とか直観）と経験知（過去の経験の蓄積）によって技術を洗練させていく。そこには遊びや余裕があり、想像と創造が組み合わさって技術を豊かなものにしていった。しかし、エンジニアとなると、集団の知恵と数多くの試行錯誤の積み重ねの上で、技術の新局面が開かれる。暗黙知ではなく計算知、経験知ではなく理論知が優先される世界となるのだ。明治維新で近代科学・技術が大量に流入した時、日本が御雇い外国人の手を借りながらなんとかそれらを消化・吸収・応用できたのは、江戸時代に培われていた職人的技術の伝統があったためだろう。

田中久重は七七歳になって東京に出て、銀座に店を構えて電信機など新時代が求める製品を造るようになった。これが田中製作所で、現在の東芝の前身なのだが、もう一人東芝の基礎を成す「白熱舎」を起こした藤岡市助《いちすけ》（一八五七～一九一八）も忘れてはならない。藤岡は帝国大学工科大学助教授を辞し、思い切って発電機を始め、電気を利用する機器の製作・販売を開始したのである。田中の機械技術と藤岡の電気技術の合作が新時代を切り拓いたのではあるが、それは江戸の技術が近代に飲み込まれる象徴でもあった。

おわりに

私たち現代人は、ガリレオ・デカルト・ニュートンらが育てあげた近代科学の考え方を当然としている。その基礎にある科学の精神は江戸時代に蘭学を通して少しは日本に入ってきていたが、現実に学校教育を通じて人々に叩《たた》き込まれるようになったのは明治維新以後である。近代学校教育は、科学のみではなく思想・倫理・教育・社会・経済などさまざまな分野において、国民国家・成長発展、そして富国強兵・中央集権・ピューリタニズム・時間の価値などといった近代の論理を浸透させ、日本人の価値観を根本的に変えることになった。以来一〇〇年以上経《た》った現代の私たちは、そのような近代合理主義を当たり前のものとして捉え、その鏡に映った描像と照らし合わせることで物事を裁断するのが習い性となった。私たちは近代という堅固なイデオロギーを身に付けてしまったのだ。

特に科学・技術の分野では、近代科学革命と産業革命を知らない江戸時代の日本においては、西洋諸国との交流が少ないまま科学的精神が育たず、家内制手工業という低い生産性の技術に甘んじなければならなかった。それ故、江戸の文明は非科学・未科学に終始し、手作業の範囲の技術しか開発しなかったから、「遅れた文明」と見做《みな》されてきた。近代の論理から言えばそうなのだろうが、そのように断定して切り捨ててよいのだろうか？

というのは、江戸（時代）の人々は、その生活や日ごろの行為から、突き抜けるような明るさ、屈託のなさ、尽きない好奇心、面白そうであれば後先考えずに挑戦する探求心などに溢《あふ》れていたことも知られているからだ。そのことは、外国人の目を通して江戸の残影を記述した渡辺京二の『逝きし世の面影』（平凡社ライブラリー、二〇〇五年）を読めばわかる。江戸の人々は、そもそも近代がもたらした進歩思想とは全く無縁であった。貧しくともあまり欲望を持たず、その日一日を楽しく仲良く過ごし、神仏信仰も寄り合いと行楽の機会として捉え、子どもを叱らず伸び伸び育てることのみに気を遣った。そのような人々が寄り集まって作りあげた江戸の文明は、こせこせせずおおらかで、ちょっと大人気がなく軽率で、しかし凝り出すとしばし夢中になって何事も忘れてしまう、そんな危なっかしい側面もあった。それでもなんとか維持できたのは、武士という融通の利かぬ朴念仁《ぼくねんじん》が体制を守護してきたためであろうか。とはいえ、武士や大名にも趣味に現《うつつ》を抜かす面々が多くいた。

そんな江戸の人々は、近代とは全く異なった空気に生きていた。江戸を懐かしむ、あるいは江戸を見直す多くの研究が積み重ねられ、多数の書籍が出版され、近年では循環型社会を生み出していたとして江戸ブームすら起こっている。それに便乗したわけではないが、これまで科学・技術のあり様を議論してきた私も、江戸の時代が生み出した「科学」を見直すことにした。そこで発見したのは、特に私が専門とする天文・宇宙に関して、流入した蘭学から当時として最新の地動説や宇宙論に分け入った絵師の司馬江漢（『司馬江漢　「江戸のダ・ヴィンチ」の型破り人生』集英社新書、二〇一八年）であり、無限に広がる宇宙を考え、地球外に暮らす人間の存在まで夢想した金貸し升屋の番頭・山片蟠桃（『江戸の宇宙論』集英社新書、二〇二二年）である。天文学には全く素人の町人が宇宙論に遊んだのだ。人間はほんの少しの刺激があれば、想像の世界を大きく広げることがよくわかるではないか。

そこで天文・宇宙論に留《とど》まらず、さらに江戸時代に広がった数々の「科学」にかかわる分野（和算・博物誌・園芸・飼育・技術）について調べることにした。そこで見たものは、江戸時代は「科学」の分野において全く遅れていたのではなく、「もう一つの科学」として独自の展開をしていたという発見であった。あえてカッコ付きで「科学」と表しているように、これはヨーロッパに起源を持つ近代科学の意味ではなく、「もう一つの科学」、すなわち楽しみと経験知と自由な想像を巡らせての自然との付き合いの営みであり、系統性や論理性・合理性に欠けるところはあっても、人々はこれに夢中になり、「研究」に入れ込んだのである。私は、そこで創られた「もう一つの科学」を全否定せず、それを見直して楽しむ「科学」として復権できないか、と考えた。そこでとりあえず、江戸時代にどんな「科学」が広がり、持《も》て囃《はや》されていたかをまとめることにした。それが本書で、私の「江戸三部作」の一角を占めることになった。

本書でおわかりのように、江戸の人々は決して「科学オンチ」でも「科学嫌い」でもなく、面白いことであればどんどん「科学」に深入りしていった。アサガオ・菊・桜・万年青《おもと》などの園芸、虫・鳥・金魚・鼠《ねずみ》・蚕などの飼育など、人々は路地奥の狭い空間にそれらを並べて育て、慈しみ比べ合ったのである。その旺盛な好奇心から何事にも凝って深入りしてしまう、ちょっとおっちょこちょいの江戸人は、現代の私たちより、「科学」ともっと身近に接し、楽しんでいたのであった。そのような「科学」は、近代合理主義の権化たる現代科学とは質が異なっているが、その「科学的精神」は共通しており、その幾分かでも私たちは継承できないかと思うのである。その思いを込めて、本書においては随所に「科学」にまつわる挿話も含めることにした。「科学を物語として語る」という試みの一つでもあるからだ。

もし江戸の人々にインタビューできて、「なぜ、あんなに自由奔放に『科学』に遊べたのですか?」と聞けば、「ただ遊んだだけですよ」と答えるに違いない。現代の私たちは他人と接していて、何か自分に不十分なところや、相手に感心したところを発見すると、すぐにそれを評価して学ぼうとする。より良く生きる自分を常に求め続けているかのような、いかにもけなげでしおらしい人物像を演じるのが習い性になっているが、それも近代が私たちに課した発展論理・成長倫理の意識に起因する桎梏《しっこく》に他ならない。そんな意識を全く持たない江戸の人々は、現代的視野でいかに高く評価されようと、その意味がわからず、ただ閉口するのみだろう。文明が成り立つ基礎が異なっているのである。

つまり私たちは、江戸が紡いだ文明を、その優劣や得失や長短や正邪や善悪を脇に置いて、ただ虚心に楽しめばよいのではないか、と思うのだ。江戸の人々もそれを望んでいることだろう。これぞまさに相対主義的文明観であり、多様性とか多文化主義とあえて言わず、そんな文明もあったと愛おしく抱きしめればいいのである。そんな思いで、本書を書いてきた。私たちは、江戸の文明という今は喪《うしな》われてしまった貴重な人間の過去を道案内にして、私たちの文明構築の歩みを続けるしかないように思う。本書が、その歩みのための一助にでもなれば幸いである。

本書を書き上げるにあたって、集英社学芸編集部の石戸谷奎《けい》氏に一方ならぬお世話になりました。また後任の新書編集部の出和陽子氏に仕上げの手助けをしていただきました。ここに厚く感謝いたします。

二〇二三年六月

池内了

参考文献一覧

第一章

佐藤健一『江戸庶民の数学　日本人と数』東洋書店、一九九四年
川本亨二『江戸の数学文化』岩波科学ライブラリー、一九九九年
鳴海風『江戸の天才数学者　世界を驚かせた和算家たち』新潮選書、二〇一二年
佐藤健一『和算家の旅日記』時事通信社、一九八八年
小寺裕『だから楽しい江戸の算額　和算絵馬「算額」の魅力がいっぱい』研成社、二〇〇七年
西田知己『江戸の算術指南　ゆっくりたのしんで考える』研成社、一九九九年
佐藤健一編『算額道場』研成社、二〇〇二年
大矢真一『和算以前』中公新書、一九八〇年
平山諦『和算の歴史　その本質と発展』ちくま学芸文庫、二〇〇七年
吉田光由『塵劫記』大矢真一校注、岩波文庫、一九七七年
竹内均『地球物理学者竹内均の現代語版塵劫記』同文書院、一九八九年
小寺裕『和算書「算法少女」を読む』ちくま学芸文庫、二〇〇九年
遠藤寛子『算法少女』ちくま学芸文庫、二〇〇六年
福沢諭吉『文明論之概略』岩波文庫、一九六二年（改版）
小倉金之助『日本の数学』岩波新書、一九四〇年

下平和夫『日本人の数学　和算』河出書房新社、一九七二年
桜井進『夢中になる！江戸の数学』集英社文庫、二〇一二年
上野健爾「『型やぶり』の数学　中国伝統数学を越えて——関孝和に学ぶ」、池内了編著『高校生のための人物に学ぶ日本の科学史』ミネルヴァ書房、二〇二〇年所収

第二章

西村三郎『文明のなかの博物学　西欧と日本』上下巻、紀伊國屋書店、一九九九年
遠藤正治『本草学と洋学　小野蘭山学統の研究』思文閣出版、二〇〇三年
磯野直秀『日本博物誌年表』平凡社、二〇〇二年
上野益三『日本博物学史』講談社学術文庫、一九八九年
『彩色　江戸博物学集成』平凡社、一九九四年
『科学朝日』編『殿様生物学の系譜』朝日選書、一九九一年
杉本つとむ『江戸の博物学者たち』講談社学術文庫、二〇〇六年
木村陽二郎『江戸期のナチュラリスト』朝日選書、一九八八年
青木淳一『博物学の時間　大自然に学ぶサイエンス』東京大学出版会、二〇一三年
杉本つとむ『日本本草学の世界　自然・医薬・民俗語彙の探究』八坂書房、二〇一一年
岩槻邦男『ナチュラルヒストリー』東京大学出版会、二〇一八年
大場秀章『江戸の植物学』東京大学出版会、一九九七年

大島明秀『「鎖国」という言説　ケンペル著・志筑忠雄訳『鎖国論』の受容史』ミネルヴァ書房、二〇〇九年
『鳥獣虫魚譜　「両羽博物図譜」の世界』磯野直秀解説、八坂書房、一九八八年
奥村正二『平賀源内を歩く　江戸の科学を訪ねて』岩波書店、二〇〇三年

第三章

中尾佐助『花と木の文化史』岩波新書、一九八六年
青木宏一郎『江戸の園芸　自然と行楽文化』ちくま新書、一九九八年
飛田範夫『江戸の庭園　将軍から庶民まで』京都大学学術出版会、二〇〇九年
仁田坂英二『変化朝顔図鑑　アサガオとは思えない珍花奇葉の世界』化学同人、二〇一四年
青木宏一郎『江戸のガーデニング』平凡社、一九九九年
小笠原左衛門尉亮軒『江戸の花競べ　園芸文化の到来』青幻舎、二〇〇八年
木村、前掲『江戸期のナチュラリスト』
花咲一男『川柳　江戸歳時記』岩波書店、一九九七年
浜崎大『江戸奇品解題』幻冬舎ルネッサンス、二〇一二年
西村、前掲『文明のなかの博物学』上下巻
上野、前掲『日本博物学史』
米田芳秋『アサガオ　江戸の贈りもの　夢から科学へ』裳華房、一九九五年

平野恵『園芸の達人　本草学者・岩崎灌園』平凡社、二〇一七年
平野恵『十九世紀日本の園芸文化　江戸と東京、植木屋の周辺』思文閣出版、二〇〇六年
野村圭佑『江戸の野菜　消えた三河島菜を求めて』荒川クリーンエイド・フォーラム、二〇〇五年
『江戸・東京ゆかりの野菜と花』ＪＡ東京中央会、一九九二年
青葉高『野菜の博物誌』八坂書房、二〇〇〇年
青葉高『野菜の日本史』八坂書房、二〇〇〇年
筑波常治『日本の農書　農業はなぜ近世に発展したか』中公新書、一九八七年
青葉高『野菜の博物学　知って食べればもっとオイシイ⁉』講談社ブルーバックス、一九八九年
田中優子『江戸の想像力　18世紀のメディアと表徴』ちくま学芸文庫、一九九二年
田中優子『江戸の音』河出書房新社、一九八八年
田中優子『江戸はネットワーク』平凡社ライブラリー、二〇〇八年

第四章

【全体を通じて】

小宮輝之『人と動物の日本史図鑑③　江戸時代』少年写真新聞社、二〇二一年
深光富士男『図説 江戸のカルチャー　教養書・実用書の世界』河出書房新社、二〇二二年
増川宏一『合せもの』法政大学出版局、二〇〇〇年
今橋理子『江戸の花鳥画　博物学をめぐる文化とその表象』講談社学術文庫、二〇一七年

前掲、『彩色　江戸博物学集成』
寺島良安『和漢三才図会』全一八巻、島田勇雄・竹島淳夫・樋口元巳訳注、平凡社東洋文庫、一九八五〜九一年
磯野直秀監修『国立国会図書館特別展示　描かれた動物・植物　江戸時代の博物誌』国立国会図書館、二〇〇五年

【鼠】
安田容子「江戸時代の戯文にみる鼠害対策と鼠に対する動物観」、「国際文化研究」第二〇号、二〇一四年、二三三〜二四五ページ
桜井富士朗「江戸時代ネズミ絵画によるイエネズミの考察」、「日本獣医史学雑誌」第五四号、二〇一七年、四八〜五九ページ
安田容子「江戸時代後期上方における鼠飼育と奇品の産出　『養鼠玉のかけはし』を中心に」、「国際文化研究」第一六号、二〇一〇年、二〇五〜二一八ページ
春帆堂主人『養鼠玉のかけはし』（一七七五年）、国立国会図書館デジタルコレクション
寺島俊雄「『珍翫鼠育艸』全訳」、「解剖学ひろば」（日本解剖学会ウェブサイト、二〇二〇年一〇月公開）
定延子『珍翫鼠育艸』（一七八七年）、国立国会図書館デジタルコレクション

【金魚】

鈴木克美『金魚と日本人』講談社学術文庫、二〇一九年
松井佳一『金魚』河出書房、一九四一年
松井佳一『金魚』保育社、一九六三年
松井佳一『日本の金魚』アルス、一九四三年
小嶋吉雄・高井明徳『魚の世界　ミクロからマクロへ』裳華房、一九九五年
安達喜之『金魚養玩草』(一七四八年)、国立国会図書館デジタルコレクション

【鳥】

細川博昭『鳥と人、交わりの文化誌』春秋社、二〇一九年
細川博昭『大江戸飼い鳥草紙　江戸のペットブーム』吉川弘文館、二〇〇六年
細川博昭『江戸時代に描かれた鳥たち　輸入された鳥、身近な鳥』ソフトバンククリエイティブ、二〇一二年
奥野卓司『鳥と人間の文化誌』筑摩書房、二〇一九年
国松俊英『鳥の博物誌　伝承と文化の世界に舞う』河出書房新社、二〇〇一年
黒田長久監修『鳥の日本史』新人物往来社、一九八九年
菅豊『鷹将軍と鶴の味噌汁　江戸の鳥の美食学』講談社選書メチエ、二〇二一年
工作舎編『鳥の巻　天地に舞う』工作舎、二〇一七年
蘇生堂主人『喚子鳥』(一七一〇年)、国立国会図書館デジタルコレクション

泉花堂三蝶『百千鳥』（一七九九年）、国立国会図書館デジタルコレクション
蘇生堂主人『鶉書』（一六四九年）、『日本農書全集60』農山漁村文化協会、一九九六年所収

【虫】
小西正泰『虫の博物誌』朝日選書、一九九三年
小西正泰『虫の文化誌』朝日選書、一九九二年
梅谷献二『虫の民俗誌』築地書館、一九八六年
笹川満廣『虫の文化史』文一総合出版、一九七九年
杉浦日向子『一日江戸人』新潮文庫、二〇〇五年

【蚕】
奥村正二『小判・生糸・和鉄　続江戸時代技術史』岩波新書、一九七三年
村川友彦「信達の歴史シリーズⅢ　人物からみた信達の歴史（第1回）中村善右衛門　養蚕業に科学的手法を導入し技術進歩に貢献」、「福島の進路」第四四〇号、二〇一九年四月、四九～五三ページ
上垣守國『養蚕秘録』（一八〇三年）、『日本農書全集35』農山漁村文化協会、一九八一年所収
成田重兵衛『蚕飼絹篩大成』（一八一三年頃）、前掲『日本農書全集35』所収
中村善右衛門『蚕当計秘訣』（一八四九年）、前掲『日本農書全集35』所収
しみずたか『蚕都物語　蚕種家清水金左衛門のはるかな旅路』幻冬舎ルネッサンス、二〇〇八年

第五章

【全体を通じて】
太田浩司・勝盛典子・酒井シヅ・鈴木一義監修『江戸の科学 大図鑑』河出書房新社、二〇一六年
寺島、前掲『和漢三才図会』
加藤秀俊『見世物からテレビへ』岩波新書、一九六五年
川添裕『江戸の見世物』岩波新書、二〇〇〇年
奥村正二『火縄銃から黒船まで　江戸時代技術史』岩波新書、一九七〇年
奥村、前掲『小判・生糸・和鉄　続江戸時代技術史』

【鉄砲・花火】
宇田川武久『鉄砲と戦国合戦』吉川弘文館、二〇〇二年
宇田川武久『鉄炮伝来　兵器が語る近世の誕生』中公新書、一九九〇年
ノエル・ペリン『鉄砲を捨てた日本人　日本史に学ぶ軍縮』川勝平太訳、中公文庫、一九九一年
洞富雄『鉄砲　伝来とその影響』思文閣出版、一九九一年
松本清張『火の縄』講談社文庫、二〇〇一年（新装版）
松本清張「特技」、『松本清張全集35』文藝春秋、一九七二年所収
細谷政夫・細谷文夫『花火の科学』東海大学出版会、一九九九年

清水武夫『花火の話』河出書房新社、一九七六年
小野里公成『日本の花火』ちくま新書、二〇〇七年

【望遠鏡・眼鏡】
有坂隆道編『日本洋学史の研究Ⅲ』創元社、一九七四年
『セーリス日本渡航記　ヴィルマン日本滞在記』村川堅固・尾崎義訳、岩生成一校訂、雄松堂書店、一九七〇年
東京科学博物館編『江戸時代の科学』名著刊行会、一九六九年
市立長浜城歴史博物館編『江戸時代の科学技術　国友一貫斎から広がる世界』市立長浜城歴史博物館、二〇〇三年
広瀬秀雄『望遠鏡　美しい星の像を求めて』中央公論社、一九七五年
中村士『江戸の天文学者　星空を翔ける　幕府天文方、渋川春海から伊能忠敬まで』技術評論社、二〇〇八年
嘉数次人『天文学者たちの江戸時代　暦・宇宙観の大転換』ちくま新書、二〇一六年
立川昭二『いのちの文化史』新潮選書、二〇〇〇年
白山晰也『眼鏡の社会史』ダイヤモンド社、一九九〇年
三宅也来『万金産業袋』八坂書房、一九七三年

【時計】
角山栄『時計の社会史』中公新書、一九八四年
角山栄『時間革命』新書館、一九九八年
澤田平『和時計　江戸のハイテク技術』淡交社、一九九六年
有澤隆『図説 時計の歴史』河出書房新社、二〇〇六年
橋本万平『日本の時刻制度』塙選書、一九六六年
橋本毅彦・栗山茂久編著『遅刻の誕生　近代日本における時間意識の形成』三元社、二〇〇一年

【からくり】
立川昭二『からくり』法政大学出版局、一九六九年
立川昭二他『図説 からくり　遊びの百科全書』河出書房新社、二〇〇二年
村上和夫編訳『完訳 からくり図彙』並木書房、二〇一四年
鈴木一義『からくり人形　微笑みに隠された江戸の夢、ハイテクの秘密』学習研究社、一九九四年
鈴木一義「日本のものづくりの源流――田中久重に学ぶ」、前掲『高校生のための人物に学ぶ日本の科学史』所収

池内 了（いけうち さとる）

天文学者・宇宙物理学者。一九四四年兵庫県生まれ。京都大学理学部物理学科卒業。同大大学院理学研究科物理学専攻博士課程修了。博士(理学)。名古屋大学名誉教授、総合研究大学院大学名誉教授。『科学の考え方・学び方』で講談社出版文化賞科学出版賞（現・講談社科学出版賞）を受賞。著書は『物理学と神』『宇宙論と神』『司馬江漢』『江戸の宇宙論』『科学者と戦争』『科学者と軍事研究』『科学者は、なぜ軍事研究に手を染めてはいけないか』『姫路回想譚』など多数。

江戸《えど》の好奇心《こうきしん》 花《はな》ひらく「科学《かがく》」

集英社新書一一七一D

二〇二三年七月一九日 第一刷発行

著者……池内《いけうち》 了《さとる》

発行者……樋口尚也

発行所……株式会社集英社

東京都千代田区一ツ橋二-五-一〇 郵便番号一〇一-八〇五〇

電話 〇三-三二三〇-六三九一（編集部）

〇三-三二三〇-六〇八〇（読者係）

〇三-三二三〇-六三九三（販売部）書店専用

装幀……原 研哉

印刷所……凸版印刷株式会社

製本所……加藤製本株式会社

ISBN 978-4-08-721271-6 C0221

a pilot of wisdom